白虎通暨漢禮研究

周德良 著

臺灣 學㇖書局 印行

王 序

　　我不是皓首窮經的經學專家，卻意外指導了一篇卓爾有成的經
學論文，讀者有緣會驚奇的發現，周德良先生猶未皓首，已成專
家，在《白虎通》的研究領域，擁有了「成一家之言」的一片天。

　　他出身淡江大學中文系、所，中央大學中研所博士班，碩士論
文精研的是《《白虎通》讖緯思想之歷史研究》，本篇則是他更上
一層樓的博士論文，在同一專題研究日久，果真有了重大的發現與
可觀的成果。

　　這一本經學論著，義理詮釋與文本考證兼重並行。在諸多專家
凸顯了《白虎通》文本與「白虎觀會議」性質不相應，而又側重禮
制建構的既有研究成果之上，不落在全盤否定之斷為偽書，與以
《白虎通》即「白虎議奏」之深信不疑的兩極偏頗間，而尋求義理
與文本兩得安頓之合理而可得徵驗的一條出路。

　　本書最精采處，就在「不疑處有疑」的問題意識，且在「有疑
處」找到「不疑」的論證過程。作者回應了當代學者對《白虎通》
文本的質疑與判斷，再與西漢「石渠閣會議」之佚文做出比較，斷
定二者間並無承襲關連；故依據《白虎通》之具有禮制國憲之性
質，而與漢代禮制之因革，與章帝敕命曹褒撰述《漢禮》之用意，
做一整合理解，並將史料中所論述之《漢禮》與《白虎通》文本，

在篇目結構與內容性質一一比較對看，發現流通千百年之《白虎通》，實即曹褒撰述之《漢禮》。

此堪稱翻天覆地，且已是開天闢地的大創見，不僅解答了縣延千百年難以理解的舊困惑，且又預留了往後千百年學術研究的新天地。

我不是專家，而以專家弟子為榮。我震撼於他的新發現，也期許他在解牛遊刃之餘，也能「善刀而藏之」；在「為之四顧，為之躊躇滿志」的時刻，也能開拓出由北冥飛往南冥的自在天空。

王邦雄　序於淡江大學中文系

2007 年 10 月 10 日

高 序

　　漢代是中國歷史中十分重要的朝代，它一方面開展出前所未有
的國力，直至今日中國人仍以漢民族為主流；另一方面它在文化上
亦頗有建樹，兩漢經學可說是繼秦朝文化集權之後的文藝復興。兩
漢以儒家思想為主，士風甚美，知識分子勇於承擔世運，蔚為清
流，大放清議，亦可謂漢代文化之特色所在。然而，當代學者對漢
代思想之評價卻顯出不一致之結論，此中之原委頗堪玩味。

　　勞思光教授在其《中國哲學史》中，對漢代哲學提出極為嚴厲
的批評，認為儒道思想在漢代皆已肢解、歪曲，不足以真正繼承儒
道傳統。另一方面，徐復觀先生在《兩漢思想史》的敘述中，對漢
代思想予以頗為正面而積極的評價，認為漢儒仍有高度的理想性。
如實而言，漢儒與孔孟之間誠然有重大之差異，至少在人性論、修
養論上便有極大之距離；至於黃老與老莊，其精神亦頗有異趣，老
莊仍以精神自主為主軸，與黃老之重治國以至道教之重養生，亦可
謂涇渭分明矣。然而，是否是肢解、歪曲，則仍有商榷之空間。蓋
漢儒之為漢儒應有其特色，不必與先秦儒學一一相應，否則時代之
發展與理論之引伸亦無法充分展開，較中肯的說法是區分兩者之異
同，再以某種設準給予相對的評價，如是一方面能保住不同歷史時
期思想之特色，另一方面也滿足對哲學理論之評價與定位。至於漢

儒之理想性，我們由《鹽鐵論》之討論，以及將天子視為爵稱，皆可證成漢儒對帝王權力限制之用心，亦可見漢儒亦不失民本主義的特色，尤其漢儒對禮的制定與發展更具有時代特色與價值。然而，漢儒最大的思想困結並不在其對先秦儒學理想主義的繼承，而在其對價值根源安頓之失落。依孔孟精神，無論是仁或是良知四端，其皆由人心之自覺為根源，是以價值主體之自省自覺做為價值之根源，天為絕對之理，然而天卻要由吾人對仁心良知之體會而後加以證成，所謂「踐仁以知天」、「盡心知性知天」，皆是重主體之自由、自律。因為是以主體之自由、自律為主軸，是以對心性論之重視便成必然，而如何充分完成原有之本性，此種種之工夫修養論亦成必然。相對而言，漢儒仍以告子生之謂性為論性主軸，價值既無法由中性之氣加以說明，只好委諸超絕的天，此所謂天人相應也。既以天為價值之根源，主體地位失落，因此相關之工夫修養亦告沈落，轉而成為重外在形式之權威主義，所謂「三綱五常」之說亦只是此外在權威主義之例示而已。當然，三綱五常並不必只是以錯誤視之，反之，就其存在之時代脈絡而觀之，其亦只是對人之社會角色之定位，其內容有其時代之相對性。三綱五常真正的問題，在其對人之社會角色之定位所依據之基礎為何？如果仍是以仁心為基礎，則聖人易地而皆然，差異亦屬必然；如果只是不自覺的權威教條，便大可商榷其價值與合理性。因此，問題仍可以是開放性的，它容許我們有更多元的討論，此中，漢禮之價值仍應予以高度之肯定與重視。

　　漢禮之價值至少可由二義加以說明。首先，漢禮在秦焚書坑儒文化大敗之後，有其振衰起蔽、重開生面的文藝復興之地位。無論

吾人是否接受其內容，然其體系之龐大、內容之豐富、論述之完整，亦可說獨一無二了。其對中國文化影響之深遠自不待言。其次，漢儒並不只以人間之倫理為已足，而更進一步以天地人我之和諧為更高之嚮往。對漢儒而言，人之禮並不只是人與人之間的通達之道，而且更是天地人我和諧之道。人之種種存在內容是與一切存在息息相關，而其進行之節奏亦與天地之美若合符節。由此觀之，漢儒以陰陽、四時、五行等觀念展示人間種種合理禮制，並非是一種盲目的迷信與無知，亦不只是一時的理論興趣，而是有「天人合一」的偉大理念存在其中，此其所以能有文化之偉構與大帝國之創建也。若再以今日生態環保觀念反省，則漢儒思想可說是最具生態環保意識之思想，值得你我再三反省、學習。

　　周德良博士性情謙和而不失個性，頗有「君子和而不同」之風。在許多會議及課堂討論中，周君皆能虛心接納雅言正論，然而亦頗能忠於哲學、忠於真理，而不吝展示其真正的知、所信之論。本書之內容亦正是周君和而不同的論述成果。周君雖以思想研究見長，然而亦頗重文獻考證之真，本書以《白虎通》為核心，通過詳細之考證，得到頗具革命性之見解，對《白虎通》之成書、作者及內容，皆有獨到之創見，研究之企圖心與開創性可說令人耳目一新，大開眼界。當然，這樣的結論不免有些冒險，相關之批評與應有之回應亦是周君日後努力的內容，然能有此勇氣與毅力，即已值得肯定，更何況能提出值得重視之創見，身為周君師友，不得不為周君之成就喝采！

　　本書以周君博士論文為底本，經修正補充後有今日之面貌，而距其博士論文初稿之提出已超過四年了。這說明周君雖重視自己所

持之論，然亦能虛心接納雅言，在長時間沈潛斟酌之後才確立並提出研究成果，請學眾師之指正，其用心之謹慎光明可謂昭昭然。今周君欲正式出版大作，請余共襄盛舉，隨文為序。謹以個人對漢儒思想之所思及對周君大作之所見，草成此文，以就教於學者方家，是為序。

高柏園　序於淡江大學中文系

2007 年 10 月 10 日

白虎通暨漢禮研究

目　次

第一章　前　言

第一節　緣　起

　　對既有之文獻做學術研究，乃是合理說明歷史資料之意義，並且提供詮釋系統，成為一種歷史研究之學術理論；因此，援引文獻之真偽與論述文獻範圍之多寡，乃成為判斷學術理論價值重要因素之一。考證之工作，首重在取得可靠之證據，證據愈充分，考證之結果愈可信；反之，證據愈薄弱，考證之結果愈不可信；至於無證據之考證，出於一種臆測，更不足以取信於人。考證文獻之工作，在學術研究之過程中，不僅提供考證之成果，同時，其結論成為繼起者所需之基礎材料，而且是論證學術理論是否有效之客觀依據。因此，考證之結果必然影響學術理論之發展，舉凡古史、目錄、思想、文藝思潮及學術演變等，❶每一項考證工作之完成，代表繼起之相關學術理論得服膺考證之結果而有所調整，輕微者得修改部分

---

❶ 鄭良樹《古籍辨偽學》言：「我們承認，古籍的真偽可以影響到古史，……古史辨偽研究的範圍是歷史，古籍辨偽研究的卻是古籍的作者及古籍的本身，而其價值及影響，更不局限於古史真偽而已，舉凡目錄、思想、文藝思潮及學術演變等等，都莫不受古籍真偽的牽連。」（臺北：臺灣學生書局，1986 年 8 月），頁 21。

內容,嚴重者能推翻既有之傳統舊說,並重新建構合於考證結果之詮釋理論,可見考證工作在學術研究領域中之重要性。

《四庫全書‧總目》評論《白虎通》一書曰:

> 書中徵引六經傳記,而外涉及緯讖,乃東漢習尚使然。又有〈王度記〉、〈三正記〉、〈別名記〉、〈親屬記〉,則《禮》之逸篇。方漢時崇尚經學,咸兢兢守其師承,古義舊聞,多存乎是,洵治經者所宜從事也。❷

長久以來,《白虎通》一直是研究漢代學術重要之文獻,特別是東漢之經學發展過程,端「賴此一書稍窺崖略」也,❸因此,《白虎通》乃成為治經學者之津要。然而,陳立(1809－1869)疏證《白虎通》感歎有四難:❹

> 蓋以石渠典佚,天祿圖湮,汝南存異義之名,中郎蝕熹平之舊,董、曹兵燹,劉、石憑陵,南國清談,欽崇元妙,北郊戎馬,滅絕典墳。重以妄生異義,橫裂聖經,高才者蕉肆雌

---

❷ 〔清〕紀昀等總纂:《四庫全書‧總目》(臺北:藝文印書館,1989 年 1 月),頁 2355－2356。

❸ 清代皮錫瑞曰:「《白虎通議》猶存四卷,集今學之大成。十四博士所傳,賴此一書稍窺崖略。」《經學歷史》(臺北:藝文印書館,1987 年 10 月),頁 117。

❹ 〔清〕陳立:《白虎通疏證》(臺北:廣文書局據光緒元年春淮南書局刊影印,1987 年 5 月),頁 1－2。

黃，末學者婉求青紫，而欲溯微文于既汨，尋佚論于久湮，
紹彼先民，暢茲墜緒，其難一也。

《白虎通》文本因年代久遠且戰禍不斷，遂使其原來文本逐漸模
糊；復以學者對《白虎通》之詮釋分歧，皆難得《白虎通》立論初
衷，益使其內容性質湮沒不見。如今欲從久湮既汨之文本中，尋求
當時之微文佚論，恢宏《白虎通》之原創精神，此其難之一。

至若緯著七篇，讖傳百首，《鑒度》、《運樞》之說，《推
災》、《考燿》之文，敘郊邱則旁徹《禮經》，論始際則隱
符風、雅，辨殷周文質，而《春秋》義昭，剖卦象盈虛，而
《易》爻指晰，雖雜以占候，未底于醇，而徵諸遺經，間合
乎契。故皆以讖斷禮，以緯儷經，內學之稱，諒非徒爾。迄
乎莊、老橫流，康壺自寶，僭偽謬託，贗鼎雜陳，遂禁絕于
天監之年，燔滅于開皇之世，華容著錄，片羽僅存，候官集
遺，塵珠略見，而欲旁搜星緯，遠索芭符，求鄭、宋之絕
學，述曹、史之元經，其難二也。

讖緯在東漢當時具有斷禮、儷經之學術價值，故有「內學」之稱；
但時至梁天監年間以後，遂遭禁絕、焚燬，讖緯盛況不再，隻字片
語散落各處。由於《白虎通》於引述經書之外，尚雜以讖記之文，
使《白虎通》之疏證工作益加困難，此其難之二。

昔班氏之入此觀也，習《魯詩》者首重魯恭，肆歐陽者并崇

> 桓郁，景伯則專精古義，丁鴻則兼習今經，共述師承，咸資
> 採析。今則淳于之奏，莫考舊聞，臨制之章，無由資溯，師
> 守之源流莫睹，專門之姓氏誰尋，而欲綜《七略》之遺文，
> 匯百家之異旨，津逮殊迷，淵源何自？其難三也。

《白虎通》雖詳載白虎觀會議結果，卻疏漏淳于之奏，及帝親稱制
臨之文章，甚至無由考辨發言人之姓氏。因此，如何在不具名之文
句中，分析各家不同學說，並由各家學說追溯其源流何自，乃成為
一項嚴格考驗，此其難之三。

> 況其舊入祕書，久同佚典，毛公古義，莫遇司農，楊子元
> 文，誰為沛國，是以魯魚互錯，亥豕交差，同《酒誥》之俄
> 空，若《冬官》之闕略。雖餘姚校正，略可成書，武進補
> 遺，差堪縷述，然亦終非全璧，祇錄羽琤，而欲披精論于殘
> 編，捃微旨于墜簡，其難四也。

《白虎通》文獻資料旋即庋藏入祕書，形同亡佚之典籍，至今雖經
後人校補至今，終非原本面目。如何在此一墜簡殘編之中，闡發
《白虎通》精義，更是一大難題，此其難之四。《白虎通》所以隱
沒不顯、複雜難解，實有以致之。

《中國大百科全書·中國歷史》「白虎觀會議」（Balhuguan
Hulyl）條釋之：

> 東漢章帝時召開的一次討論儒家經典的學術會議。東漢初

年，經今古文學的門戶之見日益加深，各派內部因師承不同，對儒家經典的解說不一，章句岐異。漢光武帝劉秀于中元元年（公元 56），「宣布圖讖于天下」，把讖緯之學正式確立為官方的統治思想。為了鞏固儒家思想的統治地位，使儒學與讖緯之學進一步結合起來，章帝建初四年（公元 79），依議郎楊終奏議，仿西漢石渠閣會議的辦法，召集各地著名儒生于洛陽白虎觀，討論五經異同，這就是歷史上有名的白虎觀會議。這次會議由章帝親自主持，參加者有魏應、淳于恭、賈逵、班固、楊終等。會議由五官中郎將魏應秉承皇帝旨意發問，侍中淳于恭代表諸儒作答，章帝親自裁決。這樣考詳同異，連月始罷。此後，班固將討論結果纂輯成《白虎通德論》，又稱《白虎通義》，作為官方欽定的經典刊布于世。這次會議肯定了「三綱六紀」，并將「君為臣綱」列為三綱之首，使封建綱常倫理系統化、絕對化，同時還把當時流行的讖緯迷信與儒家經典糅合為一，使儒家思想進一步神學化。❺

東漢建初四年（79）章帝下詔集合當時學術菁英會於白虎觀，講議《五經》同異，班固（32–92）將討論結果纂輯成《白虎通德論》一書，又稱《白虎通義》，會議由天子下詔而開，並親稱制臨決，是當時學術界一大盛事。此條釋文描述白虎觀會議之由來，與《白

---

❺ 中國大百科全書總編輯委員會：《中國大百科全書》（上海：中國大百科全書出版社，1992 年 3 月），頁 17。

虎通》一書之內容，大致吻合史書對白虎觀會議之記載，與現存之
《白虎通》文本所反映之內容，此條釋文亦可視為目前學界對白虎
觀會議與《白虎通》文本之基本共識。

　　以白虎觀會議之規模而言，盛況可謂空前，而「白虎通德論」
（或稱「白虎通義」）之歷史意義，適足標誌一代學術典範。然而，
史書記載會議者詳，會中之文獻資料卻異常疏略，諸如：書名問
題，或曰「白虎通」、「白虎通義」、「白虎通德論」，書目名稱
不同；作者問題，或稱章帝，或謂班固，或不載撰者，未有定論；
篇數問題，或稱六卷、十卷、十二卷、四卷，未有定數。以下試舉
史書及藏書目錄記載之「白虎通」，表列如下：

書籍	類別	名稱	卷、篇數	作者
《隋書》	卷三十二〈經籍志·五經總義〉	《白虎通》	六卷	
《舊唐書》	卷四十六〈經籍志·七經雜解〉	《白虎通》	六卷	漢章帝撰
《新唐書》	卷五十七〈藝文志·經解〉	《白虎通義》	六卷	班固等
《通志》	卷六十三〈藝文略〉	《白虎通》	六卷，十四篇	班固
《崇文總目》	卷一〈論語類〉	《白虎通德論》	十卷，四十篇	班固撰
《玉海》	〈中興書目〉	《白虎通》	十卷，四十篇	
《郡齋讀書志》	卷四〈經解〉	《白虎通德論》	十卷	班固奉詔纂
《直齋書錄解題》	卷三〈經解〉	《白虎通》	十卷，四十四門	班固撰

《宋史》	卷二百二〈藝文志·經解〉	《白虎通》	十卷	班固
《山堂群書》		《白虎通》		
《文獻通考》		《白虎通德論》	十卷	
《清史稿》	〈藝文志〉	《白虎通》	十二卷	
《四庫全書總目》	卷一百十八〈子部·雜家類〉	《白虎通義》	四卷，四十四篇	班固撰
《四部叢刊》		《白虎通德論》		
《續補漢書藝文志》	〈經部·經解〉	《白虎通德論》		
《五十萬卷樓藏書目錄初編》	卷十一〈子部三〉	《白虎通德論》	十卷	臣班固纂集

　　「白虎通」既是如此重要，但是連登錄僅存之書目名稱及其作者卻是如此紛歧。況且，《白虎通》文本來歷不明，且依其文本及內容性質，對照於史書之記載，兩者互為齟齬，甚至當時如許慎、馬融、鄭玄等大儒皆不曾舉引此書，凡此諸多疑點，無不啟人疑竇，亦不容小覷。基於對《白虎通》文本之理解，與面對《白虎通》文本之諸問題，欲闡釋《白虎通》思想精義，與探究《白虎通》文本之問題，兩項議題一樣重要。因此，為兼顧探索《白虎通》文本考證問題，與闡釋《白虎通》文本思想義理，本書擬以考證與詮釋雙軌並行，以期達到由義理證成考證，考證支援義理之目的。

第二節　目的與方法

　　書名曰「白虎通暨漢禮研究」，其中「白虎通」，係指現存且流傳最廣之元大德本之文本，而「漢禮」，則是指東漢章帝敕曹褒集作之書。稱「暨」，實質有二義：其一，與也，分別考證《白虎通》與《漢禮》兩書；其二，即也，考證並詮釋《白虎通》與《漢禮》兩書之關係。因此，為避免論述過程產生同名異實之困擾，且為論述之方便，本書以下以雙曲線白虎通（《白虎通》）指稱現存之文本，而以單引號白虎通（「白虎通」）表示史書與傳說中有關白虎觀會議之任一形式之文獻資料。

　　本書之目的，乃是以闡釋《白虎通》文本之思想義理與考證工作並重。雖然，考證之結果能引導詮釋之方向，而詮釋之方向亦會影響考證之結果，換言之：考證與詮釋，兩者交互循環，互為因果；若試圖單方面以義理證成考證，或是以考證支援義理，則易流於循環論證之中。然而，唐君毅（1909－1978）曾就學術之分際言：「我們當說，此中各種學術之分際，初只由人自身之看對象事物之觀點與態度之不同而來。此中之分際，初只是此諸態度觀點間之原有其分際，而不必是因其所涉及之對象事物，原可互不相涵攝，而先自身有其截然的分際。」[6]因此，義理與考證雖各有其獨立性，但是兩者之界域並非森嚴，無論是外緣資料之歷史考證，或是文本形式之詮釋批評，兩者必然交互映襯。若獨立義理或考證之研究領

---

[6]　唐君毅：《中華人文與當今世界》（臺北：臺灣學生書局，1988 年 11 月全集初版），《唐君毅全集》，卷七，頁 197。

域，或許可以純化研究範圍，避免論證之干擾；但是，面對歷史文獻如《白虎通》，若能從義理證成考證，考證支援義理，豈不兩全其美！

　　基於本書之研究目的，同時為避免有「先入為主」觀念之譏，本書之論述程序如下：首先，介紹《白虎通》文本之版本，以釐定研究對象，進而分析文本之篇卷、著述體例、篇章結構與引述典籍，以確立文本之基本結構。其次，由歷史溯源推論白虎觀會議之緣起，及與會學者之學術背景，推測會後可能產生之會議資料，即「白虎通」之成書性質，並以《白虎通》內容對照「白虎通」之可能成書性質，比較兩者之同異。再者，以《白虎通》文本為基礎，闡釋《白虎通》之內容與性質，分析說明《白虎通》乃是以闡發當時之「名物度數」為宗旨，深具「法典」、「國憲」之性質。《白虎通》之基調既定，輔以漢代禮制思想與流行之「三禮」學說，印證《白虎通》做為禮樂制度之書之可能性，並以此建構《白虎通》之禮制思想，並回應當代學者對《白虎通》文本之判斷。其後，再論白虎觀會議乃是倣效西漢石渠閣會議而成，故由石渠閣會議之緣起，與輯石渠佚文並分析其體例，比較《白虎通》與石渠佚文兩者之同異，說明《白虎通》與石渠佚文並無承襲關係。最後，由確立《白虎通》具有禮制「國憲」之性質，繼之由漢代禮制之沿革，探索漢代禮制與《禮》學，推論東漢章帝改定禮制過程中，敕命曹褒撰述《漢禮》之意；以史料中所論述之《漢禮》對照《白虎通》，比較兩者在篇目結構與內容性質之若合符節。本書篇末附以蔡邕與《白虎通》之關係提供一則線索，追究曹褒之《漢禮》被誤植為《白虎通》之可能性，以為結論。

第三節　相關《白虎通》研究文獻探討

　　白虎觀會議（79）距元大德九年（1305）本刊印，兩者相距超過壹千貳百年，張楷感歎《白虎通》「是書韜晦於世何止數百歲而已」！自東漢以來千百年間，《白虎通》文本之完整記錄，甚為罕見，而史書及私人藏書，亦僅記載其書目。相較於漢代其他典籍，《白虎通》則明顯晚出，開始刊刻始於元代，自此《白虎通》流行於世，而補闕、注疏、考證等工作，則從清代開始。自清代以來，學者研究《白虎通》，大致可以區分為義理詮釋與文獻考證兩方向：

一、義理詮釋方面

　　清代陳立《白虎通疏證》是開研究《白虎通》風氣之先，亦是全面性對《白虎通》進行研究之專著。陳立主要是以傳統注疏闡釋《白虎通》，一方面考訂《白虎通》文本，並且大量補充文本引述文獻之出處。可以說，陳立《白虎通疏證》確立後世研究《白虎通》之向度，成為近現代研究《白虎通》必經之津要。

　　北京中華書局以陳立《白虎通疏證》為範本，由吳則虞點校，並加以文字考定，是現代研讀《白虎通》之普及本（北京：中華書局，1994 年 8 月）。本書書末附錄：〈今本四十四篇闕文〉（盧文弨）、〈白虎通義攷〉（莊述祖）、〈白虎通義斠補〉、〈白虎通義闕文補訂〉、〈白虎通義佚文考〉、〈白虎通義定本〉、〈白虎通義源流考〉、〈白虎通德論補釋〉（劉師培）等八文，頗利考證與索引。

　　除上述兩本，有關《白虎通》之義理詮釋，以專書形式論述者，主要以大學研究所之學位論文為主要來源，其餘則散見於專題式之典籍中，或者以短篇論文形式發表，而收錄於相關論文集。

　　夏長樸《兩漢儒學研究》（臺灣大學中文研究所碩士論文，1974年），論文中明確指出《白虎通》文本具有組織法之性質。

　　陳玉台《白虎通義引禮考述》（師範大學國文研究所碩士論文，1974年），與王新華《白虎通義研究》（政治大學中文研究所碩士論文，1975年），兩部學位論文幾乎同時進行，而且研究《白虎通》之方向，皆以文本中之禮制思想為重點，透顯出現代研究《白虎通》之特色。唐兆君《《白虎通》禮制思想研究》（輔仁大學中文研究所碩士論文，1994年），是二十年後繼前兩篇再度以《白虎通》之禮制思想為研究範圍，展現學界對《白虎通》研究持續關注之焦點。

　　此外，林聰舜〈帝國意識形態的重建——扮演「國憲」的基礎的《白虎通》思想〉一文（國科會 1996 年度哲學學門專題計劃研究成果）。論文總結當前學界對《白虎通》之詮解，強調《白虎通》在東漢政治上之作用，並整合白虎觀會議之性質與章帝制定禮憲兩者間之關聯性，使白虎觀會議與《白虎通》文本之關係，得到暫時性之安頓。

　　筆者之《《白虎通》讖緯思想之歷史研究》（淡江大學中國文學系碩士論文，1997 年），則是以《白虎通》文本中所引之三十一則讖緯條文為研究範圍，做歷時性之思想探源。

　　邱秀春《白虎通義與東漢經學的發展》（輔仁大學中文研究所博士論文，1999 年），本篇論文則是從漢代學術發展以詮釋《白虎通》在歷史上之定位。此文比對《白虎通》文本所引經傳，認為《白虎

通》不但沒有統一今文家說，而且雜引經傳，完全沒有一致的引文規範，所以《白虎通》實未能達成學術大一統目的；此一論述凸顯《白虎通》文本與白虎觀會議不相應之問題，提供本書另一事證。至於《白虎通》文本「所引書傳偏向《禮》學，詮釋經典時側重禮制、典儀、禮文等範疇」之現象，此文認為：「乃因當時世族豪強具有割據自雄的物質力量，使大一統局面削弱，統治階級企圖憑藉儒家思想的權威，訴諸倫理規範，強化思想統治，解決當時階級矛盾等社會問題」，「其政治目的超越學術目的」之理由解釋；諸如此類詮解《白虎通》之時代意義，乃是現代流行之學說，亦加深本書解決此一問題之迫切性。

二、文獻考證方面

　　關於考證《白虎通》之研究成果，大多散見於專題式之書籍，或者是與《白虎通》文本有間接關係之「序」之短文形式發表，殊少以專書形式出現。大致而言，學者考證《白虎通》與白虎觀會議之關係時，大多環繞在《白虎通》、《白虎通義》與《白虎通德論》等不同書名討論，試圖從不同名義之中，以解釋文本與文獻記載不相應之問題，並合理化文本與會議所以產生之差距。

　　時下流行之《抱經堂叢書》所收之《白虎通》，乃是盧文弨就何允中之《漢魏叢書》本校訂。然於付雕之際，始見南宋以前小字舊刻本，但因其所校刻本即將付梓，遂捨棄小字宋本，其校刻仍依《漢魏叢書》元大德本之重印本；而其所刻之版本與小字宋本相參校，間有更改者，具著其說於「補遺」之中。

　　莊述祖之抱經本〈白虎通義攷〉，考證以為應當正名為「白虎

通義」。莊述祖以為，章帝命史臣所作之「通義」，即是現存之
《白虎通》，而李賢注以「白虎通義」視為「白虎通」並不正確。
莊述祖以為，「白虎通」乃是指稱議奏全文，而「白虎通義」是議
奏全文（即「白虎通」）之部分。莊述祖考證，乃是著眼於「白虎
通」與「白虎通義」二者之篇數不同。依莊述祖推論，《隋志》之
「白虎通」與《崇文總目》之「白虎通德論」，皆是指「白虎通
義」，而且「白虎通義」之卷數與篇數，甚至其〈爵〉、〈號〉以
至〈嫁娶〉之篇目，乃後人編纂而成，非當時原貌。因此，依莊述
祖所考，章帝命班固撰集其事即是「白虎議奏」，即所謂之「白虎
通」全文，此議奏當有百篇以上，且在隋唐時已亡佚；而現存之
《白虎通》即是章帝命史臣所作之「白虎通義」，「白虎通義」乃
「白虎通」之略本，故以「白虎通」指稱「白虎通義」易生歧義。

　　孫詒讓〈白虎通義考〉（《國粹學報》第五年第二冊第五十五期，1909
年）承莊述祖之說，亦以為今之《白虎通》應為「白虎通義」；不
過，莊述祖以篇數不合考證，而孫詒讓則是從西漢石渠閣議之議奏
探討。孫詒讓以為，白虎觀會議既是仿傚西漢石渠閣會議之模式，
其會議成果，亦當仿效石渠閣編列之議奏形式，故石渠閣會議有專
論一經與雜議《五經》之書，而白虎觀會議「必亦有」專論一經與
雜議《五經》之書。然而，石渠議奏雜議《五經》已亡佚，專論一
經者又僅存〈石渠禮論〉；而白虎觀會議則是專論一經者全部亡
佚，卻僅存雜議《五經》之「《五經雜議》」；故今之《白虎通》
即是白虎觀會議之「《五經雜議》」。因此，孫詒讓以為，以「白
虎通」或「白虎議奏」之名名今之《白虎通》不可行，而當以「白
虎通義」之名名之，以別於「白虎議奏」，以正其「雜議《五

經》」「通義」之實。

劉師培〈白虎通義源流考〉亦同意《白虎通》應正名為「白虎通義」。劉師培以為，白虎觀會議所有議論呈奏章帝，章帝依議奏內容評騭裁准，其後史臣依章帝稱制臨決之結果，要刪議奏而成《白虎通義》，故《白虎通義》與《議奏》有別。劉師培認為，《白虎通義》之體例異於《議奏》者，主要有二點：其一，《通義》雖亦宗一說為主，但仍以「一曰」、「或云」（或曰）之文，並存其他異議，此做法之目的不在於正經義，而是在建立禮名制度，故《通義》有別於「雜議」之論。其二，班固集合眾家之說，調節整理，撰成《通義》，但因《通義》不記發言者之姓名，為保留會議原貌，並存《議奏》以供後人檢索。因此，《議奏》保存至桓、靈之時，賜予蔡邕，此後《議奏》亡佚，僅存《通義》，後人不知始末，而岐名滋生。

直接觸及到《白虎通》之真偽問題者，當推洪業為前導。洪業在〈《白虎通》引得序〉即明確質疑《白虎通》為「偽作」（燕京大學圖書館引得編纂處編，1931 年）。其所持理由大要有三：其一，比較班固之行文氣韻與《白虎通》不相類，故「疑其書非班固所撰」；其二，考證《白虎通》書中鈔襲宋衷之緯注甚多，且書中所涉及之典章制度多與當時漢制不符，故「疑其非章帝所稱制臨決者」；其三，《白虎通》既鈔襲宋衷之緯注，並綜合其說，故其必作於建安十八年（213）之後；而繆襲生前得見《白虎通》，且引用其文句，其作似在正始六年（245）之前，故「疑其為三國時作品」。洪業結論認為，《白虎通》乃後世好事者運用「白虎議奏」，再加以「撮合經緯注釋」而成，而更有好事者將《白虎通》

作者比附於班固，晉宋以後，遂成為定論。故基本上，洪業依然肯定《白虎通》仍白虎觀會議之議奏，只是其中摻雜後人損益部分材料編纂而成。

于首奎之《兩漢哲學新探》，此書以較大篇幅論述《白虎通》，且在書中批評洪業考證之缺失；不過，于書在考證論述上，基本多承襲孫詒讓之說；而思想義理，亦與侯外廬、任繼愈之說一脈相傳。

林聰舜〈帝國意識形態的重建——扮演「國憲」的基礎的《白虎通》思想〉（發表於中研院社科所主辦「85 年度哲學學門專題計劃研究成果發表會」）一文指出，章帝為使整個漢代國憲具有合理性，必須先統一經義，故《白虎通》是章帝欲制定「國憲」之手段工具。因此，《白虎通》不僅具有「國憲」性質，而且更能夠提供在往後制憲過程中最重要之理論基礎。

王四達之〈是「經學」、「法典」還是「禮典」？——關于《白虎通義》性質的辨析〉（《孔子研究》第六期，2001 年）一文，從會議與文本之雙重性辨析《白虎通》之性質，此篇論文適足以凸顯出研究《白虎通》所面臨之處境與糾結所在。

第二章
《白虎通》文本形式結構

　　本章論述之範圍，主要在解析《白虎通》文本之形式，首先探討《白虎通》之版本來源與現存之書目，其次臚列文本之卷、篇與章節細目之數量與名稱，其次分析構成《白虎通》全文之體例結構，並歸納其凡例，最後統計《白虎通》全書引述典籍之種類與次數。本章之目的，旨在確立研究對象，提供本書做為闡釋《白虎通》之文本性質與考證其身分問題雙重目的之立論根據。

第一節　版本概況

　　關於《白虎通》一書重現於世，張楷如此描述：

　　《白虎通》之為書其來尚矣。……平生欲見其完書，未之得也。余分水監歷常之無錫，有郡之者儒李顯翁晦識余於官舍，翌日攜是帙來且云：州守劉公家藏書舊本，公名世常字平父，迺大元開國之初行省，公之子魯齋許左轄之高弟收書不啻萬卷，其經史子集士夫之家亦或互有，惟此帙世所罕

見，郡之博士與二三子請歸之於學，將鏤板以廣其傳，守慨然許之。今募匠矣，求余識於卷首，余謂：是書韜晦於世何止數百歲而已，……。❶

嚴度亦言：

余嘗持節七閩如建安書市，號為群籍所萃，訪求無有也。今錫學得劉守平父家藏《白虎通》善本，繡梓以廣其傳，是亦明經之一助，豈小補哉。❷

《白虎通》韜晦於世何止數百歲，元代之前甚為罕見。李顯翁持劉平父家所藏是書善本見張楷，東平郡守並允然以此書鏤板重印，以廣流傳，時在元大德九年四月（1305），此即所謂「元大德本」。目前所見《白虎通》之版本，如明、清以後所刻之《抱經堂叢書》、《漢魏叢書》、《兩京遺編》、《古今逸史》、《秘書二十一種》等均有此書，亦大多沿襲元大德本。但劉平父家所藏之善本《白虎通》成於何時？目前未可確知。

　　盧文弨（1717–1795）校刻《白虎通》時言：

---

❶ 〔漢〕班固等撰：《白虎通》（臺北：藝文印書館，1969 年《百部叢書集成》據《抱經堂叢書》本影印）。此本校刊最精，且有莊述祖〈白虎通義攷〉，〈白虎通闕文〉及盧文弨之校勘補遺。抱經本《白虎通》，「白虎通序」，頁1。

❷ 抱經本《白虎通》，「白虎通序」，頁1–2。

案：古書不宜輕改，此論極是。……特初就何允中《漢魏叢書》本校訂付雕，於其語句通順者，不復致疑。後得小字宋本，元大德本參校，始知何本閒有更改之處，因亟加刊修以還舊觀，書內不能改者，具著其說於補遺中。❸

（《白虎通》）元明以來，訛謬之相沿者，幾十去八九焉。梓將畢工，海寧吳槎客又示余小字舊刻本，其〈情性〉篇足以正後人竄改之失，蓋南宋以前本也，與其餘異同，皆於補遺中具之。此書流傳年久，閒有不可知者闕之，然要亦無幾矣。❹

盧文弨所校刻之《白虎通》，乃就何允中之《漢魏叢書》本校訂，然於付雕之際，始見南宋以前小字舊刻本，但因其所校刻本即將付梓，遂捨棄小字宋本，其校刻仍依《漢魏叢書》元大德本之重印本。而其所刻之版本與小字宋本相參校，間有更改者，具著其說於「補遺」之中，此即《抱經堂叢書》所收之《白虎通》。

盧文弨讎校《白虎通》所據新舊本有五：❺

一，明遼陽傅鑰本。（字希準，嘉靖元年刻於太平，有泠宗文序，依元大德九年無錫所梓本，止分上下兩卷，其元刻未得見。）

二，明新安吳琯本。

---

❸　抱經本《白虎通》，「元大德本跋後」，頁 1。
❹　抱經本《白虎通》，「校刻白虎通序」，頁 1。
❺　抱經本《白虎通》，「白虎通讎所据新舊本并校人姓名」，頁 1。

三，明新安程榮本。

四，明武林何允中本。（四卷，今本多就此本訂正。）

五，明錢塘胡文煥本。

其中，傳本乃「依元大德九年無錫所梓本，止分上下兩卷」，何本「四卷，今本多就此本訂正」。換言之，盧文弨所校刻之《白虎通》，乃是依明代之五種版本，並「据莊校本覆校並集眾家」而成。

北平燕京大學圖書館《白虎通引得》，所收《白虎通》之傳本有十七本：❻

一，四部叢刊本十卷。

二，隨盦徐氏叢書本十卷。

三，明俞元符校吳氏刊單行本二卷。

四，明楊祐校兩京遺編本二卷。

五，四庫鈔本二卷。

六，三餘堂袖珍漢魏叢書本二卷。

七，汪士漢校秘書二十一種本二卷。

八，明吳琯校古今逸史本二卷。

九，明胡文煥校本二卷。

十，涵芬樓影印漢魏叢書本二卷。

十一，王模增訂（趙宜崙校）漢魏叢書本四卷。

十二，廣漢魏叢書本四卷。

---

❻ 《白虎通引得》：燕京大學圖書館引得編纂處編（北平：燕京大學圖書館引得編纂處，1931 年），頁 11。

十三，明郎璧刊單行本四卷。

十四，崇文子書百家本四卷。

十五，掃葉石印百子全書本四卷。

十六，育文石印漢魏叢書本四卷。

十七，黃元壽石印小字漢魏叢書本四卷。

以上十七本，「多出元大德重印宋監本」。❼此外，國家圖書館善本書目中，存有明嘉靖元年遼陽傅鑰本二卷，明新安程榮刊《漢魏叢書》本二卷，明天啟六年郎璧刊本四卷，清道光二十一年張氏書種軒傳鈔元大德本十卷等。

第二節　卷數與篇數及其篇章名稱

依抱經本「白虎通目錄」計有：

第一卷：

〈爵〉：天子為爵稱／制爵三等五等之義／內爵／天子諸侯爵稱之異／王者太子稱士／婦人無爵／庶人稱匹夫／爵人於朝封諸侯於廟／追賜爵／諸侯襲爵／天子即位改元（共十一章）

〈號〉：皇帝王之號／王者接上下之稱／君子為通稱／三皇五帝三王五伯／伯子男於國中得稱公（共五章）

〈謚〉：總論謚／帝王制謚之義／謚天子於南郊／天子謚諸侯／卿大夫老有謚／無爵無謚／謚后夫人／號謚取法（共八章）

〈五祀〉：總論五祀／大夫巳上得祭／五祀順法五行／祭五祀所用

---

❼　洪業：〈白虎通引得序〉，收在《白虎通引得》前，頁10。

牲（共四章）

〈社稷〉：總論社稷／歲再祭／天子諸侯祭社稷所用牲／王者諸侯兩社／誡社／社稷之位／大夫有社稷／名社稷之義／社無屋有樹／王者親祭／社稷之壇／祭社稷有樂／祭社稷廢禮（共十三章）

第一卷下：

〈禮樂〉：總論禮樂／太平制作／帝王之樂／天子諸侯佾數／王者六樂／四夷之樂／歌舞異處／降神之樂／侑食之樂／五聲八音／通論異說（共十一章）

〈封公侯〉：三公九卿／封諸侯／設牧伯／諸侯卿大夫／封諸侯制土之等／封諸侯親賢之義／夏封諸侯／諸侯繼世／立太子／昆弟相繼／為人後／興滅繼絕之義／大夫功成未封得封子／周公不之魯（共十四章）

〈京師〉：建國／遷國／京師／三代異制／制祿／諸侯入為公卿食菜／太子食菜／公卿大夫食菜（共八章）

第二卷：

〈五行〉：總論五行／五行之性／五味五臭五方／陰陽盛衰／十二律／五行更生相生相勝變化之義／人事取法五行之義（共七章）

〈三軍〉：總論三軍／王者征伐所服／告天告祖之義／商周改正誅伐先後之義／天子自出與使方伯之義／兵不內御／遣將於廟／受兵還兵／師不踰時／大喪伐畔（共十章）

〈誅伐〉：誅不避親／不伐喪／討賊之義／誅大罪／父殺子／誅佞人／復讎／總論誅討征伐之義／冬至休兵（共九章）

第二卷下：

〈諫諍〉：總論諫諍之義／三諫待放之義／士不得諫／妻諫夫／子

諫父／五諫／記過徹膳之義／隱惡之義（共八章）

〈鄉射〉：天子親射／射侯／總論射義／鄉飲酒／養老之義（共五章）

〈致仕〉（一章）

〈辟雍〉：總論入學尊師之義／父不教子／師道有三／辟雍泮宮／庠序之學／靈臺明堂（共六章）

〈災變〉：災變譴告之義／災異妖孽異名／霜雹／日月食水旱（共四章）

〈耕桑〉：論王與后親耕親桑之禮（一章）

第三卷：

〈封禪〉：封禪之義／符瑞之應（共二章）

〈巡狩〉：總論巡狩之禮／巡狩以四仲義／巡狩述職行國行邑義／祭天告祖禰載遷主義／諸侯待於竟／巡狩舍諸侯祖廟／三公從守／道崩歸葬／太平乃巡狩義／五嶽四瀆（共十章）

〈考黜〉：總論黜陟／九錫／三考黜陟義／諸侯有不免黜義（共四章）

〈王者不臣〉：三不臣／五暫不臣／諸侯不純臣／不臣諸父兄弟／子為父臣異說／王臣不仕諸侯異義／五不名（共七章）

〈蓍龜〉：總論蓍龜／蓍龜尺寸／決疑之義／龜蓍卜筮名義／筮必於廟／卜筮方向／卜筮之服／占卜人數／先筮後卜／灼龜／埋蓍龜／周官卜筮及取龜義（共十二章）

〈聖人〉：總論聖人／知聖／古聖人／異表（共四章）

〈八風〉：論八風節候及王者順承之政（一章）

〈商賈〉（一章）

〈瑞贄〉：（俗本作文質，今訂正其文質章本在下三正篇。）諸侯朝會合符信／五瑞制度名義／合符還圭之義／見君之贄／私相見贄／婦人之贄／子無贄臣有贄（共七章）（案此與闕文朝聘篇互有異同，今各仍之。）

第三卷下：

〈三正〉：改朔之義／改朔征伐先後（重出略有異同）／三正之義／改正右行／正言月不言日／改正不隨文質／百王不易之道／存二王之後／文質（共九章）

〈三教〉：聖王設三教之義／三教始於夏／三教所法／總論教／三教所以失／論三代祭器明器之義（共六章）

〈三綱六紀〉：總論綱紀／三綱之義／綱紀所法／六紀之義／詳論綱紀別名之義（共五章）

〈情性〉：❽總論性情／五性六情／五藏六府主性情／六情所配之方／魂魄／精神（共六章）

〈壽命〉：論三命之義（一章）（當與前篇合為一篇。夫子過鄭八十三字，文義不類，疑後人誤鈔入。）

〈宗族〉：論五宗／論九族（共二章）

〈姓名〉：論姓／論氏／論名／論字（共四章）

第四卷：

〈天地〉：釋天地之名／論天地之始／論左右旋之義／論天地何以無總名／論天行反勞於地（共五章）

〈日月〉：日月右行／日月行遲速分晝夜之義／釋日月星之名／晝夜長短／月有大小／閏月（共六章）

---

❽ 抱經本作「情性」，陳立本作「性情」。

〈四時〉：論歲／四時／三代歲異名／朝夕晦朔（共四章）

〈衣裳〉：總論衣裳／裘／帶／珮（共四章）

〈五刑〉：刑罰科條／刑不上大夫義（共二章）

〈五經〉：孔子定《五經》／《孝經》《論語》／文王演《易》／
伏羲作八卦／《五經》象五常／《五經》之教／書契所始（共七
章）

〈嫁娶〉：總論嫁娶／嫁娶不自專／嫁娶之期／贄幣納徵納采辭／
親迎授綏／遣女戒女／昏禮不賀／授綏親迎辭／父醮子辭／不先告
廟義／廟見／嫁娶以春／妻不得去夫／天子諸侯適媵之義／卜娶妻
／人君宗子自娶／大夫受封不更聘／世子與君同禮／天子必娶大國
／諸侯不娶國中／同姓外屬不娶／同姓諸侯主昏／卿大夫士妻妾之
制／人君嫡死媵攝／嫁娶變禮／婦人有師傅／事舅姑與夫之義／不
娶有五／出婦之禮／王后夫人／妻妾／論嫁娶男女夫婦婚姻名義／
閉房開房之義（共三十三章）

第四卷下：

〈紼冕〉：紼／總論冠禮／皮弁／冕制／委貌母追章甫／爵弁（共
六章）（當與衣裳篇合為一篇）

〈喪服〉：諸侯為天子／庶人為君／臣下服有先後／論三年喪義／
衰経／杖／倚廬／喪禮不言／變禮／婦人不出竟弔／三不弔／弟子
為師／私喪公事重輕義／奔喪／哭位／論周公以王禮葬（共十六章）

〈崩薨〉：崩薨異稱／天子至庶人皆言喪／天子赴告諸侯／諸侯奔
大喪／臣赴於君／諸侯赴鄰國／諸侯夫人告天子／諸侯歸瑞圭／天
子弔諸侯／君弔臣／含斂／贈襚賻賵／殯日／三代殯禮／天子舟車
殯／祖載／棺槨厚薄之制／尸柩／葬／兆域／合葬／墳墓（共二十

二章）

闕文：

〈郊祀〉／〈宗廟〉／〈朝聘〉／〈貢士〉／〈車旂〉／〈田獵〉

／〈雜錄〉

今本四十三篇闕文：

〈封禪〉／〈五刑〉／〈嫁娶〉

　　抱經本《白虎通》目錄共：四卷（各分上、下），四十三篇（不含闕文），三百一十一章。其「闕文」以下七篇乃莊述祖（1750－1816）所輯，盧文弨校刊增訂，為舊本所無。

　　關於卷數問題，抱經本於第一卷注曰：「本書六卷，宋本廣為十卷，俗本又合為四卷，今不得古書校正卷數篇目，姑仍其舊。至於錯簡失編，皆分注各題下如左。」史書記載《白虎通》之卷數，自《隋書》、《舊唐書》、《新唐書》皆稱六卷，宋《崇文總目》始稱十卷，盧文弨所見小字宋本即分十卷，❾且元大德九年之刻本亦分十卷；❿而盧文弨校刻乃依俗本，故分四卷。

　　至陳立作《白虎通疏證》則分成十二卷五十篇（含卷十二以下闕文七篇），其篇目排列順序悉依盧本。陳立本分卷如下：

卷一：〈爵〉

---

❾　抱經本「《白虎通》校勘補遺」曰：「此書剞劂將竣，海寧吳槎客以小字舊本見示，目錄前略有小序云：凡十卷。今作上下卷。云其細目，上作圓圈者凡十，此必十卷之舊也。」頁1。

❿　抱經本「《白虎通》校勘補遺」曰：「後於蘇州朱文游家又借得小字本上卷，乃影鈔者，吳本有模糊處，鈔本皆分明，并借得元大德九年刻本，分十卷。」，頁1。

卷二：〈號〉、〈謚〉、〈五祀〉

卷三：〈社稷〉、〈禮樂〉

卷四：〈封公侯〉、〈京師〉、〈五行〉

卷五：〈三軍〉、〈誅伐〉、〈諫諍〉、〈鄉射〉

卷六：〈致仕〉、〈辟雍〉、〈災變〉、〈耕桑〉、〈封禪〉、〈巡狩〉

卷七：〈考黜〉、〈王者不臣〉、〈蓍龜〉、〈聖人〉、〈八風〉、〈商賈〉

卷八：〈瑞贄〉、〈三正〉、〈三教〉、〈三綱六紀〉、〈性情〉、〈壽命〉、〈宗族〉

卷九：〈姓名〉、〈天地〉、〈日月〉、〈四時〉、〈衣裳〉、〈五刑〉、〈五經〉

卷十：〈嫁娶〉、〈紼冕〉

卷十一：〈喪服〉、〈崩薨〉

卷十二：〈郊祀〉、〈宗廟〉、〈朝聘〉、〈貢士〉、〈車旂〉、〈田獵〉、〈雜錄〉

　　至於篇數及其篇目名稱問題，抱經本所存《白虎通》四十三篇目錄，除第一卷〈爵〉、〈號〉、〈謚〉三篇，一卷下〈封公侯〉，三卷〈王者不臣〉，以及三卷下〈三綱六紀〉外，其餘皆以二字名篇，此篇名係依莊述祖所攷，⓫而莊述祖以為，四十三篇篇名乃後人類編而成。莊述祖曰：

⓫　抱經本盧文弨記「《白虎通》讎所据新舊本并校人姓名」於莊述祖下注曰：「攷及目錄、闕文皆所定」，頁2。

　　　　古書流傳既久，字蝕簡脫，會有好事者表章之，亦不過存什
　　　　一於千百而已，故卷數、篇數皆減於昔，惟《白虎通義》不
　　　　然。……《崇文》目四十篇，而今本則有四十三篇，文雖減
　　　　於舊，而篇目反增於前，是〈爵〉、〈號〉以至〈嫁娶〉，
　　　　皆後人編類，非其本真矣。❷

　　如莊述祖所言，《隋志》以下不分篇，至《崇文總目》始分四十
篇，而元大德本則有四十三篇，是篇目反增於前，故篇數與名稱，
乃後人依《白虎通》之內容離析合併而有。故《白虎通》成書之時
是否即有其篇數與名稱，亦不得而知。因《白虎通》之篇數名稱出
於後人類編而成，故其各篇之細分章節（陳立稱細目），亦當出於後
人之手。各篇之章數不一，少則一章（如：〈致仕〉、〈耕桑〉、〈八
風〉、〈商賈〉、〈壽命〉等）；多則三十三章（如：〈嫁娶〉），亦當是
後人類編之結果。

　　相較於抱經本與陳立本，兩者不同之處，在於抱經本將各章名
稱臚列於目錄之上，各篇篇名之後，而陳立本則將細目分別植入各
細目之中，附於細目文本之後。且若抱經本章名首字有「論」、
「釋」或「總論」、「詳論」者，則陳立本加一「右」字；若抱經
本無以上字首者，則陳立本冠以「右論」二字，以示區別細目，此
亦是陳立從抱經本分細目之慣例。

　　抱經本《白虎通》四十三篇，共分三百一十一章，而陳立本雖

---

❷　抱經本《白虎通》附〈《白虎通義》攷〉，頁 2。

知章節乃舊本所無，亦悉依抱經本分其細目而稍異；⓭至於二本所定之章名有若干差異，列表如下：

篇名	盧文弨《白虎通》章名	陳立《白虎通疏證》細目
爵	制爵三等五等之義	制爵五等三等之異
	內爵	（無）⓮
諡	諡天子於南郊	天子諡南郊
五祀	五祀順法五行	祭五祀順五行
社稷	天子諸侯祭社稷所用牲	祭社稷所用牲
	祭社稷廢禮	祭社稷廢祀
禮樂	太平制作	太平乃制禮樂
	帝王之樂	帝王禮樂
京師⓯	諸侯入為公卿食菜	諸侯入為公卿食采
	太子食菜	太子食采
	公卿大夫食菜	公卿大夫食采
誅伐	討賊之義	討賊之意
	父殺子	父煞子
	復讎⓰	冬至休兵
	總論誅討征伐之義	復仇
	冬至休兵	總論誅討征伐之義
致仕	（無章名）	總論致仕義

⓭ 《白虎通疏證》於首卷〈爵〉第一章「右論天子為爵稱」下云：「舊無細目，今依盧本」，頁10。

⓮ 抱經本分「內爵」、「天子諸侯爵稱之異」二章，陳立本則合為「天子諸侯爵稱之異」一細目。

⓯ 《白虎通疏證》文本之內漏列〈京師〉篇名。

⓰ 抱經本之「復讎」、「總論誅討征伐之義」、「冬至休兵」三章，陳立本之細目與抱經本相同，但文本次序調整如上，與抱經本互異。

巡狩	巡狩以四仲義	巡守以四仲義
	巡狩述職行國行邑義	巡守述職行國行邑義
	巡狩舍諸侯祖廟	巡守舍諸侯祖廟
	太平乃巡狩義	太平乃巡守義
蓍龜	總論蓍龜	總論筮龜
	周官卜筮及取龜義	周禮卜筮及取龜義
瑞贄	五瑞制度名義	五瑞制度
三教	三教始於夏	三教
	三教所以失	三教之失
情性		總論性情❼
天地	左右旋之義	左右旋之象
	天地何以無總名	天地無總名
日月	日月行遲速分晝夜之義	日月行遲速分晝夜之象
五刑	刑罰科條	刑法科條
	刑不上大夫義	刑不上大夫
嫁娶	贄幣納徵納采辭	贄幣
	親迎授綏	親迎
	授綏親迎辭	
	父醮子辭	授綏親迎醮子辭❽
	不先告廟義	不先告廟
	廟見（無章節有章名）	（無）
	天子諸侯適媵之義	天子嫡媵
	大夫受封不更聘	
	世子與君同禮	大夫受封不更聘及世子與君同禮❾

---

❼ 陳立本「總論性情」重複二次，頁 452，453。觀後者之內容，主要討論五性六情之內容及其意含，而其後接細目「五性六情」，故後者應屬衍文。

❽ 抱經本分「授綏親迎辭」、「父醮子辭」二章，陳立本則合為「授綏親迎醮子辭」一細目。

	嫁娶變禮	變禮
	論嫁娶男女夫婦婚姻名義	嫁娶諸名義
緋冕	委貌母追章甫	委貌毋追章甫
喪服	衰絰	衰
	婦人不出竟弔	婦人不出境弔
	私喪公事重輕義	私喪公事重輕
崩薨	（無章名）	葬北首

　　比較兩本之篇章數量，抱經本《白虎通》共四十三篇，凡三百
一十一章，陳立本則四十三篇，三百零八章（含重複「總論性情」二細
目），兩本相差四章。兩本章數之差異，在於：抱經本〈爵〉分十
一章，陳立本只十章；抱經本〈嫁娶〉分三十三章，陳立本只三十
章；抱經本〈崩薨〉分二十二章，陳立本有二十三章。

　　比較兩本章名之差異，除抱經本〈爵〉之「內爵」為陳立本所
無、抱經本〈致仕〉無章名而陳立本定「總論致仕義」細目、陳立
本重複〈情性〉之「總論性情」、抱經本〈嫁娶〉之「廟見」有章
名無文本而陳立本不立其細目、陳立本〈崩薨〉有「葬北首」為抱
經本所無、有三處抱經本分為二章而陳立本合為一細目之外，基本
上，陳立所定細目，大多依抱經本之章名，兩本之章名並無明顯差
異。而兩本之文本最大不同處，乃在於抱經本〈誅伐〉「復讎」、
「總論誅討征伐之義」、「冬至休兵」三章，陳立本之細目雖依抱
經本，但文本次序調整為「冬至休兵」、「復仇」、「總論誅討征

---

❶ 抱經本分「大夫受封不更聘」、「世子與君同禮」二章，陳立本則合為「大夫
　受封不更聘及世子與君同禮」一細目。

伐之義」，以至影響兩本《白虎通》文本之原貌。

　　觀其各章之名稱，主要是對於四十三篇之內容加以統合，各冠以章名以彰顯每篇主要論述之議題。除〈致仕〉、〈耕桑〉、〈八風〉、〈商賈〉、〈壽命〉等五篇只有一章外，有二十篇標有「總論」之章名，如：

　　一卷：〈諡〉有「總論諡」／〈五祀〉有「總論五祀」／〈社稷〉有「總論社稷」

　　一卷下：〈禮樂〉有「總論禮樂」

　　二卷：〈五行〉有「總論五行」／〈三軍〉有「總論三軍」／〈誅伐〉有「總論誅伐討征之義」

　　二卷下：〈諫諍〉有「總論諫諍之義」／〈鄉射〉有「總論射義」／〈辟雍〉有「總論入學尊師之義」

　　三卷：〈巡狩〉有「總論巡狩之禮」／〈考黜〉有「總論黜陟」／〈蓍龜〉有「總論蓍龜」／〈聖人〉有「總論聖人」

　　三卷下：〈三教〉有「總論教」／〈三綱六紀〉有「總論綱紀」／〈情性〉有「總論性情」

　　四卷：〈衣裳〉有「總論衣裳」／〈嫁娶〉有「總論嫁娶」

　　四卷下：〈紼冕〉有「總論冠禮」。

　　此二十篇標有「總論」性質之章目，除少數如：〈誅伐〉「總論誅伐討征之義」置於九章之八（陳立本將此章調整至篇末），〈鄉射〉「總論射義」置於五章之三，〈三教〉「總論教」置於六章之四，〈紼冕〉「總論冠禮」則置於六章之二外，其餘皆置於每篇之首，此應具有「開宗明義」之意味。且觀其文本內容，亦具有「正名」之性質與作用。而〈天地〉篇首章「釋天地之名」，雖有別於

「總論」體例，但亦有「總論」之性質，故當可以「總論」視之。此種將「總論」性質之文本置於篇首之做法，是否為《白虎通》創作之初企圖建立之體例，則未可知。

第三節　著述體例

從《隋志》分六卷到抱經本分四卷四十三篇，《白虎通》之卷、篇數一直未有定論，推其原委，主要在於史書論述白虎觀會議一事之時，並未明確記載該會議之具體產物。後人就其數量而分卷，或者因其內容而分篇數及其名稱，均有可說；且就《白虎通》之文本而言，其著述有其一貫之體例。試舉首篇首章為例。

> 天子者，爵稱也。爵所以稱天子何？王者父天母地，為天之子也。故〈援神契〉曰：「天覆地載，謂之天子，上法斗極。」〈鉤命決〉曰：「天子，爵稱也。」帝王之德有優劣，所以俱稱天子者何？以其俱命于天，而王治五千里內也。《尚書》曰：「天子作民父母，以為天下王。」何以知帝亦稱天子？以法天下也。《中侯》曰：「天子臣放勛。」《書亡逸篇》曰：「厥兆天子爵。」何以皇亦稱天子也？以其言天覆地載，俱王天下也。故《易》曰：「伏羲氏之王天

下也。」（卷一〈爵〉1－10）❷⓿

本章首句「天子者，爵稱也」，是一肯定句，是以下討論之對象。討論此一肯定句之目的，不在檢討此一肯定句之是非對錯，或者是企圖通過論證欲予修正或推翻；而是極力論證此一肯定句之合理性與必然性，凡以下之論證與引述，皆為維護此一肯定句而來，故此一肯定句可以視為以下回答之預設前提。

本章首句以下之論證，概可分為四組問答：

一問曰：「爵所以稱天子何？」答曰：「王者父天母地，為天之子也。故〈援神契〉曰：『天覆地載，謂之天子，上法斗極。』〈鉤命決〉曰：『天子，爵稱也。』」

二問曰：「帝王之德有優劣，所以俱稱天子者何？」答曰：「以其俱命于天，而王治五千里內也。《尚書》曰：『天子作民父母，以為天下王。』」

三問曰：「何以知帝亦稱天子？」答曰：「以法天下也。《中侯》曰：『天子臣放勛。』《書亡逸篇》曰：『厥兆天子爵。』」

四問曰：「何以皇亦稱天子也？」答曰：「以其言天覆地載，俱王天下也。故《易》曰：『伏羲氏之王天下也。』」

此四問雖然各有不同內容，但皆環繞「天子為爵稱」之主題；而回答則是隨不同問題內容而有不同答案。

回答部分又可分為二項：前一項是針對問題提出一種解釋或說

---

❷⓿ 陳立本疏證頗詳，通行亦廣，本書以下凡引《白虎通》，悉依此版本，引文後括弧內標明卷、頁數，不另加注。

明,後一項是援引典籍之文句。前一項之內容,必然是一肯定句,同時也是此一條文之結論;後一項之內容是引述典籍文句,其目的乃在印證結論部分,其本身亦是結論之一部分,有時,甚至是以引述典籍之文句做為結論。《白虎通》引述典籍之目的,乃是效法前人已有之說法或做法,具載於典籍之中,故引述典籍具有效法先王制度之義意;且引述典籍之文句,可以增強結論之合理性與必然性,並可成為回答解說之註腳。

除此四個部分之外,《白虎通》中尚有一種補充說明之文句。例如:

> 諡者,何也?諡之為言引也,引列行之跡也,所以進勸成德,使上務節也。故《禮·郊特牲》曰:「古者生無爵,死無諡。」此言生有爵,死當有諡也。死乃諡之何?《詩》云「靡不有初,鮮克有終」。言人行終始不能若一,故據其終始,從可知也。《士冠(記)》曰:「死而諡今也。」所以臨葬而諡之何?因眾會,欲顯揚之也。故《春秋》曰:「公之喪至自乾侯。」昭公死于晉乾侯之地,數月歸,至急,當未有諡也。《春秋》曰:「丁巳葬」,「戊午日下側乃克葬。」明祖載而有諡也。(卷二〈諡〉81-83)

此章之「此言生有爵,死當有諡也」與「明祖載而有諡也」二句,乃是分別回應各自前一項回答之內容,其性質實與回答同調,是一種補充說明之文句。

基本上,《白虎通》中每項問答之條文,可以簡略劃分為五個

部分,即:前提、問題、結論、引述典籍文句與補充說明等,此亦是《白虎通》全書之基本構成要素。但必須說明,前提、結論與補充說明等三項要素,在語意上均屬肯定句,實無所別;但在語意脈絡之中,此三項肯定句所在位置,仍有其各別意義與作用。意即:在問題之前之肯定句,乃以下論證所欲證成之事實,故得視為前提;緊接問題之後之肯定句,乃是針對問題之回答,故得視為結論;而在引典之後之肯定句,乃綜合上述討論之結果,故得視為補充說明。因此,在《白虎通》書中之肯定句,何者為前提,何者為結論或補充說明,端賴其所在語意脈絡之中決定。

　　《白虎通》文本雖有上述五項基本構成要素,但並非在每一則條文中皆必然含有五項要素;而是每一則條文中穿插若干要素,構成各種不同型態之條文。以下列舉書中常見條文之型態:

　　㈠,僅有結論者。例如:

　　　王者有六樂者,貴公美德也。所以作供養。謂傾先王之樂,
　　　明有法,示正其本,興己所自作樂,明作已也。(卷三〈禮
　　　樂〉126-127)

此一型態只有結論部分,無其他性質之文句,亦可構成一則完整條文。

　　㈡,有問題與結論者。例如:

　　　諸侯薨,世子赴告於天子,天子遣大夫會其葬而諡之何?幼
　　　不誄長,賤不誄貴,諸侯相誄,非禮也。臣當受諡於君也。

（卷二〈諡〉頁 87－88）

此一型態只有問題與結論二部分，並未引述任何典籍文獻；而此類只有問答而未引述典籍出處之條文篇目，於《白虎通》之中亦屬常見。

　　㈢，有結論與引典者。例如：

> 爵人于朝者，示不私人以官，與眾共之義也。封諸侯于廟者，示不自專也。明法度皆祖之制也，舉事必告焉。《王制》曰：「爵人于朝，與眾共之焉。」《詩》曰：「王命卿士，南仲太祖。」《禮祭統》曰：古者明君，爵有德必于太祖，君降立于阼階南，南向，所命北面，史由君右執策命之。（卷一〈爵〉30－31）

此一型態僅以結論與引典二部分構成一則條文，未設問題。

　　㈣，有問題、結論與引典者。例如：

> 王者太子亦稱士何？舉從下升，以為人無生得貴者，莫不由士起。是以舜時稱為天子，必先試于士。《禮士冠經》曰：「天子之元子，士也。」（卷一〈爵〉28）

> 天子崩，大臣至南郊諡之者何？以為人臣之義，莫不欲褒稱其君，掩惡揚善者也。故之南郊，明不得欺天也。故《曾子問》：「孔子曰：『天子崩，臣下之南郊告諡之。』」（卷

二〈謚〉86－87）

此一型態，以問題、結論與引典等三項要素構成一則條文，而此種
構成之方式，佔書中之絕大部分，是《白虎通》著述之基本體例。

㈤，有前提、問題與結論者。例如：

> 天質地文。質者據質，文者據文。周反統天正何也？質文再
> 而復，正朔三而改。三微質文，數不相配，故正不隨質文
> 也。（卷八〈三正〉432）

此一型態以前提、問題與結論成一條文，無援引典籍文句作結。

㈥，有結論、引典與補充者。例如：

> 妻得諫夫者，夫婦一體，榮恥共之。《詩》云：「相鼠有
> 體，人而無禮，人而無禮，胡不遄死？」此妻諫夫之詩也。
> 諫不從，不得去之者，本娶妻非為諫正也。故一與之齊，終
> 身不改，此地無去天之義也。（卷五〈諫諍〉276－277）

此一型態未設問題，直接以結論、引典與補充說明作結。

㈦，有問題、結論、引典與補充者。例如：

> 王者諸侯所以有兩社何？俱有土之君也。故《禮三正記》
> 曰：「王者二社。為天下立社曰太社，自為立社曰王社。諸
> 侯為百姓立社曰國社，自為立社曰侯社。」太社為天下報

功，王社為京師報功。太社尊于王社，土地久，故而報之。
（卷三〈社稷〉102－103）

此一型態先以問題提問，繼之以結論、引典與補充問答，構成一則
完整問答條文。前舉卷二〈諡‧總論諡〉之例，亦同此型。

㈧，有前提、問題、結論與引典者。例如：

養從生，葬從死。周公以王禮葬何？以為周公踐阼理政，與
天同志，展興周道，顯天度數，萬物咸得，休氣充塞，原天
之意，子愛周公，與文武無異，故以王禮葬，使得郊祭。
《尚書》曰「今天動威以彰周公之德」，下言「禮亦宜
之」。（卷十一〈喪服〉630）

此一型態先設前提，後設問題、結論與引典作結。前舉卷一〈爵‧
天子為爵稱〉之例，亦同此型。

㈨，有前提、問題、結論、引典與補充者。例如：

伯子男臣子，于其國中，褒其君為公。王者臣子，獨不得褒
其君謂之為帝何？以為諸侯有會聚之事，相朝聘之道，或稱
公而尊，或稱伯子男而卑，為交接之時不私其臣子之義，心
俱欲尊其君父，故皆令臣子得稱其君為公也。帝王異時，無
會同之義，故無為同也。何以知諸侯得稱公？《春秋》曰
「葬齊桓公」，齊侯也。《尚書》曰「公曰嗟」，秦伯也。
《詩》云「覃公維私」覃子也。《春秋》「葬許穆公」，許

男也。《禮大射經》曰:「公則釋獲。」大射者,諸侯之禮
也,伯子男皆在也。(卷二〈號〉80-81)

此一型態包涵五項要素,在《白虎通》之中,此一型態並不多見。
　　除上述幾種型式之外,亦有全章僅有引述典籍者。例如:

《禮服傳》曰:「大宗不可絕,同宗則可以為後為人作子
何?明小宗可絕,大宗不可絕。故舍己之後,往為後於大
宗。所以尊祖重不絕大宗也。」《春秋傳》曰:「為人後者
為之子。」(卷四〈封公侯〉180-182)

此一型式,乃是引述《禮服傳》中文句,移為回答之用。其「大宗
不可絕,同宗則可以為後為人作子何」乃問題所在;其後「明小宗
可絕,大宗不可絕。故舍己之後,往為後於大宗。所以尊祖重不絕
大宗也」可視為回答之結論,最後引《春秋傳》之文句作結。此一
型態於《白虎通》之中,乃屬少見。
　　歸納上述《白虎通》之條文型態,可以得知:
　　一,《白虎通》中每一則條文必然含有一項結論,甚至僅有一
項結論,亦可構成一則條文。即使僅有引述典籍文句所構成之條
文,其文句本身具有結論性質,亦可視為結論,故結論乃是《白虎
通》書中每一則條文之充分條件(sufficient condition);㉑而其餘四項

㉑　所謂「充分條件」,係指:「一件事情發生,則另外一件事情就發生;或者,
　　一個命題成立,則另外一個命題就成立;那麼前者就是後者的充分條件。」

要素，乃隨不同型態或有若無。

二，以問題與結論二項要素構成一則條文，是書中最常見之型態，故以「問答」之型態呈現討論之宗旨與論證之結論，乃是《白虎通》之最基本之型態。

三，以問題、結論與引典等三項要素構成一則條文，是《白虎通》著述之標準型態。

四，雖然有部分條文具有前提、問題、結論、引典與補充等五項要素，型態最完整，但是置於問題之前之前提與續引典籍之後之補充二項要素並不常見，且此一型態於書中亦屬少數，終非《白虎通》之慣例。

五，引述典籍文句固然是《白虎通》著述要素之一，但並非每一條文必然具有此一要素，例如上述㈠、㈡、㈤三種型態之條文，便不必有此項。值得注意者，《白虎通》書中大抵皆引經斷論，但有時如上舉例，只有問答，更無引述《五經》或其他典籍文句，這是考證《白虎通》是否為一「講議《五經》同異」之產物，非常重要之線索。

此外，《白虎通》亦有「一曰」、「或云」、「或曰」並陳二說之條文。例如：

> 爵有五等，以法五行也。或三等者，法三光也。或法三光，

《白虎通》之「結論」部分，乃是構成每一則條文最重要之部份，亦是確立每一則條文能否成立之最終依據，故結論乃是《白虎通》每一則條文之充分條件。

或法五行何？質家者據天，故法三光。文家者據地，故法五行。《含文嘉》曰：「殷爵三等，周爵五等。」各有宜也。《王制》曰：「王者之制祿爵，凡五等。」謂公侯伯子男也。此據周制也。《春秋傳》曰：「天子三公稱公，王者之後稱公，其餘大國稱侯，小者伯子男也。」《王制》曰：「公侯田方百里，伯七十里，子男五十里。」所以名之為公侯者何？公者，通也。公正無私之意也。侯者，候也。候逆順也。人皆千乘，象雷震百里所潤同。伯者，白也。子者，孳也。孳孳無已也。男者，任也。人皆五十里。差次功德。小者不為附庸。附庸者，附大國以名通也。百里兩爵，公侯共之。七十里一爵。五十里復兩爵何？公者，加尊二王之後；侯者，百里之正爵。上有可次，下有可第，中央故無二。五十里有兩爵者，所以加勉進人也。小國下爵，猶有尊卑，亦以勸人也。殷爵三等，謂公侯伯也。所以合子男從伯者何？王者受命，改文從質，無虛退人之義，故上就伯也。《尚書》曰「侯甸任衛作國伯」，謂殷也。《春秋傳》曰：「合伯子男為一爵。」或曰：合從子，貴中也。以《春秋》名鄭忽，忽者，鄭伯也。此未踰年之君，當稱子，嫌為改伯從子，故名之也。……（卷一〈爵〉10－22）

爵或據周制有五等，或從殷制則有三等，二說各有理據，亦各有典籍論證。《白虎通》若偶有對名物制度之解釋有歧義者，則以並存方式條列之，於此乃兼容二說，並未就歧義部分加以論斷取捨。至於有異說並行時，《白虎通》之處理態度是：

> 問曰：異說並行，則弟子疑焉。孔子有言：「吾聞擇其善者
> 而從之，多見而志之，知之次也。」「文武之道，未墜于
> 地。」「天之將喪斯文也。」「樂亦在其中矣。」，聖人之
> 道，猶有文質，所以擬其說，述所聞者，亦各傳其所受而
> 已。（卷三〈禮樂〉152－153）

由此可知，《白虎通》對於同一問題而有二種答案之例，只是並陳二說，並未就二說加以論斷取捨。

對於典籍之引述，亦僅是在問答之過程中做為引證，或是注腳之用，甚至有時不見引述，故典籍之引述，並非是《白虎通》書中構成每一項問答之必要條件。而且，引述典籍之條文，僅止於結論性質，書中並未顯示出與會者持不同典籍對同一問題之不同答辯。故《後漢書》所謂「講議《五經》同異」之記載，似乎與《白虎通》之論述不相應。尤有甚者，《白虎通》除引述《五經》外，尚引《論語》、《孝經》、《爾雅》等非《五經》典籍，且更雜以三十一條「讖記之文」；❷而此引述範圍，已經明顯違反章帝詔書之意。

第四節　引述典籍

《白虎通》著述之體例，以「問答」之型態呈現討論之宗旨與論證之結論乃是其基本型態，而以「問題」、「結論」與「引典」

---

❷ 《《白虎通》讖緯思想之歷史研究》，頁88－89。

等三項要素構成一則條文，則是其標準型態。《白虎通》書中固然有極少部分條文並未引述典籍，然而，依陳立所考，即使《白虎通》在「結論」部分未明確標示其文句之典籍出處，亦多出自典籍之中。因此，不論是基本型態或是標準型態，引述典籍部分乃是全書不可或缺之重要因素之一；況且書中亦時有以引述典籍做為自設問答之「問題」與「結論」部分，由此可知，引述典籍乃是《白虎通》立論之所在。

引述典籍之文句，乃是《白虎通》「結論」之最主要來源，引述之文句幾佔全書大部分，而引述典籍之種類，亦不限《五經》。《白虎通》文本之中所引述之典籍種類及其次數粗略統計如下：

《詩》類：

《白虎通》引《詩經》中，稱引《詩》者有四十六則，稱引《韓詩內傳》有四則，亦有少數稱引《詩傳》、《詩訓》、《周頌》、《魯訓》、「詩人歌之曰」、「孔子曰」共八則，❷❸合計《白虎通》文本稱引《詩》之經傳者，共五十八則。

《尚書》類：

《白虎通》引《尚書》中，稱引《尚書》者有五十六則，稱引

---

❷❸ 《白虎通·封禪》卷六曰：「故孔子曰：『升泰山，觀易姓之王，可得而數者七十餘君。』」，《白虎通疏證》曰：「《韓詩外傳》云：『孔子升泰山，觀易姓之王，可得而數者七十餘氏，不可得而數者萬數。』」頁 331。《韓詩外傳》，漢韓嬰撰，《四庫全書·總目》曰：「其書雜引古事古語證以詩詞，與經義不相比附，故曰外傳。所采多與周秦諸子相出入，班固論二家之詩，稱其或取《春秋》采雜說，咸非其本義，殆指此類歟。」（臺北：藝文印書館，1989 年 1 月），頁 368。

《書》者有七則，稱引《書亡逸篇》、《尚書逸篇》各一則，《尚書敘》一則，《尚書大傳》有十三則，合計《白虎通》文本稱引《尚書》之經傳者，共七十九則。

《禮》類：

　　《白虎通》引《禮》中，稱引《禮》者有三十五則，引《禮經》二則，《禮說》一則；引《周官》五則；引《禮士冠經》十則，《禮昏經》三則，《禮士相見經》二則，《禮大射經》一則，《覲禮經》三則，《喪服經》二則，《喪服小記》一則，《禮士喪經》一則，《喪禮經》一則，《禮士虞經》一則，《禮服傳》五則（《儀禮·喪服》，含二篇逸禮），《禮服經》一則（《儀禮·喪服》），《禮射祝》：一則（《儀禮·大射儀注》）；引《禮記》六則，《禮記謚法》一則，《禮謚法記》一則，《禮記祭義》一則，《祭義》一則，《禮坊記》一則，《禮運》一則，《禮運記》一則，《王制》三十二則，《月令》五則，《禮曾子問》一則，《禮曾子記》一則，《曾子問》十一則，《曾子》三則，《禮內則》五則，《曲禮下記》一則，《曲禮》十一則，《禮郊特牲》七則，《禮檀弓》十四則（含「子夏曰」《禮記·檀弓》頁 133），《禮雜記》三則，《禮奔喪記》二則，《禮間傳》一則，《禮中庸》二則，《禮祭統》一則，《禮祭法》一則，《禮祭義》三則，《禮器》一則，《禮玉藻》一則，《明堂記》二則，《禮學記》一則，《樂記》六則，《樂元語》二則；《禮保傅記》五則，《禮三朝記》一則，《夏小正》一則。引《禮》之逸篇者，《禮王度記》七則，《禮三正記》五則，《禮別名記》二則，《禮親屬記》一則，《禮五帝記》一則。合計《白虎通》文本稱引《禮》之經傳者，共二百三十一則。

《易》類：

《白虎通》中稱引《易》之經傳者，共二十則。

《春秋》類：

《白虎通》引《春秋》中，稱引《春秋》者有二十則，《春秋經》一則，《春秋文義》一則；稱引《春秋公羊傳》有五則，《春秋穀梁傳》五則，稱引《春秋傳》者有五十五則，❷《春秋瑞應傳》一則，稱引《傳》者有二十六則，❷合計《白虎通》文本稱引《春秋》之經傳者，共一百一十四則。

《孝經》類：

《白虎通》中稱引《孝經》之經傳者，共九則。

《論語》類：

《白虎通》引《論語》中，稱引《論語》者有四十八則，稱「孔子曰」二則，稱「子夏曰」一則，合計《白虎通》文本稱引《論語》者，共五十一則。

---

❷ 《白虎通》中稱引《春秋傳》者，大多指《春秋公羊傳》。但如《白虎通·誅伐》：「《春秋傳》曰：『臣弒君，臣不討賊，非臣也。』」頁 255，《春秋公羊傳》引子沈子曰：「君弒，臣不討賊，非臣也。不復讎，非子也。」，《春秋穀梁傳》曰：「君弒，賊不討，不書葬，以罪下也」，二傳意見相當。又如《白虎通·嫁娶》曰：「以《春秋傳》曰：『譏娶母黨』也。」此語三傳皆不見，不知所引為何？又《白虎通·三正》稱引《春秋瑞應傳》其文亦不見三傳之中，今暫列於此。

❷ 《白虎通》中稱引《傳》者，多指《春秋傳》，亦有類似其他經傳文句，如：《書傳》頁 23、24、238，《魯詩傳》頁 140；《禮喪服傳》頁 446；亦有讖緯類《元命苞》、《援神契》頁 399；《鉤命決》頁 520；《璇璣鈐》頁 534；《乾鑿度》頁 536。今暫列於此。

《爾雅》類：

　　《白虎通》中稱引《爾雅》者，只一則。

《管子》類：

　　《白虎通》中稱引《管子》者，只一則。

「讖緯」類：

　　《白虎通》引「讖緯」中，引《書》類有五則，《禮》類八則，《易》類二條，《樂》類三則，《春秋》類三則，《孝經》類九則，《論語》類二則，合計《白虎通》文本稱引「讖緯」者，共三十一則。

　　以上所計，只就《白虎通》書中所引述之典籍名稱或其篇名統計，凡同一條文之內引用同一典籍之文句，而文句分二段或二段以上解說者，不另標示出處者，則不重複計算。此外，《白虎通》書中有引書名而未引典籍中之文句者，意即在書名之後未用「曰」、「云」或「言」明示其引述之內容者，亦不列入計算。❷⑥

　　合計《白虎通》文本引述典籍，凡十類，共五百九十五則。各類典籍佔全書引述之總數比例如下：

　　《詩》類：五十八則 (9.74%)

　　《書》類：七十九則 (13.27%)

　　《禮》類：二百三十一則 (38.82%)

　　《易》類：二十則 (3.36%)

---

❷⑥　《白虎通》中只稱引書名而未引述文句者：《春秋》九次，《春秋傳》一次，《月令》三次，《尚書》三次，《書》一次，《尚書大傳》一次，《論語》四次，《孝經》三次，《五經》二次，《易》一次。

《春秋》類：一百一十四則（19.15%）

《孝經》類：九則（1.51%）

《論語》類：五十一則（8.57%）

《爾雅》：一則（0.16%）

《管子》：一則（0.16%）

「讖緯」類：三十一則（5.21%）

《白虎通》引述典籍次數比例，下以立體直條圖示之：

比較《白虎通》引述典籍之次數，依序是：《禮》類，《春秋》類，《書》類，《詩》類，《論語》，「讖緯」類，《易》類，《孝經》類，《爾雅》，《管子》。分析此一統計數據，有以下四點意義：

一、《白虎通》之「問答」體例，雖然以「問題」、「結論」與「引典」三項要素構成一則條文為其「標準型態」，然而書中之「引典」並非必要條件，故「問題」與「引典」未能在逐一條文中一一對應。但是，《白虎通》引述典籍五百九十五則，與所列六百五十七「問題」，次數相去不遠，可見作者有建立「標準型態」體例之用心與趨勢。

二、《白虎通》書中所指《五經》，其意有二。其一：

> 經所以有五何？經，常也。有五常之道，故曰《五經》。《樂》仁，《書》義，《禮》禮，《易》智，《詩》信也。
> （卷九〈五經〉531）

此處所謂《五經》，乃指《樂》、《書》、《禮》、《易》、《詩》等五部經書。然而，《白虎通》書中獨漏引述《樂》文，或「漢人以《樂經》亡」，❷❼或者「樂」本不立文字，故無文可引。故「樂」不列於典籍之中。其二：

> 《五經》何謂？《易》、《尚書》、《詩》、《禮》、《春秋》也。（卷九〈五經〉532）

《易》、《書》、《詩》、《禮》、《春秋》，此即漢時所謂《五經》，亦即武帝所立之《五經》博士。《白虎通》引述典籍之中，

---

❷❼　《經學歷史》，頁 59。

《五經》佔總數八成四，若加《孝經》、《論語》，則佔總數九成四，顯見經書在《白虎通》中地位之重要。

　　三、《白虎通》引述典籍之中，屬《禮》類為最大宗，幾佔總數四成（38.82%），此一數據正呼應下文所列之「問題」討論之重點六百五十七「問題」，形成一套結構完整之「禮樂制度」之「國憲」。

　　四、除《五經》之外，《白虎通》亦引述《論語》、《孝經》、「讖緯」、《爾雅》、《管子》等典籍之文句；即使引述《五經》之比例，亦頗為懸殊。《禮》類近四成，而《易》類僅佔不到百分之四，即使《論語》亦有百分之八點五，甚至不屬經書之「讖緯」一類，亦有百分之五。由此可知，《白虎通》引述典籍之對象，不以《五經》為限，此意甚明。

第三章
白虎觀會議緣起與性質

　　《白虎通》一直被視為東漢白虎觀會議之具體成果，原因之
一，固然是此書問世之時可能已冠其名，更重要之因素，乃在於史
書明確記載白虎觀會議之事件與始末，故後人視《白虎通》為此一
會議之產物，乃是理所當然之事。然而，截至元大德本《白虎通》
見世之前，自《後漢書》以降，皆只記其事，而未載其書；即使有
登錄其書者，亦僅止於書目名稱與卷數；後世類書與其他典籍，凡
有引《白虎通》之文句者，亦只是個別少數幾則條文。質言之，自
東漢以降，至宋元《白虎通》見世之前，所謂「白虎通」，僅止於
史書之記載與流傳中之書名而已。至於「白虎通」之文本，見諸史
料者只是吉光片羽。《白虎通》文本既已見世，則按其文本內容，
理應符合史書中對「白虎通」之相關描述，故本章主要討論白虎觀
會議之始末，與「白虎通」之緣起。

第一節　書名問題與成書緣起

　　歷來稱記錄白虎觀會議之文獻資料，有「白虎通」、「白虎通

義」與「白虎通德論」等不同名稱，造成此種一書多名之現象，固
然是史料記載已見分歧，用時，亦是源自史料對此書之來源與性質
有不同見解所致。

《東觀漢記》載東漢明帝永平元年（58）：

> 永平元年，帝即祚，長思遠慕，至踰年正月，乃率諸王侯、
> 公主外戚郡國計吏上陵，如會殿前禮。長水校尉樊鯈奏言：
> 先帝大業當以時施行。欲使諸儒共正經義，頗令學者得以自
> 助，于是下太常、將軍、大夫、博士、議郎、郎官及諸王、
> 諸儒，會白虎觀講議《五經》同異。❶

此文記載東漢明帝於永平二年（59），採長水校尉樊鯈（？－67）之
奏言，下太常至諸儒等人會白虎觀，講議《五經》同異。然而，此
書於永平二年，卻未記此事。《東觀漢記》又載章帝建初四年
（79）：

> 四年冬十一月，詔諸王、諸儒會白虎觀，講《五經》同異。❷

若依《東觀漢記》所載，東漢明帝、章帝各自詔開一次白虎觀會
議。但永平二年，明帝率公卿列侯祀于明堂，登靈臺，正儀度，並

---

❶ 〔漢〕劉珍等撰：《東觀漢記》（臺北：藝文印書館原刻景印《百部叢書集
　成》），卷二，頁2。
❷ 《東觀漢記》卷二，頁7。

未重述樊鯈之奏，以及明帝下詔諸人會白虎觀講議《五經》同異，且在《後漢書》中，亦未記載明帝詔開此會。❸《後漢書·樊鯈列傳》曰：

> （樊鯈）永平元年，拜長水校尉，與公卿雜定郊祠禮儀，以讖記正《五經》異說。（卷三十二，頁1122）

《後漢書》載樊鯈於永平元年拜長水校尉，並與公卿雜定郊祠禮儀，以讖記正《五經》異說，但並未載永平二年之奏言。因此，明帝是否於永平二年曾因樊鯈之奏言而詔諸人會白虎觀講議《五經》同異，此事尚待考證。

章帝建初四年詔開白虎觀會議，《後漢書·章帝紀》載曰：

> 於是下太常，將、大夫、博士、議郎、及諸生、諸儒會白虎觀，講議《五經》同異，使五官中郎將魏應承制問，侍中淳于恭奏，帝親稱制臨決，如孝宣甘露石渠故事，作白虎議奏。（卷三，頁138）

史稱白虎觀會議於焉詔開。依《後漢書》所載，此會議之程序如下：首先由魏應制問，其後由太常、將、大夫、博士、議郎、諸

---

❸ 〔劉宋〕范曄撰，〔唐〕李賢等注：《後漢書》（北京：中華書局，1965年5月），卷二：「永平元年春正月，帝率公卿已下朝於原陵，如元會儀」，頁99。本書以下凡引《後漢書》，悉依此版本，引文後括弧內標明卷、頁數，不另加注。

生、諸儒等與會者，依制問講議《五經》同異，同時，命淳于恭記錄講議結果並上奏，最後由章帝稱制臨決。因會議在白虎觀處，故所作議奏名之曰「白虎議奏」，李賢（651－684）注之曰「今《白虎通》」，《隋志》以後便通稱此次會議資料為「白虎通」。可知，「白虎通」一辭乃是「以地名書」。

《後漢書·儒林列傳》又載：

> 建初中，大會諸儒於白虎觀，考詳同異，連月乃罷。肅宗親臨稱制，如石渠故事，顧命史臣，著為通義。（卷七十九上，頁 2546）

此文與上文同記一事，但所作會議資料有「通義」之名，故《新唐書·藝文志》稱之為「白虎通義」。

《後漢書·班固列傳》又載：

> （班）固自以二世才術，位不過郎，感東方朔、楊雄自論，以不遭蘇、張、范、蔡之時，作〈賓戲〉以自通焉。後遷玄武司馬。天子會諸儒講論《五經》，作《白虎通德論》，令固撰集其事。（卷四十下，頁 1373）

故此會議資料又有「白虎通德論」之名，《崇文總目》亦以此稱之。

概言之，《後漢書》所載記錄白虎觀會議之資料，或曰「白虎議奏」、「通義」、「白虎通德論」，並未統一其名，甚且未有

「白虎通」之名。因此，後世目錄類書對此一會議資料，便產生不同名稱，且後世目錄對此一資料之不同稱謂，是否指涉同一資料，亦未可知；而後世學者對此一資料之不同名稱與性質，亦有不同見解。

首先，關於「白虎通德論」一名，《後漢書》載「作《白虎通德論》」，《崇文總目》以此稱之，現存最早之《四部叢刊》影印元大德重刊之宋監本亦從此說，但周廣業（1730－1798）懷疑有此一書名。周廣業言：

> 竊疑通德二字本不連讀，乃是《白虎通》之外別有《德論》，非一書也。李善《文選·注》引班固《功德論》曰：「朱軒之使，鳳舉於龍」，堆之表是論，不見全文，豈范氏所指即此，而脫「功」字歟？其言不類說經，或亦四子講德之流，而史誤為連及歟？且古人講解經義，並謂之通，是書列《隋·經籍志》，亦曰《白虎通》。❹

依周廣業考證所得，李善《文選·注》嘗引班固《功德論》之文，《後漢書》之「作《白虎通德論》」一詞，乃脫「功」字，「通德」二字不得連及，故「白虎通德論」本非一書名，而是指《白虎通》與《功德論》二種。

其次，關於「白虎通義」一名，張心澂言：

---

❹　《白虎通》，〈白虎通序〉引周廣業之言，頁 2－3。

《四庫提要》曰：「《隋書·經籍志》載《白虎通》六卷，不著撰人。……」……《後漢書》固本傳稱：「……」又〈儒林傳〉序言：「……」唐章懷太子賢註云：「即白虎通義，」是足證固撰，後乃名其書曰《通義》。《唐志》所載蓋其本名，《隋志》刪去義字，蓋流俗省略。❺

張心澂以為，《唐志》之「白虎通義」乃是本名，《隋志》之「白虎通」減去「義」字，乃是流俗省稱之名，兩者異名而同實。莊述祖考證《白虎通》，亦以為應當正名為「白虎通義」，不過，其所持理由與張心澂迴異。莊述祖曰：

案：〈儒林傳〉云：「命史臣著為通義」，即今《白虎通義》也。議奏隋唐時已亡佚，注以為今《白虎通》，非是。

莊述祖以為，章帝命史臣所作之「通義」，其實是今之《白虎通》，而李賢注以「白虎通義」視為「白虎通」並不正確。莊述祖以為「白虎通」乃是指稱會議議奏全文，而「白虎通義」只是議奏全文（即「白虎通」）之一部分。莊述祖此論斷乃是著眼於「白虎通」與「白虎通義」兩者之篇數不同。莊述祖曰：

古書流傳既久，字蝕簡脫，會有好事者表章之，亦不過存什一於千百而已，故卷數篇數皆減於昔，惟《白虎通義》不

---

❺ 張心澂：《偽書通考》（臺北：明倫出版社，1971年2月），頁840。

然。《隋志》、《唐志》六卷，而《崇文總目》則有十卷，
《崇文》目四十篇，而今本則有四十三篇，文雖減於舊，而
篇目反增於前，是〈爵〉、〈號〉以至〈嫁娶〉，皆後人編
類，非其本真矣。❻

莊述祖推論，《隋志》之「白虎通」與《崇文總目》之「白虎通德
論」，皆是指「白虎通義」，而且「白虎通義」之卷數與篇數，甚
至其〈爵〉、〈號〉以至〈嫁娶〉之篇目，乃後人編纂而成，並非
當時原貌。莊述祖且依東漢蔡邕（133－192）〈巴郡太守謝版〉中有
「詔書前後，賜石鏡奩《禮經素字》、《尚書章句》、《白虎議
奏》合成二百一十二卷」之言，❼以為「白虎通義」與「白虎議
奏」有別。莊述祖曰：

> 案《禮古經》五十六卷，《今禮》十七卷，《尚書章句》、
> 歐陽大、小夏侯三家，多者不過三十一卷，二書卷不盈百，
> 則《奏議》無慮百餘篇，非今之通義明矣。❽

莊述祖比對「白虎議奏」在蔡邕之時，至少百篇以上，而「白虎通

---

❻ 抱經本〈白虎通義攷〉，頁 2。
❼ 〔漢〕蔡邕：《蔡中郎文集》（臺北：藝文印書館，1969 年《百部叢書集
　 成》影印《十萬卷樓叢書》本），卷八，頁 3。《蔡中郎集》（臺北：中華書
　 局，《四部備要·集部》據《海原閣校刊本》校刊），王昶考證蔡邕作〈巴郡
　 太守謝版〉當於中平六年，見附「中郎年表」，頁 6。
❽ 抱經本〈白虎通義攷〉，頁 2。

義」（今之《白虎通》）僅有四十四篇（〈三綱六紀〉離析為二），「白虎
通義」只是「白虎議奏」之略本，故「白虎通義」與「白虎通」實
指兩事。因此，依莊述祖所考，章帝命班固撰集其事即是「白虎議
奏」，即所謂之「白虎通」全文，此議奏當有百篇以上，且在隋唐
時已亡佚；而現存之《白虎通》即是章帝命史臣所作之「白虎通
義」，「白虎通義」乃「白虎通」之略本，二者不可混同。故莊述
祖認為，以「白虎通」之名稱「白虎通義」之實，易生歧義。

　　孫詒讓（1848－1908）承莊述祖之說，亦以為《白虎通》應為
「白虎通義」；不過，莊述祖立論以篇數不合為由，而孫詒讓則是
從西漢石渠閣議之議奏探討。孫詒讓曰：

> 竊謂建初之制，祖述甘露，議奏之作，亦襲石渠，白虎議
> 奏，雖佚其卷帙，體例要可以石渠議奏推也。《漢書·藝文
> 志》《書》九家內議奏四十二篇、《禮》十三家內議奏三十
> 八篇、《春秋》二十三家內議奏三十九篇、《論語》十二家
> 內議奏十八篇、《孝經》十三家內《五經雜議》十八篇，共
> 五部百五十五篇。石渠舊例有專論一經之書，有雜論五經之
> 書，合則為一帙，分則為數家，……白虎講論，既依石渠故
> 事，則其議奏必亦有專論一經與雜論《五經》之別，今所傳
> 通議，蓋白虎義奏內之《五經雜議》也。……晉宋以後，議
> 奏全帙漸至散佚，而《通義》一編，析出別行，僅存於世，
> 展轉傳迻，忘其本始。於是存其白虎之名，昧其雜議之實，
> 或以通義該議奏，或以議奏疑通義，皆考之不審，故牴誤互

見矣。❾

依孫詒讓推論，白虎觀會議既是仿傚西漢石渠閣會議之模式，其會議成果，亦當仿效石渠閣編列之議奏形式，故石渠閣會議有專論一經與雜議《五經》之書，而白虎觀會議「必亦有」專論一經與雜議《五經》之書。然而，石渠議奏雜議《五經》已亡佚，專論一經者又僅存《石渠禮論》；而白虎觀會議則是專論一經者全部亡佚，卻僅存雜議《五經》之「《五經雜議》」；故今之《白虎通》即是白虎觀會議之「《五經雜議》」。因此，孫詒讓認為，以「白虎通」或「白虎議奏」之名名今之《白虎通》不可行，而當以「白虎通義」之名名之，以別於「白虎議奏」，以正其「雜議《五經》」「通義」之實。

莊述祖著眼於篇數之不合，將《白虎通》視為「白虎議奏」之部分；孫詒讓則是正視《白虎通》雜議《五經》之事實，亦將《白虎通》視為「白虎議奏」之部分。莊、孫兩氏所採取之考證方法雖然有別，卻是殊途同歸，兩者皆同意今之《白虎通》應正名為「白虎通義」，今之《白虎通》乃「白虎通」之一部分，當然亦皆肯定今之《白虎通》乃是白虎觀會議之產物。

劉師培（1884－1919）亦同意《白虎通》應正名為「白虎通義」，但所持理由卻與莊孫兩氏之說迥異。劉師培曰：「陽湖莊氏別《通義》於《奏議》之外，謂與《議奏》為二書，瑞安孫氏列

---

❾ 孫詒讓，〈白虎通義考〉，《國粹學報》第五年第二冊第五十五期（1909年）（臺北：文海出版社，1970年2月），頁2114－2116。

《通義》於奏議之中，謂即奏議之一類。以今審之，二說均違。」
❿劉師培認為：

> 若夫《通義》之書，蓋就帝制所題之說，纂為一編。何則？
> 所奏匪一，以帝制為折衷，大抵評騭諸說，昭題而從，或所
> 宗雖一，而別說亦復並存，裁准既定，宜就要刪。❶

劉師培認為，白虎觀會議所有議論呈奏章帝，章帝依議奏內容評騭
裁准，其後史臣依章帝稱制臨決之結果，要刪議奏而成《白虎通
義》，故《白虎通義》與《議奏》有別。劉師培雖然此說近似莊述
祖之論，但稍有差別。劉師培曰：

> 夫《石渠禮論》，均載立說者姓名，……今所傳《通義》四
> 十餘篇，體乃迥異，所宗均僅一說，間有「一曰」、「或
> 云」之文，十弗踰一，蓋就帝制所可者筆於書，並存之說，
> 援類附著，以禮名為綱，不以經義為區，此則《通義》異於
> 《議奏》者矣。然《通義》所有之文，均《議奏》所已著，
> 《通義》之於《議奏》，采擇全帙，亦非割裂數卷，裁篇別
> 出，如石渠《五經》雜議也。故〈班固傳〉中，稱為「撰
> 集」，體異於舊謂之撰，會合眾家謂之集，按詞審實，厥體
> 乃章。或以深沒姓名為誚，不知此書雖撰，《議奏》仍復並

---

❿ 劉師培：〈白虎通義源流考〉，收在中華本《白虎通疏證》，頁 783。
❶ 〈白虎通義源流考〉，頁 783。

存，故桓、靈之際，伯喈守巴，仍拜帝賜。蓋詳者可以覈群說之紛，約者所以暴朝廷好尚，離以並美，誼仍互昭。嗣則《議奏》泯湮，惟存《通義》，而岐名孳生。❶❷

劉師培認為，《白虎通義》之體例異於《議奏》者，主要有二點：其一，《通義》雖亦宗一說為主，但仍以「一曰」、「或云」之文，並存其他異議，此做法之目的不在於正經義，而是在建立禮名制度，故《通義》有別於「雜議」之論。其二，班固集合眾家之說，調節整理，撰成《通義》，但因《通義》不記發言者之姓名，當時為保留會議原貌，並存《議奏》以供後人檢索。因此，《議奏》保存至桓、靈之時，賜予蔡邕，此後《議奏》旋即亡佚，僅存《通義》仍在秘書，後人不知兩者始末，致使岐名滋生。

　　其實，劉師培分析《通義》有別於「雜議」之論時，已隱約察覺《白虎通》文本存在某些異樣端倪。如：《白虎通》之中有「一曰」、「或云」、「或曰」之文，此部份並存異說，雖佔全書不足十分之一，但已充分顯示，《白虎通》「不以經義為區」，而是「以禮名為綱」；其次，《白虎通》不記發言者之姓名，有別於《石渠禮論》，故《白虎通》之著述，仍不以「講議《五經》同異」為目的。劉師培所舉之重點，均是考證《白虎通》之重要證據，可謂觀察入微，彌足珍貴。可惜劉師培囿於莊述祖之影響，極力綰合《白虎通》文本與白虎觀會議之關係，辯稱白虎觀會議之後有資料二種，所謂「議奏」之「白虎通」隨賜蔡邕之後而亡佚，而

❶❷　〈白虎通義源流考〉，頁783－784。

今之《白虎通》文本乃是采擇「議奏」全帙，應正名為「白虎通義」。

　　章權才亦強調「《白虎議奏》和《白虎通》，兩者有聯繫，也有差別，決不能把兩者混淆起來」。章權才言：

> 有些著作把《後漢書·章帝紀》中所說的《白虎議奏》跟《白虎通》混為一談，認為是指同一部書。其實這是一種誤解。考史，所謂《白虎議奏》，指的是在經學討論會上，學者們所上的奏章，是他們就經學中的經義問題所發表的意見。這些奏章，呈送章帝；章帝則從中提出一些問題讓大家討論。《章帝紀》所說：「使五官中郎將魏應承制問，侍中淳于恭奏」，指的是魏應、淳于恭從中做銜接工作。把學者們所上的奏章收集成冊，這就叫「作《白虎議奏》」。可是《白虎通》則是另一回事，主要是插入了「帝親稱制臨決」這個成分。什麼意思呢？就是對經學會議上討論的問題，章帝表了態，作了決定。後來，班固這位史臣，根據章帝的意詣，撰定了一本書，這本書就叫《白虎通》。⓭

章權才之區分「白虎議奏」與《白虎通》，實與劉師培之說雷同。章權才認為，白虎觀會議之程序，首先是與會者就經學問題發表意見，章帝再根據這些意見提出問題交由魏應供大會討論，學者們再

⓭ 章權才：《兩漢經學史》（臺北：萬卷樓圖書有限公司，1995 年 5 月），頁245－246。

依章帝所擬之問題發表意見，討論之結果收集成冊，上奏章帝，此即是《白虎議奏》；而《白虎議奏》上奏之後，插入章帝「稱制臨決」這個成分，班固「這位史臣」根據章帝之意詣，所撰定之書便稱之為《白虎通》。章權才之解釋，似乎更貼近《後漢書》白虎觀會議之敘述，同時亦將「白虎議奏」和《白虎通》之關係單純化；然而，其解釋範圍卻有溢出史料之嫌。首先，白虎觀會議之中，是否有與會者先就經學問題發表意見，章帝再從這些意見之中提出問題供大會討論之程序？章權才此推論，實無其他史料可資佐證；其次，《後漢書·儒林傳》所載「顧命史臣，著為通義」中所稱之「史臣」，是否即指班固「這位史臣」，亦不得而知。

　　《後漢書》稱白虎觀會議之資料，或曰「作白虎議奏」、「著為通義」、「作白虎通德論」等，是否指稱一具體之文本，其實並不明確；而後世目錄指稱此書互異，研究者以不同之名稱，亦可能指涉不同之著述內容，但無論是「白虎通德論」、「白虎通義」、「白虎議奏」或者是「白虎通」，皆是指東漢章帝詔開白虎觀會議之彙編資料，此說殆無疑義。因此，無論以何種名稱稱呼《白虎通》文本，理當討究白虎觀會議之緣起，以探究其著述之性質，還原《白虎通》本來面貌。

　　《後漢書》載建初四年詔書曰：「中元元年詔書，《五經》章句煩多，議欲減省」，考之《東觀漢記》、《後漢書》均未記載詔書後續；但有「宣布圖讖於天下」（卷一下，頁 84）。其後永平元年，「長水校尉儵奏言，先帝大業，當以時施行」，《後漢書·樊儵傳》曰：

（樊儵）永平元年，拜長水校尉，與公卿雜定郊祠禮儀，以
讖記正《五經》異說。北海周澤、琅邪承宮並海內大儒，儵
皆以為師友而致之於朝。上言郡國舉孝廉，率取年少能報恩
者，耆宿大賢多見廢棄，宜敕郡國簡用良俊。又議刑辟宜須
秋月，以順時氣。顯宗並從之。（卷三十二，頁1122－1123）

樊儵「以讖記正《五經》異說」，乃明顯呼應上述光武帝宣布圖讖
之舉；而樊儵上言之事，明帝雖採納，但仍未言及先帝大業之事，
甚且未提及有關經學博士之事。❹

至建初元年（76），楊終上疏曰：

終又言：「宣帝博徵群儒，論定《五經》於石渠閣。方今天
下少事，學者得成其業，而章句之徒，破壞大體。宜如石渠
故事，永為後世則。」於是詔諸儒於白虎觀論考同異焉。❺

---

❹ 考樊儵之族孫樊準嘗言：「……今學者蓋少，遠方尤甚。博士倚席不講，儒者
競論浮麗，忘謇謇之忠，習諓諓之辭。文吏則去法律而學詆欺，銳錐刀之鋒，
斷刑辟之重，德陋俗薄，以致苛刻。早孝竇太后性好黃老，而清靜之化流景武
之閒。臣愚以為宜下明詔，博求幽隱，發揚巖穴，寵進儒雅，有如孝、宮者，
徵詣公車，以俟聖上講習之期。公卿各舉明經及舊儒子孫，進其爵位，使續其
業。復召郡國書佐，使讀律令。如此，則延頸者日有所見，傾耳者月有所聞。
伏願陛下推述先帝進業之道。」（《後漢書·樊準傳》卷三十二，頁 1126－
1127）準此疏乃在和帝永元十五年（103）之後，是否即是建初四年之詔書
所提之「先帝大業」，不得而知；不過樊準之疏，亦可反映當時學術風氣。
❺ 《後漢書·楊終傳》卷四十八，頁1599。

楊終於疏中陳述當時學術環境，由於章句之徒離析經義，致使經義產生嚴重歧義，故建議章帝博徵群儒，仿傚西漢宣帝論定《五經》於石渠閣。《後漢書》載楊終之疏與章帝詔開白虎觀會議，兩者顯然有因果關係。越三年，建初四年（79），章帝乃下詔太常以下及諸生、諸儒會白虎觀，講議《五經》同異。《後漢書·章帝紀》曰：

> 十一月壬戌，詔曰：「蓋三代導人，教學為本。漢承暴秦，褒顯儒術，建立《五經》，為置博士。其後學者精進，雖曰承師，亦別名家。孝宣皇帝以為去聖久遠，學不厭博，故遂立大、小《夏侯尚書》，後又立《京氏易》。至建武中，復置顏氏、嚴氏《春秋》，大、小戴《禮》博士。此皆所以扶進微學，尊廣道藝也。中元元年詔書，《五經》章句煩多，議欲減省。至永平元年，長水校尉儵奏言，先帝大業，當以時施行。欲使諸儒共正經義，頗令學者得以自助。孔子曰：『學之不講，是吾憂也。』又曰：『博學而篤志，切問而近思，仁在其中矣。』於戲，其勉之哉！」於是下太常，將、大夫、博士、議郎、郎官及諸生、諸儒會白虎觀，講議《五經》同異，使五官中郎將魏應承制問，侍中淳于恭奏，帝親稱制臨決，如孝宣甘露石渠故事，作白虎議奏。（卷三，頁137－138）

章帝詔書透露出幾項有關白虎觀會議之重要訊息。第一，由於當時學術環境已經呈現出「《五經》章句煩多」之跡象，遂有「議欲減

省」之需求，且希望「頗令學者得以自助」；而章帝下詔「太常，將、大夫、博士、議郎、郎官及諸生、諸儒會白虎觀」，由與會者之身分言，幾乎涵蓋官方學術各層，會議盛況可謂空前，甚至天子亦參與其中，其用心可見一斑；因此，章帝詔開白虎觀會議之目的，主要在試圖透過會議之手段以解決當時所產生「《五經》章句煩多」之經學問題。其次，白虎觀會議之進行，係採「諸儒共正經義」之方式，由五官中郎將魏應承制問，侍中淳于恭奏，最後結論由章帝親稱制臨決，希望藉此會議達到「講議《五經》同異」之目的；而這種以天子詔開會議以討論經學問題之方式，乃是仿傚西漢宣帝甘露時之石渠故事，此亦呼應楊終疏中所言之「宜如石渠故事，永為後世則」之目的。因此，推論「白虎通」著述之內容與性質，當以討論經學相關問題為宗旨，以「講議《五經》同異」為目的，並以西漢甘露石渠故事為模仿對象。換言之：「白虎通」理應以討論《五經》為內容，以石渠故事為形式範本，始能合乎史料對「白虎通」之記載與論述。

　　以下從漢代經學發展之脈絡，推測「白虎通」可能之著述性質，以此比對史料記載之「白虎通」與具體文本之《白虎通》兩者間之差異。

第二節　漢代經學發展

　　叔孫通是漢代經學發展過程中不容輕忽之人物。《史記》載叔孫通，薛人，秦時以文學徵，待詔博士。秦二世時，因進言拜為博

士，諸儒生反譏其言阿諛，叔孫通則辯稱「我幾不脫於虎口」。❶❻
其後降漢，因漢高帝憎恨儒服，叔孫通乃變服楚製短衣，以投漢王
所好。❶❼漢王拜叔孫通為博士，號稷嗣君。漢五年（B.C.202），高
帝悉去秦苛儀法，群臣謹讋，舉止失禮，叔孫通建言願徵魯諸生及
其弟子共起朝儀。《史記‧叔孫通列傳》曰：

> 五帝異樂，三王不同禮。禮者，因時世人情為之節文者也。
> 故夏、殷、周之禮，所因損益可知者，謂不相復也。臣願頗
> 采古禮與秦儀雜就之。（卷九十九，頁2722）

叔孫通以為，三王、五帝禮、樂不同，三代之禮損益不相復，故禮

---

❶❻ 《史記‧叔孫通列傳》：「叔孫通者，薛人也。秦時以文學徵，待詔博士。數
　　歲，陳勝起山東，使者以聞，二世召博士諸儒生問曰：『楚戍卒攻蘄入陳，於
　　公何如？』博士諸三十餘人前曰：『人臣無將，將則反，罪死無赦。願陛下急
　　發兵擊之。』二世怒，作色。叔孫通前曰：『諸生言皆非也。夫天下合為一
　　家，毀郡縣城，鑠其兵，示天下不復用。且明主在上，法令具於下，使人人奉
　　職，四方輻輳，安有反者！此特群盜鼠竊狗盜耳，何足置之齒牙間？郡守尉今
　　捕論，何足憂？』二世喜，曰善，盡問諸生，諸生或言反，或言盜。於是二世
　　令御史案諸生言反者下吏，非所宜言。諸言盜者皆罷之。迺賜叔孫通帛二十
　　匹，衣一襲，拜為博士。叔孫通已出宮，反舍，諸生曰：『先生何言之諛
　　也？』通曰：『公不知也，我幾不脫於虎口！』迺亡去之薛，薛已降楚矣。」
　　〔漢〕：司馬遷撰《史記》（北京：中華書局，1982年11月），卷九十九，
　　頁 2720－2721。本書以下凡引《史記》，悉依此版本，引文後括弧內標明
　　卷、頁數，不另加注。
❶❼ 《史記‧叔孫通列傳》：「叔孫通儒服，漢王憎之，迺變其服，服短衣，楚
　　製，漢王喜。」卷九十九，頁2721

之制定，乃需順應時世、人情，就其儀禮形式以規範眾人行為，故叔孫通為高帝所制之禮樂，乃是以當時之禮，並擷取古禮與秦儀綜合而成。此舉又遭魯生譏為「面諛以得親貴」，叔孫通則笑魯生乃是不知時變之「鄙儒」。⓱

　　漢七年（B.C.200），長樂宮成，諸侯群臣朝十月之際，儀式進行悉依叔孫通所定之儀法，上起高帝，下至功臣文官，進退有序，行禮如儀。高帝大悅，曰：「吾廼今日知為皇帝之貴也」，並拜叔孫通為太常。⓲叔孫通趁機進薦其弟子儒生，高帝悉以為郎。高祖崩，惠帝即位，叔孫通「徙為太常，定宗廟儀法。及稍定漢諸儀法，皆叔孫生為太常所論著也」。⓳《漢書·禮樂志》曰：

⓱　《史記·叔孫通列傳》：「於是叔孫通使徵魯諸生三十餘人，魯有兩生不肯行，曰：『公所事者且十主，皆面諛以得親貴。今天下初定，死者未葬，傷者未起，又欲起禮樂。禮樂所由起，百年積德而後可興也。吾不忍為公所為。公所為不合古，吾不行。公往矣，無汙我！』叔孫通笑曰：『若真鄙儒也，不知時變。』」卷九十九，頁 2722－2723。

⓲　《史記·叔孫通列傳》：「漢七年，長樂宮成，諸侯群臣朝十月。儀：先平明，謁者治禮，引以次入殿門，廷中陳車騎戍卒衛官，設兵，張旗志。傳言『趨』。殿下郎中俠陛，陛數百人。功臣列侯諸將軍吏以次陳西方，東鄉；文官丞相以下陳東方，西鄉。大行設九賓，臚句傳。於是皇帝輦出房，百官執職傳警，引諸侯王以下至吏六百石以次奉賀。自諸侯王以下莫不震恐肅敬。至禮畢，復置法酒。諸侍坐殿上皆伏抑首，以尊卑次起上壽。觴九行，謁者言『罷酒』。御史執法舉不如儀者輒引去。竟朝置酒，無敢讙譁失禮者。於是高帝曰：『吾廼今日知為皇帝之貴也。』廼拜叔孫通為太常，賜金五百斤。」卷九十九，頁 2723。

⓳　《史記·叔孫通列傳》，卷九十九，頁 2725。

> 漢興，撥亂反正，日不暇給，猶命叔孫通制禮儀，以正君臣
> 之位。高祖說而歎曰：「吾乃今日知為天子之貴也！」以通
> 為奉常，遂定儀法，未盡備而通終。㉑

　　叔孫通於漢初所制之禮儀，作用在「正君臣之位」，範圍僅限於君
臣禮儀之內；而後為奉常，遂擴大定儀法之規模，可惜終叔孫通之
世，未能竟全功，留下一部未盡完備之儀法。此部儀法雖未盡完
備，然漢代亦沿用多年，直至東漢章帝改制之時，復被提出加以翻
修，由此可知，叔孫通制作之儀法，影響漢代禮樂制度頗為深遠。

　　從叔孫通事蹟之中，反映些許與禮樂制度相關之問題。第一，
高祖以楚人入主漢土，鄙視儒生，與人言，常大罵，甚至「以儒冠
溺器」，㉒儒生動輒得咎，處境堪虞。第二，叔孫通為漢制作之諸
儀法，乃依其所習，並就古禮與秦儀雜就而成，故其儀法，對於漢
代禮樂具有承先啟後之義意。第三，秦代焚書，天下唯有《易》
卜，未有它書；㉓復值高祖又悉去儀法為簡易，輕視禮樂，叔孫通
透迤於當權，並成功推銷儒生專業之禮樂，提升儒生在政治中之地

㉑　〔漢〕班固：《漢書》（北京：中華書局，1982 年 11 月版）卷二十二，頁
　　1030。本書以下几引《漢書》，悉依此版本，引文後括弧內標明卷、頁數，不
　　另加注。

㉒　《史記·酈生列傳》曰：「騎士曰：『沛公不好儒，諸客冠儒冠來者，沛公輒
　　解其冠，溲溺其中。與人言，常大罵，未可以儒生說也。』」卷九十七，頁
　　2692。

㉓　《漢書·楚元王傳》載劉歆移書太常博士曰：「漢興，去聖帝明王遐遠，仲尼
　　之道又絕，法度無所因襲。時獨有一叔孫通略定禮儀，天下唯有《易》卜，未
　　有它書。」卷三十六，頁 1968。

位。此後，在漢代，經書所以成為一門籠罩學術之學問，儒生所以
獨佔此一學術市場，實歸功於叔孫通，故太史公亦不禁贊歎：「叔
孫通希世度務，制禮進退，與時變化，卒為漢家儒宗。」❷叔孫通
雖然改善儒生之待遇，但並未立即改變當權者對儒學之態度，❷尤
其自高祖統一天下以來，漢初歷經惠帝、高后、文帝、景帝等五十
餘年間（B.C.194－B.C.141），中央採行休息政策，當權者偏好黃老之
術。其後雖經魏其、武安、趙綰、王臧等人積極倡導儒學，❷但仍
不敵以竇太后為首之黃老之學，而魏其等人亦因隆推儒術而不得善
終，❷儒學仍不得中央之青睞。

---

❷ 《史記‧叔孫通列傳》，卷九十九，頁 2726。

❷ 《史記‧儒林列傳》：「故漢興，然後諸儒始得脩其經藝，講習大射鄉飲之
　禮。叔孫通作漢禮儀，因為太常，諸生弟子共定者，咸為選首，於是喟然歎興
　於學。然尚有干戈，平定四海，亦未暇遑庠序之事也。」卷一百二十一，頁
　3117。

❷ 《史記‧魏其武安侯列傳》：「魏其、武安俱好儒術，推轂趙綰為御史大夫，
　王臧為郎中令。迎魯申公，欲設明堂，令列侯就國，除關，以禮為服制，以興
　太平。舉適諸竇宗室毋節行者，除其屬籍籍。時諸外家為列侯，列侯多尚公
　主，皆不欲就國，以毀日至竇太后。太后好黃老之言，而魏其、武安、趙綰、
　王臧等務推儒術，貶道家言，是以竇太后滋不說魏其等。及建元二年，御史大
　夫趙綰請無奏事東宮。竇太后大怒，乃罷逐趙綰、王臧等，而免丞相、太尉，
　以柏至侯許昌為丞相，武彊侯莊青翟為御史大夫。魏其、武安由此以侯家
　居。」卷一百七，頁 2843。

❷ 《漢書‧武帝紀》建元二年載：「御史大夫趙綰坐請毋奏事太皇太后，及郎中
　令王臧皆下獄，自殺。丞相嬰、太尉蚡免。」（頁 157）趙綰、王臧下獄自殺
　與魏其、武安免官，固然由於「請毋奏事太皇太后」事件而來，但是與其四人
　之推動儒術身分有密切關聯，東漢之應劭注此事曰：「禮，婦人不豫政事，時
　帝已自躬省萬機。王臧儒者，欲立明堂辟雍。太后素好黃老術，非薄《五
　經》。因欲絕奏事太后，太后怒，故殺之。」

一、立《五經》博士與獨尊儒術

　　經學所以成為中國學術主流典籍，儒者專斷經學之發言與資源，漢武帝與董仲舒兩人於此功不可沒，而直接促進漢代經學之昌明，❷❽首推武帝置《五經》博士之舉。❷❾《漢書·儒林傳》贊曰：

> 自武帝立《五經》博士，……初，《書》唯有歐陽，《禮》后，《易》楊，《春秋》公羊而已。（卷八十八，頁 3620－3621）

所謂《五經》博士，即指《書》、《禮》、《易》、《春秋》，加以文帝時所立之《詩》博士，❸❶便是武帝所立之《五經》博士。武帝立《五經》博士，無疑是將經書學官化，並經由政府之支持，使經學成為主導所有學術最重要之選項。

　　博士一職，秦時已有，唯當時博士掌通古今，學貫諸子，學術領域不限於經書或專門之學，故謂之「博士」。《史記·秦始皇本紀》載：「始皇置酒咸陽宮，博士七十人前為壽」，同年李斯奏之

---

❷❽ 皮錫瑞言：「經學至漢武始昌明，而漢武時之經學為最純正。」《經學歷史》，頁 62。

❷❾ 《漢書·武帝紀》曰：「五年春，罷三銖錢，行半兩錢。置《五經》博士。」卷六，頁 159。

❸❶ 徐復觀在《中國經學史的基礎》書中言：「所以《儒林傳贊》言武帝立博士僅稱時『《書》唯有歐陽，《禮》后，《易》楊，《春秋》公羊而已』，未曾提到《詩》。因為《詩》早於文帝時立了。」（臺北：臺灣學生書局，1982 年 5 月，頁 73。）

曰：

> 「臣請史官非秦紀皆燒之，非博士官所職，天下敢有藏
> 《詩》、《書》、百家語者，悉詣守、尉雜燒之。有敢偶語
> 《詩》《書》棄市。……所不去者，醫藥卜筮種樹之書。若
> 有欲學法令，以吏為師。」制曰：「可。」（卷六，頁255）

因此，秦時博士官至少有七十人，且其所職「《詩》、《書》、百
家語」。其中「百家語」，乃是指劉歆（？－23）所謂「諸子傳
說」之學，❸❶亦是趙岐所謂「傳記博士」之學。❸❷

漢承秦制，博士官職與員額亦維持秦時之編制。❸❸武帝立《五
經》博士後，博士所職內容，由通古今之學轉為作經學之師，專責
一經之學術與教授。錢穆（1895－1990）言：

> 故知其時所謂《五經》博士，乃一總名，以別於前之博士。
> 前博士掌通古今不限《五經》，此則限以《五經》為博士

---

❸❶ 劉歆移書太常博士，責讓之曰：「至孝文皇帝，始使掌故朝錯從伏生受《尚
書》。《尚書》初出于屋壁，朽折散絕，今其書見在，時師傳讀而已。《詩》
始萌芽。天下眾書往往頗出，皆諸子傳說，猶廣立於學官，為置博士。」《漢
書·楚元王傳》卷三十六，頁1968－1969。

❸❷ 趙岐《孟子題辭》曰：「孝文皇帝欲廣游學之路，《論語》、《孝經》、《孟
子》、《爾雅》皆置博士。后罷傳記博士，獨立《五經》而已。」

❸❸ 王葆玹《今古文經學新論》言：「西漢博士人數在文、景、武、昭、宣、元諸
帝的時期均保持在七十餘人的水準上，在成帝時期有所減少改變為清一色的
『儒林之官』。」（北京：中國社會科學出版社，1997年11月，頁221。）

也。而博士員數，不限於五。有一經數博士，如《魯詩》，
申公弟子為博士者十餘人；有雖列《五經》而並無博士者，
如《禮》；有一博士而兼通數經者，如上舉申公、董仲舒、
瑕丘江公、韓嬰、褚大皆是也。**㉞**

武帝立《五經》博士，非謂《五經》各立一名博士，而是有一經數
博士、或有一博士而兼通數經、或有雖列《五經》但無博士者，**㉟**
故《五經》博士，乃是一個總稱，專指以《五經》為業之博士。因
此，「《五經》博士」一辭，乃是後起之概念，用以區別百家語之
「雜學博士」。**㊱**然而，武帝雖置《五經》博士，但並未罷黜其他
諸子傳記之「百家語」，至於倡導「罷黜百家、獨尊儒術」者，乃

㉞　錢穆：《兩漢經學今古文平議》，《錢賓四先生全集》第八冊（臺北：聯經出
版事業公司，1998 年 5 月），頁 210。

㉟　錢穆考證《儒林傳》中武帝所立之「《五經》博士」言：「而漢廷自后蒼以
前，治禮者僅有大夫，無博士。即以后蒼言，其為博士已在孝宣時。（〈百官
公卿表〉：「孝宣本始二年博士后蒼為少府。」距武帝卒已十五年；距始立
《五經》博士，則六十四年也。）而《儒林傳》詳后蒼事在《齊詩》之系。是
謂后蒼通《禮》，而以《齊詩》為博士，猶如江公雖通《穀梁》而以《魯詩》
為博士也。則自后蒼以前，無以《禮經》為博士者。」《兩漢經學今古文平
議》，頁 209－210。

㊱　《中國經學史的基礎》言：「武帝在建元五年（西元前 138）未置五經博士以
前所置博士，『取學通行修、博學多藝、曉古文、《爾雅》，能屬文章者為高
第。』這雖注入有當時學術風氣的特性，但依然是承『博學於文』的傳統而推
演下來的，也與戰國之初，博士出現以後的基本性格，是約略相同的。我把在
這一長期所出現的博士，方便稱之為『雜學博士』，這是博士演變的第一階
段。」頁 71。

是董仲舒，兩者不可混為一說。

董仲舒（B.C.179？－B.C.104？）之積極倡導儒學，乃是西漢儒學興盛之關鍵人物。《史記‧儒林列傳》曰：「唯董仲舒名為明於《春秋》，其傳公羊氏也。」（卷一百二十一，頁3128）《漢書‧董仲舒傳》記載董仲舒應武帝之〈對策〉曰：

> 《春秋》大一統者，天地之常經，古今之通誼也。今師異道，人異論，百家殊方，指意不同，是以上亡以持一統；法制數變，下不知所守。臣愚以為諸不在六藝之科、孔子之術者，皆絕其道，勿使並進。邪辟之說滅息，然後統紀可一，而法度可明，民知所從矣。（卷五十六，頁2523）

董仲舒在「天人三策」中，以《春秋》大一統之觀念，建議武帝禁絕百家之言，而以「六藝之科」、「孔子之術」為統紀、法度之唯一治術。武帝立《五經》博士時，尚未禁絕其他學術發展，而董仲舒之「獨尊儒術」，乃有意壓縮諸子傳記百家之言，滅息「六藝之科」、「孔子之術」以外之學術，將儒學與《五經》推向前所未有之高峰。

此處有一問題需稍加說明。依《漢書》所載，武帝「置《五經》博士」在建元五年（B.C.136），而董仲舒對武帝三策當在元光元年（B.C.134），❸❼從兩者發生之時間先後看，武帝置「五經」博

---

❸❼《漢書‧武帝紀》載（元光元年）：「五月，詔賢良曰：『……賢良明於古王今王事之體，受策察問，咸以書對，著之於篇，朕親覽焉。』」於是董仲舒、公

士與董仲舒對策似無因果關係。然《漢書·董仲舒傳》云：

> 自武帝初立，魏其、武安侯為相而隆儒矣。及仲舒對冊，推
> 明孔氏，抑黜百家。立學校之官，州郡舉茂材孝廉，皆自仲
> 舒發之。（卷五十六，頁 2525）

班固將武帝「抑黜百家、立學校之官」推為董仲舒對策之功，顯然
是溢美之辭，並非實情。❸

　　若依上述推論，武帝置《五經》博士在前，董仲舒對策在後，
則董仲舒之賢良對策，對於漢代經學並無開創之功。於此，徐復觀
（1903－1982）有不同見解：

> 〈武帝紀〉將仲舒〈對策〉，繫於元光元年（B.C.134），即
> 在立五經博士之後二年，若如此，則仲舒在〈對策〉中「皆
> 絕其道，勿使並進」之言，即是勿使習諸子百家之言的學
> 者，得與儒者並進而為博士之言，為無的放矢。因為既已立
> 五經博士，即是已經不使習諸子百家之言者得以並進。所以

孫弘出焉。」（頁 160－161）又《漢書·董仲舒傳》載：「武帝即位，舉賢
良文學之士前後百數，而仲舒以賢良對策焉。」（頁 2495）

❸ 劉汝霖考證言：「即按本文而言，明誌於魏其武安為相之後，則至早亦當在
建元六年六月之後。且『臨政願治，七十餘載。』之文，亦須於建元五年之後
方合。《禮樂志》又言仲舒對策之後『是時上方征討四夷，銳志武功，不暇留
意禮文之事。』則仲舒之言，蓋未嘗見用，更足證明本傳所言為歸美之辭
矣。」《漢晉學術編年》（上海：上海書店據商務印書館 1935 年版影印）
頁 21。

王先謙在〈武帝紀〉「於是董仲舒、公孫弘等出焉」下謂：
「仲舒對策，實在建元元年（前140），無可疑者」，這是正
確的。改變有長久歷史的雜學博士為五經博士，是一件大
事；仲舒〈對策〉後四年始見實行，這是合於情理的。❸

依徐復觀推論，董仲舒〈對策〉應在武帝立《五經》博士之前
（B.C.140），否則〈對策〉中所指「皆絕其道，勿使並進」便是無
的放矢。因為既已立《五經》博士，即是已經不使習諸子百家之言
者得以並進，故武帝應是從董仲舒〈對策〉之議，而於四年後始立
《五經》博士，如此始能合理解釋董仲舒〈對策〉之議。

其實，徐復觀之疑慮並不難解答。武帝置《五經》博士只在增
加《五經》之博士席位，當時並未同時罷黜諸子傳記博士，或者排
擠博士之員額，故《五經》博士與諸子傳記博士在當時應同時並
存。而董仲舒在武帝置《五經》博士後之基礎上，於二年後
（B.C.134）之〈對策〉中，建議武帝「獨尊儒術」，應以「六藝之
科」、「孔子之術」為統紀，更進一步要求武帝應「罷黜百家」，
禁絕百家之言，「皆絕其道，勿使並進」，以期達到「獨尊儒術」
之目標。董仲舒言「皆絕其道，勿使並進」之對象，乃是指除《五
經》博士以外之諸子傳記博士之學。因此，武帝立《五經》博士在
前，只是提升經學博士之獨立地位，而董仲舒之〈對策〉在後，則
是「乘勝追擊」，希望營造經學獨攬學術資源之環境。此一解釋，
不僅符合史書記載，同時亦可合理說明董仲舒〈對策〉之用心，更

---

❸　《中國經學史的基礎》，頁74—75。

可以接間證明武帝時雖立《五經》博士，但是仍未有廢黜諸子傳記博士之實。

姑且不論武帝立《五經》博士是否從董仲舒〈對策〉之議，董仲舒於西漢儒學卻仍有推波助瀾之功，甚至儼然成為一代儒家宗師。❹若謂武帝立《五經》博士促使儒學逐漸壟斷學術市場，則董仲舒倡「罷黜百家，獨尊儒術」便是導致經學內部分歧之催化劑。武帝與董仲舒使經學學官化，窄化學術範圍，更以利祿勸誘儒生將畢生精力投注於經書之詮釋，致使詮釋經書之系統日益深化，系統派別愈見分歧。

二、《公羊》、《穀梁》之爭

武帝所立之《五經》博士計有：《詩》有魯、齊、韓三家，《書》歐陽氏，《禮》后氏，《易》楊氏，《春秋》公羊氏，共七博士。至宣帝有十二博士，元帝有十三博士，❹至東漢光武帝時，博士增至十四家之多。《後漢書·儒林列傳》曰：

> 及光武中興，愛好經術，……於是立《五經》博士，各以家法教授，《易》有施、孟、梁丘、京氏，《尚書》歐陽、大

---

❹ 《漢書·董仲舒傳》引劉歆之贊曰：「仲舒遭漢承滅學之後，六經離析，下帷發憤，潛心大業，令後學者有所統壹，為群儒首。」頁2526。

❹ 《漢書·儒林傳》卷八十八：「至孝宣世，復立大、小夏侯《尚書》，大、小戴《禮》，施、孟、梁丘《易》，穀梁《春秋》。至元帝世，復立京氏《易》。平帝時，又立左氏《春秋》、毛《詩》、逸《禮》、古文《尚書》，所以罔羅遺失，兼而存之，是在其中。」頁3621。

> 小夏侯,《詩》齊、魯、韓,《禮》大小戴,《春秋》公羊
> 嚴、顏,凡十四博士,太常差次總領焉。(卷七十九上,頁
> 2545)

《後漢書·百官志》載:

> 博士十四人,比六百石。本注曰:《易》四,施、孟、梁
> 丘、京氏。《尚書》三,歐陽、大小夏侯氏。《詩》三,
> 魯、齊、韓氏。《禮》二,大小戴氏。《春秋》二,公羊
> 嚴、顏氏。(志二十五,頁3572)**❷**

由於武帝立《五經》博士,以祿利勸誘學者專注於經學,致使經學
大興;**❸**而博士官之員額有增無減,博士弟子員額亦隨之增設,**❹**
更令經學達到極盛時代。經學極盛之結果,意味著經學博士集團規

---

❷ 有關東漢五經十四博士,請參考劉汝霖:《漢晉學術編年》上冊卷四,頁 21
   —22。

❸ 《後漢書·儒林傳》曰:「自武帝立《五經》博士,開弟子員,設科射策,勸
   以官祿,訖於元始,百有餘年,傳業者寖盛,支葉蕃滋,一經說至百餘萬言,
   大師眾至千餘人,蓋祿利之路然也。」頁3620—3621。

❹ 《漢書·儒林傳》:「昭帝時舉賢良文學,增博士弟子員滿百人,宣帝末增倍
   之。元帝好儒,能通一經者皆復。數年,以用度不足,更為設員千人,郡國置
   《五經》百石卒史。成帝末,或言孔子布衣養徒三千人,今天子太學弟子少,
   於是增弟子員三千人。歲餘,復如故。平帝時王莽秉政,增元士之子得受業如
   弟子,勿以為員,歲課甲科四十人為郎中,乙科二十人為太子舍人,丙科四十
   人補文學掌故云。」頁3596。

模與勢力擴大，同時對《五經》之詮釋系統益見分歧。而在詮釋經學之爭議上，最早引發且引發最激烈之爭辯者，莫過於《春秋》學門，《春秋》經所引發之學術爭議，導致漢代有所謂「經學會議」之產生，是漢代辯論經學之典型代表。

武帝所立《春秋》博士為公羊氏，而董仲舒「少治《春秋》，孝景時為博士」，「唯董仲舒名為明於《春秋》，其傳公羊氏也」；公孫弘則是「以治《春秋》為丞相封侯，天下學士靡然鄉風」，⑤兩者分別治《春秋》傳而得武帝賞識。《漢書·儒林傳》曰：

> 瑕丘江公受《穀梁春秋》及《詩》於魯申公，傳子至孫為博士。武帝時，江公與董仲舒並。仲舒通《五經》，能持論，善屬文。江公吶於口，上使與仲舒議，不如仲舒。而丞相公孫弘本為公羊學，比輯其議，卒用董生。於是上因尊《公羊》家，詔太子受《公羊春秋》，由是《公羊》大興。（卷八十八，頁3617）

此乃《公羊》學與《穀梁》學首次交鋒。董仲舒治《公羊春秋》，瑕丘江公則受《穀梁春秋》於魯申公，⑥武帝令二人對議。史書不

---

⑤　《漢書·儒林傳》卷八十八，頁3593。

⑥　《漢書·儒林傳》卷八十八：「申公，魯人也。少與楚元王交俱事齊人浮丘伯受《詩》。……申公卒以《詩》、《春秋》授，而瑕丘江公盡能傳之，徒眾最盛。」頁3608。是知魯申公所傳《春秋》為《穀梁》學，而瑕丘江公能傳魯申公之學。

載二人對議之內容，但其結果乃江公不如董仲舒，於是武帝崇尚《公羊》家，並詔太子受《公羊春秋》，《公羊》學因董仲舒而大興。

至宣帝時代，《穀梁》家復挑戰《公羊》家之權威地位。**❹**至甘露元年（B.C.53），宣帝乃下詔諸儒以經義平《公羊》、《穀梁》之異同。《漢書‧儒林傳》載：

> 至甘露元年，……乃召《五經》名儒太子太傅蕭望之等大議殿中，平《公羊》、《穀梁》同異，各以經處是非。時《公羊》博士嚴彭祖、侍郎申輓、伊推、宋顯，《穀梁》議郎尹更始、待詔劉向、周慶、丁姓並論。《公羊》家多不見從，願請內侍郎許廣，使者亦並內《穀梁》家中郎王亥，各五人，議三十餘事。望之等十一人各以經誼對，多從《穀梁》。由是《穀梁》之學大盛。慶、姓皆為博士。（卷八十八，頁3618）

宣帝召諸儒大議於殿中，主要目的在「平《公羊》、《穀梁》同異」，出席成員主要分成：以博士嚴彭祖為首之《公羊》家四人，與以議郎尹更始為首之《穀梁》家四人二派。因《公羊》家「多不見從」，願請許廣加入其陣容，隨後《穀梁》家亦增加王亥，二派

---

❹ 《漢書‧儒林傳》卷八十八：「宣帝即位，聞衛太子好《穀梁春秋》，以問丞相韋賢、長信少府夏侯勝及侍中樂陵侯史高，皆魯人也，言穀梁子本魯學，公羊氏乃齊學也，宜興《穀梁》。時千秋為郎，召見，與《公羊》家並說，上善《穀梁》說，……」頁3618。

人數同為五人。雙方爭論三十餘事之結果，蕭望之等十一人各以《春秋》經義持論，多從《穀梁》，復以宣帝偏好《穀梁》學說，由是《穀梁》之學大盛，並使周慶、丁姓二人升為博士，《穀梁》家躍升成為《五經》博士之一。❽

繼「平《公羊》、《穀梁》同異」後二年，學界更擴大討論範圍至《五經》同異。《漢書·宣帝紀》載甘露三年（B.C.51）：

> 詔諸儒講《五經》同異，太子太傅蕭望之等平奏其議，上親
> 稱制臨決焉。乃立梁丘《易》、大小夏侯《尚書》、穀梁
> 《春秋》博士。（卷八，頁272）

此次會議乃由宣帝下詔諸儒會石渠閣，主要在講論《五經》同異問題，由蕭望之平奏其議，宣帝親自「稱制臨決」，史稱此事件為「石渠閣會議」，或謂「石渠故事」。

《公羊》、《穀梁》兩家在二次辯論中，兩家各有勝負，前者董仲舒勝江公，《公羊》由是大興；後者尹更始等勝嚴彭祖等，《穀梁》之學由是大盛。武帝時立《公羊》博士終於漢世，宣帝時雖立《穀梁》博士，然終不敵《公羊》學強勢，而由此一角度省察漢代經今古文之爭，更可深入了解箇中實質意義。

---

❽　《漢書·儒林傳》卷八十八：「至孝宣世，復立大、小夏侯《尚書》，大、小戴《禮》，施、孟、梁丘《易》，穀梁《春秋》。」頁3621。

三、經今古文之爭

　　經文所以有今、古之分，原因來自於武帝置《五經》博士，博士們以當時流行之「隸書」寫定經書傳本，此後，民間相繼出現與《五經》相關之古書，這些古書是用秦統一天下以前六國使用之「古籀」寫成，為區分兩者之不同，遂以「今文經」稱武帝時博士寫定之經書，而以「古文經」指後來出現之經書，此乃大概之分野。然而，今文經可能有古文祖本，古文經亦可能有今文寫本，若是僅以經書之寫定分判今文或古文，或是著眼於該經書之祖本是否為古文，皆不足以區分其為今文經抑或古文經。王葆玹對經今、古文之分別，另定一套判準言：「所謂今文經僅限于漢武帝元朔五年或稍遲寫定的經書今文寫本，除此之外，凡有古文祖本的經書傳本，不論是隸體還是古籀，都可能屬于古文經的範圍。」❹今文經與古文經之區分，不僅在於書寫字體之不同，「而且字句有不同，篇章有不同，書籍有不同，書籍中的意義有大不同；因之，學統不同，宗派不同，對於古代制度以及人物各各不同；而且對於經書的中心人物，孔子，各具完全不同的觀念」，❺由此而引伸出所謂「今學」與「古學」之概念。❻

---

❹　《今古文經學新論》，頁 61。

❺　周予同：《經學史論著選集》（上海：上海人民出版社，1983 年 11 月），頁2。

❻　錢穆即懷疑東漢經學有所謂今文、古文之分，但有「今學」、「古學」之辨；言：「……由是言之，治章句者為『今學』，此即博士之官各家有師說之學也。其時光武方好圖讖，故官學博士亦不得不言圖讖，圖讖與章句本非一業，而在東漢初葉則同為隨時干祿所需，故合稱之曰『章句內學』，其不治章句者

　　古文經雖在漢初已陸續問世，並有傳本，唯當時束之秘府，其學既未得立博士，其書傳亦未編入學官之列。至西漢末哀帝綏和二年（B.C.7），劉向卒，同年其子劉歆受詔領校秘書，建平元年（B.C.6），[52]劉歆發見古文經籍，遂請求朝廷復立古文經博士。自劉歆發難為古文經學爭取學官地位，至東漢白虎觀會議為止，古文經學逐次壯大，足以抗衡今文經學，甚至引發學術界一連串激烈爭辯，史稱「今古文之爭」。[53]

　　引發今古文經之爭，進而形成對立局面，肇始於劉歆。《漢書·楚元王傳》載：

> 及歆校秘書，見古文《春秋左氏傳》，歆大好之。……歆以為左丘明好惡與人同，親夫子，而公羊、穀梁在七十子後，傳聞之與親見之，其詳略不同。歆數以難向，向不能非問也，然猶自持其《穀梁》義。及歆親近，欲建立《左氏春

則為『古義』，『古義』即『古學』也。」《兩漢經學今古文平議》，頁236。

[52] 錢穆考證劉歆請建立《左氏春秋》、《毛詩》、《逸禮》、《古文尚書》，及移書讓太常博士二事，在哀帝建平元年，《兩漢經學今古文平議》，頁74。黃彰健《經今古文學問題新論》則以為劉歆建議之事應在哀帝綏和二年。（臺北：中央研究院歷史語言研究所，1992年9月，頁19～23。）

[53] 周予同歸納自劉歆至東漢之末，今古文經之爭論，舉其最重要者有四：「第一次是劉歆（古）和太常博士們（今）爭立《毛詩》、《古文尚書》、《逸禮》、《左氏春秋》。第二次是韓歆、陳元（古）和范升（今）爭立《費氏易》及《左氏春秋》。第三次是賈逵（古）和李育（今），第四次是鄭玄（古）和何休（今）爭論《公羊傳》及《左氏傳》的優劣。」《經學史論著選集》，頁10。

秋》及《毛詩》、《逸禮》、《古文尚書》皆列於學官。哀
帝令歆與《五經》博士講論其義，諸博士或不肯置對。（卷
三十六，頁1967）

劉歆因領秘書，欲將古文經傳《左氏春秋》、《毛詩》、《逸
禮》、《古文尚書》推薦於博士學官之上。哀帝令劉歆與諸經學博
士討論，遭諸博士反對，於是劉歆移書太常博士，責讓之曰：

及魯恭王壞孔子宅，欲以為宮，而得古文於壞壁之中，《逸
禮》有三十九，《書》十六篇。天漢之後，孔安國獻之，遭
巫蠱倉卒之難，未及施行。及《春秋》左氏丘明所修，皆古
文舊書，多者二十餘通，臧於秘府，伏而未發。孝成皇帝閔
學殘文缺，稍離其真，乃陳發秘臧，校理舊文，得此三事，
以考學官所傳，經或脫簡，傳或間編。……往者綴學之士不
思廢絕之闕，苟因陋就寡，分文析字，煩言碎辭，學者罷老
且不能究其一藝。信口說而背傳記，是末師而非往古，至於
國家將有大事，若立辟雍封禪巡狩之儀，則幽冥而莫知其
原。猶欲保殘守缺，挾恐見破之私意，而無從善服義之公
心，或懷妒嫉，不考情實，雷同相從，隨聲是非，抑此三
事，以《尚書》為備，謂左氏為不傳《春秋》，豈不哀哉！
（《漢書·楚元王傳》卷三十六，頁1969-1970）

劉歆書中申明古文經傳來歷，《逸禮》、《書》、《左氏春秋》等
古書，皆藏於秘府，伏而未發，而這批古文書適可以考學官所傳

「經或脫簡，傳或間編」之失。書中並痛陳當時章句之學「因陋就寡，分文析字，煩言碎辭，學者罷老且不能究其一藝」之弊病，而太常博士則是保殘守缺、不考情實，「信口說而背傳記，是末師而非往古」，猶「專己守殘，黨同門，妒道真，違明詔，失聖意，以陷於文吏之議」（卷三十六，頁 1971）。劉歆此書一出，引發光祿大夫龔勝自責罷官，而大司空師丹則怒斥劉歆「改亂舊章，非毀先帝所立」（卷三十六，頁 1972）。劉歆忤執政大臣，為諸儒所謗，最後只得請求補吏為河內太守，以求自保。劉歆移書雖然指陳古文經之優點與太常博士經學之諸多流弊，然其言並非有意標舉「古文經」以對抗或排斥所謂「今文經」，進而造成今、古文之對立；而是極力倡言古文舊書概與太常博士諸經同類，可正「經或脫簡，傳或間編」之失，以廣道術。❺劉歆移書雖無意挑戰太常博士獨攬學官之地位，但已牴觸博士之權威，招致博士們群情激憤，故欲立古文經列於學官之目的，終究無法如願。

　　雖然劉歆移書未能使古文經立於學官，然古文經曾有一度嶄露頭角。西漢末平帝元始四年 (4)，《漢書·王莽傳》載：

　　　　是歲，莽奏起明堂、辟雍、靈臺，為學者築舍萬區，作市、常滿倉，制度甚盛。立《樂經》，益博士員，經各五人。徵

---

❺　錢穆言：「自歆言之，《公》、《穀》、《左氏》，其為《春秋》一經之傳則一也。孔壁《尚書》之與伏生《尚書》，其為往古舊書亦一也。烏嘗以己所爭立者為『古文』，而排詆先所立者為『今文』乎？蓋其時博士經學本無今文、古文之爭，歆之爭立諸經，亦猶如石渠議奏時之爭立《穀梁春秋》，故成帝曰：『歆意欲廣道術』也。」《兩漢經學今古文平議》，頁 233。

> 天下通一藝教授十一人以上，及有逸《禮》、古《書》、
> 《毛詩》、《周官》、《爾雅》、天文、圖讖、鍾律、月
> 令、兵法、《史篇》文字，通知其意者，皆詣公車。網羅天
> 下異能之士，至者數千人，皆令記說廷中，將令正乖繆，壹
> 異說云。（卷九十九上，頁4069）

元始五年 (5)，平帝死前，封劉歆、王惲等為列侯，並「徵天下
通知逸禮、古記、天文、曆數、鍾律、小學、《史篇》、方術、
《本草》及以《五經》、《論語》、《孝經》、《爾雅》教授者，
在所為駕一封軺傳，遣詣京師，至者數千人」，❺❺其旨與王莽上奏
之事如出一轍。平帝死後（元始五年十二月），王莽為安漢公居攝踐
阼，劉歆為國師，又立《左氏春秋》、《毛詩》、《逸禮》、《古
文尚書》於學官，❺❻古文經終於得到學術地位，但為期甚短。至東
漢光武帝執政，所列《五經》十四博士皆今文經，❺❼《左氏春

---

❺❺ 《漢書‧平帝紀》卷十二，頁 359。

❺❻ 《漢書‧儒林傳》卷八十八載：「平帝時，又立《左氏春秋》、《毛詩》、逸
《禮》、古文《尚書》。」頁 3621；又載：「孔氏有古文《尚書》，孔安國
以今文字讀之，因以起其家逸《書》，得十餘篇，蓋《尚書》茲多於是矣。遭
巫蠱，未立於學官。……庸生授清河胡常少子，以明《穀梁春秋》為博士，部
刺史，又傳《左氏》。常授虢徐敖。敖為右扶風掾，又傳《毛詩》，……王莽
時，諸學皆立。劉歆為國師，璜、惲等皆貴顯。」頁 3607。

❺❼ 有關東漢《五經》十四博士，可參考《漢晉學術編年》上冊卷四「十四博士
表」，頁 21－22；今文經傳授概況，可參考裴普賢《經學概述》之「今文經
傳授系統表」（臺北：開明書局，1969 年 3 月初版），頁 214－221，古文經
頁 222－223。

秋》、《毛詩》、《逸禮》、《古文尚書》諸古文經顯然已遭廢除。

繼劉歆移書之後，東漢建武初，尚書令韓歆上疏欲立《費氏易》、《左氏春秋》博士學官，光武帝下詔公卿、大夫、博士會議於雲臺。博士范升對光武帝曰：「《左氏》不祖孔子，而出於丘明，師徒相傳，又無其人，且非先帝所存，無因得立」，❺❽崇孔子抑左氏之今文學家論調鮮明，極力反對《左氏》立博士，退而奏曰：

> 近有司請置《京氏易》博士，群下執事，莫能據正。《京氏》既立，《費氏》怨望，《左氏春秋》復以比類，亦希置立。《京》、《費》已行，次復《高氏》，《春秋》之家，又有《騶》、《夾》。如令《左氏》、《費氏》得置博士，《高氏》、《騶》、《夾》，《五經》奇異，並復求立，各有所執，乖戾分爭。從之則失道，不從則失人，將恐陛下必有猒倦之聽。❺❾

范升以為《左氏》淺末，非《五經》之本，立《左氏》博士官徒增爭執，非當務之急。陳元則反唇譏范升是「前後相違，皆斷截小文，媟黷微辭，以年數小差，掇為巨謬，遺脫纖微，指為大尤，抉

---

❺❽　《後漢書・范升傳》卷三十六，頁 1228。
❺❾　《後漢書・范升傳》卷三十六，頁 1228。

瑕擿釁，掩其弘美，所謂『小辯破言，小言破道』者也」。❻陳元
以為，左丘明孤學少與，《左氏》親受於孔子，而《公羊》、《穀
梁》傳聞於後世，天子宜詔立《左氏》博詢眾言，以示不專，以廣
道術。陳元並以漢武帝雖好《公羊》，而衛太子獨好《穀梁》，宣
帝開石渠閣而興《穀梁》，至今與《公羊》並存為例，言先帝各有
所立，不必其相因襲，建立《左氏》可以「解釋先聖之積結，洮汰
學者之累惑」，與先帝所立不相妨礙。光武帝見陳元奏書，又下詔
論議，范、陳二人相辯難凡十餘次，結果，光武帝以立《左氏》、
陳元為博士第一結束這場紛爭。只是諸儒論議依舊譁譁，數度廷上
抗爭，《左氏》旋即又廢。《左氏》立於學官一事雖然只是曇花一
現，但此事不僅有助於古文學之學術地位，尤其是對太常博士今文
學派，產生極大威脅。《左氏》學改變西漢以來解《春秋經》之爭
論焦點，從《公羊》與《穀梁》學官之爭，轉而成《公羊》與《左
氏》義理之辯，成為古文學對抗今文學重要典籍之一。

　　基本上，劉歆欲立古文經於學官時，不忘強調古文舊書與博士
諸經同類，立古文經可正「經或脫簡，傳或間編」之失；而陳元欲
立《費氏易》、《左氏春秋》於學官，亦旨在「解釋先聖之積結，
洮汰學者之累惑」，與先帝所立不相妨礙。因此，劉、陳兩人欲立
古文經於學官之立場頗為接近，皆旨在爭取古文經在學術界之地位
與政治資源，無意與太常博士為敵。然而，古文經在爭取權益之過
程中，勢必影響今文博士之權威地位，兩派之爭亦無可避免。再
者，劉、陳兩人前後相繼為古文經辯護，旨在爭取博士學官，其中

並未涉及今古文學說之義理長短；至若以經文義理一較長短，則是
以第三次賈逵與李育之辯論為代表。

　　章帝建初元年（76），賈逵受詔入白虎觀、雲臺講學，賈逵以
「《左氏》義深於君父，《公羊》多任於權變」之大義長於其他兩
傳為說，深獲章帝喜愛，並具條奏之曰：

> 臣以永平中上言《左氏》與圖讖合者，先帝不遺芻蕘，省納
> 臣言，寫其傳詁，藏之秘書。……至光武皇帝，奮獨見之
> 明，興立《左氏》、《穀梁》，會二家先師不曉圖讖，故令
> 中道而廢。凡所以存先王之道者，要在安上理民也。今《左
> 氏》崇君父，卑臣子，彊幹弱枝，勸善戒惡，至明至切，至
> 直至順。且三代異物，損益隨時，故先帝博觀異家，各有所
> 採。《易》有施、孟，復之梁丘，《尚書》歐陽，復有大小
> 夏侯，今三傳之異亦猶是也。又《五經》家皆無以證圖讖明
> 劉氏為堯後者，而《左氏》獨有明文。《五經》家皆言顓頊
> 代黃帝，而堯不得為火德。《左氏》以為少昊代黃帝，即圖
> 讖所謂帝宣也。如令堯不得為火，則漢不得為赤。其所發
> 明，補益實多。（《後漢書·賈逵傳》，卷三十六，頁 1237）

依賈逵論《左氏》之大義長於《公羊》、《穀梁》兩傳，其要有
二：其一，《左氏》所載與圖讖合，證明漢劉為堯後，其所闡發，
可以補益《五經》；此外，賈逵奏書之中極力倡言圖讖，以為光武
所興立之《左氏》、《穀梁》，因兩家先師「不曉圖讖」，方使兩
書中道而廢；今《左氏》獨有明文「以證圖讖明劉氏為堯後者」，

乃《五經》家皆無者，故《左氏》可以補《五經》家之不足。其二，《左氏》「崇君父，卑臣子，彊幹弱枝，勸善戒惡」，適合帝王統治國家之需要。依賈逵之意，當時《易》、《尚書》皆有三家之異，並行於世；《左氏》之於其他兩傳，「其所發明，補益實多」，《春秋》三傳亦當如《易》、《尚書》三家之異，可同時並立於學官。然而，李育杯葛賈逵，作《難左氏義》四十一事，陳述《左氏》雖樂文采，然不得聖人深意，陳元、范升之徒多引圖讖而不據理體。賈、李兩人之衝突，蔓延至建初四年（79）對簿白虎觀上，李育「以《公羊》義難賈逵，往返皆有理證」，❻《左氏》欲立於學官之事，又告失敗。

賈逵欲立《左氏》於學官之願望，雖然落空，但卻影響東漢經學史上兩件大事。其一：提升古文經之學術地位。《後漢書·儒林列傳》載：

> 建初中，大會諸儒於白虎觀，考詳同異，……又詔高才生受《古文尚書》、《毛詩》、《穀梁》、《左氏春秋》，雖不立學官，然皆擢高第為講郎，給事近署，所以網羅遺逸，博存眾家。（卷七十九上，頁2546）

建初八年（83），《後漢書·章帝紀》詔曰：

> 《五經》剖判，去聖彌遠，章句遺辭，乖疑難正，恐先師微

---

❻ 《後漢書·儒林列傳》卷七十九下，頁2582。

言將遂廢絕，非所以重稽古，求道真也。其令群儒選高才生，受學《左氏》、《穀梁春秋》、《古文尚書》、《毛詩》，以扶微學，廣異義焉。（卷三，頁145）

古文經學雖未得立於學官，至少得到帝王肯定，同時朝廷也安排另一種升遷管道，提供古文學家安身立命之處，而賈逵本身便是此一舉措之數少受惠者之一。[62]賈逵以《左氏》明漢為堯後，深獲章帝賞識；又因對古文經傳所做貢獻，遷為衛士令；建初八年，賈逵更因章帝下詔高才生受《左氏》、《穀梁春秋》、《古文尚書》、《毛詩》，此四書遂行於世，而所受之高才生，「皆拜逵所選弟子及門生為千乘王國郎，朝夕受業黃門署，學者皆欣欣羨慕焉」。[63]

其二：賈逵與李育之爭，接間促成白虎觀經學會議之詔開。從漢代經學發展歷程看，以天子名義所詔開之經學會議，泰半與詮釋《五經》之代表性、博士學官之增減、以及由師法、家法所引伸出之章句之學有關。章帝詔開白虎觀會議，乃有感於當時楊終所謂「章句之徒，破壞大體」之學術環境，致使有「《五經》章句煩多，議欲減省」之要求，且「欲使諸儒共正經義」，於是詔諸儒「講議《五經》同異」，其目的在統一經說，效法「如石渠故事，永為後世則」。因此，白虎觀會議不僅在解決李、賈間古今文之爭，由章句之學引發之學術流弊，而急於減省章句之學之殷切期

---

[62]　《後漢書·賈逵列傳》卷三十六：「鄭、賈之學，行乎數百年，遂為諸儒宗，亦徒有以焉爾。桓譚以不善讖流亡，鄭興以遜辭僅免，賈逵能附會文致，最差貴顯。」頁1241。

[63]　《後漢書·賈逵列傳》卷三十六，頁1239。

盼，才是白虎觀會議詔開之主要動機。

四、章句之學與白虎觀會議

今文經雖然是以「隸書」寫定而成，但由於經書年代久遠，經義難明，須藉助師生口傳祕訣，非循師說，諸生無以自得，因此，在漢代形成一種重視師法與家法傳統之經學體系。皮錫瑞（1850－1908）曰：

> 前漢重師法，後漢重家法。先有師法，而後能成一家之言。師法者，溯其源；家法者，衍其流也。❻❹

所謂「師法」，是博士以詮釋經書為根本，由此發展出一套解經之學說，博士以此學說教授諸生，諸生則奉此學說為師法，故師法必溯其源。「家法」者，乃是諸生既從師說，其後又各自發展出一種解經書或解師說之方法，且能成一家之言，故家法必衍其流。然而，無論是師法或是家法，皆必以經書文本為根本。馬宗霍言：

> 或謂前漢多言師法，而後漢多言家法，師法家法，名可互施，然學必先有所師，而後能成一家之言，若論其審，則師法者溯其源，家法者衍其流，其間蓋微有不同。（章帝建初四年詔曰，漢承暴秦，褒顯儒術，建立《五經》，為置博士，其後學者雖曰承師，亦別名家。案此即師法與家法不同之證。）今以《漢書·儒林

---

❻❹ 《經學歷史》，頁 139。

傳》證之，凡言某經有某氏之學者，大抵皆指師法；凡言某家有某氏之學者，大抵皆指家法。㉟

蓋師法與家法之區別，乃在於以《五經》博士之學說為學習對象者，如謂「凡言某經有某氏之學者」，即稱師法；如《漢書·儒林傳》載胡毋生曰：「弟子遂之者，蘭陵褚大，東平嬴公，廣川段仲，溫呂步舒，大至丞相長史，唯嬴公守學，不失師法」（卷八十八，頁 3616），意指胡毋生弟子雖眾，唯嬴公遵守胡毋生所傳，不墜其師胡毋生之學，故曰「不失師法」。後學諸生從經學博士之說，且能成就另一學說者，如謂「凡言某家有某氏之學者」，即指家法；如《後漢書·章帝紀》所載：「其後學者精進，雖曰承師，亦別名家」，李賢注曰：「言雖承一師之業，其後觸類而長，更為章句，則別為一家之學」（卷三，頁 138），後學者既承一師之業，且能作章句，別為一家之學，此學即是家法。

　　然而，無論是師法或者家法，皆是一種解經理論，皮錫瑞謂西漢重師法，東漢重家法，其實無論重師法或家法，無非是在強調師生之倫理關係，諸生從經師學習，猶如子之從父，子無逆父之理，諸生當以師說是命。因此，諸生在學習師法過程之中，若能成一家之言者，此一家之言亦不可悖逆師法。如《漢書》載孟喜之際遇：「博士缺，眾人薦喜。上聞喜改師法，遂不用喜」（卷八十八，頁 3599），孟喜因不循師法，隨意修改，致使孟喜喪失得博士官之機會，師法之嚴格可見一斑。「所謂師法、家法，簡單地說就是傳經

㉟　馬宗霍著：《中國經學史》，第六篇「兩漢之經學」，頁 38-39。

者必須嚴守老師的經說，不得任意更改，不能參雜異說。若不遵家法、師法，立即會被取消博士資格」。❻反之，能守師說家法，且能成一家之言者，則可得到獎勵。如《漢書・儒林傳》載，張山拊之弟子所學云：「（張）無故善修章句，為廣陵太傅，守小夏侯說文。（秦）恭增師法至百萬言，為城陽內史。」（卷八十八，頁 3605）張無故能守小夏侯之說，並善修章句，為廣陵太傅；秦恭增加老師張無故之章句至百萬言，得為城陽內史。而秦恭所增加部分，稱為家法，或稱為章句亦無不可。因此，在漢代致力於解經之過程中，發展出所謂「章句」解經之學。

所謂「章句」，王充（27－？）曰：

> 夫經之有篇也，猶有章句；有章句也，猶有文字也。文字有意以立句，句有數以連章，章有體以成篇，篇則章句之大者也。謂篇有所法，是謂章句復有所法也。❻

經書是以文字構成，由若干數字構成一句，數句構成一章，數章構成一篇，數篇構成一部經書；故所謂「章句」者，類似現代「段」、「句」之概念，是指構成一部經書之基本單位。古人苦無斷句之符號，即使用「虛詞」表示一句或一章之段落，但仍有時而窮；而在解經之過程中，不同之斷句，往往造成解讀經書之歧義，

---

❻ 韓養民：《秦漢文化史》（臺北：里仁書局，1986 年 10 月），頁 31。

❻ 王充著，蔡鎮楚注譯，周鳳五校閱：《新譯論衡讀本》（臺北：三民書局，1997 年 10 月），卷二八〈正說篇〉，頁 1417。

亦影響解經之理論系統，故「章句」之寫定，具有解經定型化之功能。因此，「章句」之學不僅是一種解經方法，同時也是一種讀經之方法。

東漢徐防言子夏承孔子之學，發明章句，居西河教授弟子。**❻❽**子夏學說今不可考，推想徐防之言，應是對當時章句之學之流行風氣尋求源頭之說法，非以為章句之學始於子夏。章句之學顯然與漢代重視師法、家法之傳統有關，若論章句之學之興起，應不晚於西漢宣帝之際。《漢書‧夏侯勝傳》曰：

> （夏侯）勝從父子建字長卿，自師事勝及歐陽高，左右采獲，又從《五經》諸儒問與《尚書》相出入者，牽引以次章句，具文飾說。勝非之曰：「建所謂章句小儒，破碎大道。」建亦非勝為學疏略，難以應敵。（卷七十五，頁3159）

《漢書》載夏侯建師事夏侯勝及歐陽高，又從《五經》諸儒問與《尚書》相出入者，「牽引以次章句」，「具文飾說」，作《尚書章句》即是典型章句之學；而夏侯勝雖然批評夏侯建是「章句小儒」，「破碎大道」，但亦有章句之作，**❻❾**可知章句之學在當時已頗為流行。徐復觀以為章句之學「可能萌於設置博士弟子之前，但

---

❻❽　《後漢書‧徐防傳》載徐防上疏曰：「臣《詩》《書》《禮》《樂》，定自孔子；發明章句，始於子夏。」卷四十四，頁 1500。《史記‧仲尼弟子列傳》曰：「孔子既沒，子夏居西河教授。為魏文侯師。」卷六十七，頁 2203。

❻❾　《漢書‧藝文志》，卷三十載《尚書》類有《大、小夏侯章句》各二十九卷，頁 1705。有學者則以為夏侯勝之《章句》，可能是出於弟子後學之手。

興盛顯著於設置博士弟子員之後，先有博士的章句，然後由此影響，才有一般儒生的章句」。⓻博士因教學之需要，遂對經書「離章辨句」，以求經義，同時為方便講學，遂有章句之作，其章句形成一門學說，便是諸生之「師法」。故林慶彰（1948－）言：

> 章句既是當時經師的一種解經方式，此種詮釋方式是由創立
> 學派的經師所傳，凡是受學於此一學派的經生，代代皆應以
> 此種解經方式為典範。此種典範，即稱為「師法」或「家
> 法」。……是知遵守師法應是個大原則，如果有經師能觸類
> 旁通，另外完成章句的，即可成為一家之學。這家的章句，
> 就是他們的家法。⓻

章句乃是經師解經之方式之一，此詮釋經書之方式遂成為此一學派之「師法」典範，此說殆無疑義；然而，並非所有經學之「師法」皆為章句之學，例如《詩》、《禮》兩經在當時並無章句之作，但不能據此遽言《詩》、《禮》兩經無「師法」。

　　章句之興，蓋祿利之途使然。⓻《漢書》載夏侯勝常謂諸生曰：「士病不明經術；經術苟明，其取青紫如俛拾地芥耳。學經不

⓻　《中國經學史的基礎》，頁98。

⓻　林慶彰，〈兩漢章句之學重探〉，見《中國經學史論文選集》（臺北：文史哲出版，1992年10月初版），頁288。

⓻　班固於《漢書·儒林傳》贊曰：「自武帝立《五經》博士，開弟子員，設科射策，勸以官祿，訖於元始，百有餘年，傳業者寖盛，支葉蕃滋，一經說至百餘萬言，大師眾至千餘人，蓋祿利之路然也」，頁3620－3621。

明，不如歸耕。」（卷七十五，頁 3159）因為武帝以博士官勸誘儒
生，「博士專守一經乃至經中的一傳，如《公羊傳》、《穀梁
傳》，知識活動範圍既狹，又須輾轉相傳，以教授弟子，於是在故
訓、傳說之外，又興起章句之學」，**⓽**章句之學擴大對《五經》詮
釋範圍，儒生投效於經學博士門下，傳業者經師所授，行有餘力，
又自行增衍老師章句，獨立一家之學，師生孳乳，支葉繁茂；漢代
經學便籠罩在這一片敷衍經義之氛圍中。

　　從經學發展歷史看，漢代師法之興起，固然緣於博士學官利祿
之途所趨，但就經學內在發皇而言，章句之學無異是起擴大與深化
作用；然而章句學風一開，遂產生許多流弊。《漢書・藝文志》
曰：

> 古之學者耕且養，三年而通一藝，存其大體，玩經文而已，
> 是故用日少而畜德多，三十而五經立也。後世經傳既已乖
> 離，博學者又不思多聞闕疑之義，而務碎義逃難，便辭巧
> 說，破壞形體；說五字之文，至於二三萬言。後進彌以馳
> 逐，故幼童而守一藝，白首而後能言；安其所習，毀所不
> 見，終以自蔽。此學者之大患也。（卷三十，頁 1723）

《漢書》言後世經傳之博學者，以章句離析經文，「說五字之文，
至於二三萬言」，「一經說至百餘萬言」，而後學者從師法之說，
幼童至白首後始能言一經之義，如此「離章辨句」，必然走向「碎

⓽　《中國經學史的基礎》，頁 79。

義逃難，便辭巧說，破壞形體」，飣餖訓詁之途。鑽研章句之學，既只能窮一經之義，尚不能「存其大體」，故王充批評曰：「諸生能傳百萬言，不能覽古今，守信師法，雖辭說多，終不為博。」❼❹而學者「安其所習，毀所不見」，形成專己守殘、黨同伐異之學術門閥，無怪乎劉歆欲立古文經時受到經學博士之排擠，劉歆則駁斥當時經學博士是「分文析字，煩言碎辭，學者罷老且不能究其一藝。信口說而背傳記，是末師而非往古」，充分說明章句末學之弊端。

　　章句之學虛張經書微言大義，膨脹解經字數泛濫程度，實已令人感到厭煩，於是便有減省章句之聲浪。早在王莽主政之時，便有減省《五經》章句皆為二十萬言之事；❼❺然而，王莽此舉並未收到壓抑章句之目的，故至東漢，始有光武帝「中元元年詔書，《五經》章句煩多，議欲減省」之事。爾後楊終上疏章帝，指責「章句之徒，破壞大體」，宜如石渠故事「論定《五經》」；而章帝建初四年詔書亦回應楊終之疏曰：「欲使諸儒共止經義，頗令學者得以自助」，「講議《五經》同異」。因此，章帝詔開白虎觀會議之目的，不僅在「講議《五經》同異」，而且是冀望透過會議方式，達到減省《五經》章句，以期端正章句之學所產生之不良學風。

---

❼❹　《論衡‧效力篇》，頁 657。

❼❺　《論衡‧效力篇》：「王莽之時，省五經章句皆為二十萬，博士弟子郭路夜定舊說，死於燭下，精思不任，絕脈氣滅也。」頁 660。

第三節　與會者學術背景

　　依《後漢書》所載，建初四年章帝下詔「太常、將、大夫、博士、議郎、及諸生、諸儒會白虎觀，講議《五經》同異」，就與會討論者之頭銜而言，實已涵蓋官方學術代表，稱其為國家學術會議亦不為過。以下從與會者之官銜探求其學術背景。

一、太常

《漢書‧百官公卿表》載：

> 奉常，秦官，掌宗廟禮儀，有丞。景帝中六年更名太常。屬官有太樂、太祝、太宰、太史、太卜、太醫六令丞，又均官、都水兩長丞，又諸廟寢園食官令長丞，有廱太宰、太祝令丞，五時各一尉。又博士及諸陵縣皆屬焉。（卷十九上，頁726）

應劭曰：「常，典也，掌典三禮也」，「常是祭祀時之旗幟，奉常即主祭之意」。❼⑥太常，秦時稱奉常，至西漢景帝中更名為太常。❼⑦其職掌宗廟禮儀，隸屬太常之官員眾多，《後漢書‧儒林列傳》言「凡十四博士，太常差次總領焉」，故博士亦是其中之一。《後

---

❼⑥ 《歷代職官表》，〔清〕黃本驥編著，附瞿蛻園〈歷代職官簡釋〉（臺北：宏業書局，1994 年 11 月），頁 82。

❼⑦ 《漢書‧景帝紀》卷五曰：「（中六年）十二月，改諸官名。定鑄錢偽黃金棄市律。」頁 148。

漢書・志・百官二》載：**❼❽**

> 太常，卿一人，中二千石。本注曰：掌禮儀祭祀。每祭祀，
> 先奏其禮儀；及行事，常贊天子。每選試博士，奏其能否。
> 大射、養老、大喪、皆奏其禮儀。每月前晦，察行陵廟。丞
> 一人，比千石。本注曰：掌凡行禮及祭祀小事，總署曹事。
> 其署曹掾史，隨事為員，諸卿皆然。（志二十五，頁3571）

東漢時，太常一人主掌禮儀祭祀，包含奏大射、養老、大喪等禮
儀，並每月前晦，察行陵廟，亦擔任審核選試博士之職。太常以下
隸屬官員有：太史令一人「掌天時、星曆」，博士祭酒一人「掌教
弟子」、「國有疑事，掌承問對」，太祝令一人「凡國祭祀，掌讀
祝，及迎送神」，太宰令一人「掌宰工鼎俎饌具之物」、「凡國祭
祀，掌陳饌具」，大予樂令一人「掌伎樂」、「凡國祭祀，掌請奏
樂，及大饗用樂，掌其陳序」，高廟令一人「守廟，掌案行掃
除」，世祖廟令一人（如高廟），先帝陵、每陵園令各一人「掌守
陵園，案行掃除」，先帝陵，每陵食官令各一人「掌望晦時節祭
祀」，屬太常者凡十官，皆有定額。**❼❾**

---

❼❽ 《後漢書・志・百官一》志二十四曰：「唯班固著〈百官公卿表〉，記漢承秦
置官本末，訖于王莽，差有條貫；然皆孝武奢廣之事，又職分未悉。世祖節約
之制，宜為常憲，故依其官簿，粗注職分，以為〈百官志〉。凡置官之本，及
中興所省，無因復見者，既在《漢書・百官表》，不復悉載。」頁3555。
❼❾ 《後漢書・志・百官二》志二十五，參考頁3572－3574。

二、將、大夫、議郎、郎官

《漢書·百官公卿表》載：

> 郎中令，秦官，掌宮殿掖門戶，有丞。武帝太初元年更名光
> 祿勳。屬官有大夫、郎、謁者，皆秦官。又期門、羽林皆屬
> 焉。大夫掌論議，有太中大夫、中大夫、諫大夫，皆無員，
> 多至數十人。武帝元狩五年初置諫大夫，秩比八百石，太初
> 元年更名中大夫為光祿大夫，秩比二千石，太中大夫秩比千
> 石如故。郎掌守門戶，出充車騎，有議郎、中郎、侍郎、郎
> 中，皆無員，多至千人。議郎、中郎秩比六百石，侍郎比四
> 百石，郎中比三百石。中郎有五官、左、右三將，秩皆比二
> 千石。郎中有車、戶、騎三將，秩皆比千石。（卷十九上，頁
> 727）

郎中令乃秦官之名，西漢武帝更名為光祿勳，其屬官有大夫、郎、
謁者。大夫主掌論議，有太中大夫、中大夫、諫大夫。郎主掌守門
戶，出充車騎，有議郎、中郎、侍郎、郎中。謁者主掌賓讚受事。

《後漢書·志·百官二》載：

> 光祿勳，卿一人，中二千石。本注曰：掌宿衛宮殿門戶，典
> 謁署郎更直執戟，宿衛門戶，考其德行而進退之。郊祀之
> 事，掌三獻。丞一人，比千石。（志二十五，頁3574）

五官中郎將一人，比二千石。本注曰：主五官郎。五官中
郎，比六百石。本注曰：無員。五官侍郎，比四百石。本注
曰：無員。五官郎中，比三百石。本注曰：無員。凡郎官皆
主更直執戟，宿衛諸殿門，出充車騎。唯議郎不在直中。

（志二十五，頁 3574－3575）

光祿大夫，比二千石。本注曰：凡大夫、議郎皆掌顧應對，
無常事，唯詔令所使。凡諸國嗣之喪，則光祿大夫掌弔。

（志二十五，頁 3577）

東漢光祿勳主掌宿衛宮殿門戶，典謁署郎更直執戟，宿衛門戶及侍
從諸官之長。凡中郎將、大夫、議郎、郎官、謁者等，皆光祿勳之
屬官。五官中郎將一人，主五官郎，郎官皆主更直執戟，宿衛諸殿
門，出充車騎，皆無定額。除此之外，大夫、議郎皆掌顧應對，隨
天子詔令機動行事。因此，郎乃是「殿廷侍從的意思，其任務是護
衛、陪從、隨時建議，備顧問及差遣」，「無職務、無官署、無員
額的官名，不在下規編制之內，而直接與皇帝接近，能起相當的政
治作用」。❽

三、博士、諸生、諸儒

《漢書·百官公卿表》載：

---

❽　《歷代職官表》，頁 3。

奉常，秦官，掌宗廟禮儀，有丞。景帝中六年更名太常。……又博士及諸陵縣皆屬焉。……博士，秦官，掌通古今，秩比六百石，員多至數十人。武帝建元五年初置《五經》博士，宣帝黃龍元年稍增員十二人。元帝永光元年分諸陵邑屬三輔。（卷十九上，頁726）

博士即是太常屬官之一，故又有禮官之稱。《史記·秦始皇本紀》載：

始皇置酒咸陽宮，博士七十人前為壽。……丞相李斯曰：「……臣請史官非秦記皆燒之。非博士官所職，天下敢有藏《詩》、《書》、百家語者，悉詣守、尉雜燒之。有敢偶語《詩》《書》者棄世。」（卷六，頁254－255）

秦始皇帝時博士有七十人以上，其職守《詩》、《書》、百家之語，「既各司其專門之學，又參預政事討論，並出外巡行視察」，[81]甚至如渡河、[82]占夢等雜術，[83]秦始皇亦過問博士，可知博士得

---

[81] 《歷代職官表》，頁137。

[82] 《史記·秦始皇本紀》載：「始皇還，過彭城，齋戒禱祠，欲出周鼎泗水。使千人沒水求之，弗得。乃西南渡淮水，之衡山、南郡。浮江，至湘山祠。逢大風，幾不得渡。上問博士曰：『湘君何神？』博士對曰：『聞之，堯女，舜之妻，而葬此。』於是始皇大怒，使刑徒三千人皆伐湘山樹，赭其山。上自南郡由武關歸。」卷六，頁248。

須兼通諸子、詩賦、術數、方技等雜學，尚無專經之職。《漢書·成帝紀》載陽朔二年（B.C.23）九月之詔，曰：

> 古之立太學，將以傳先王之業，流化於天下也。儒林之官，四海淵原，宜皆明於古今，溫故知新，通達國體，故謂之博士。否則學者無述焉，為下所輕，非所以尊道德也。「工欲善其事，必先利其器。」丞相、御史其與中二千石、二千石雜舉可充博士位者，使卓然可觀。（卷十，頁313）

故博士者，在太學之內傳先王之業，職在「掌通古今」，溫故知新，通達國體始可稱之。

博士官有一經專職，自文帝始。《後漢書》載翟酺上言：「孝文皇帝始置一經博士」（卷四十八，頁1606），考之史料，則知文帝所置博士不僅專職一經，諸子傳記皆置博士也。《漢書·楚元王傳》載劉歆移書太常博士責讓之曰：

> 漢興，去聖帝明王遐遠，仲尼之道又絕，法度無所因襲。時獨有一叔孫通略定禮儀，天下唯有《易》卜，未有它書。至孝惠之世，乃除挾書之律，然公卿大臣絳、灌之屬咸介冑武夫，莫以為意。至孝文皇帝，始使掌故朝錯從伏生受《尚

---

❽ 《史記·秦始皇本紀》載：「始皇夢與海戰，如人狀。問占夢，博士曰：『水神不可見，以大魚蛟龍為候。今上禱祠備謹，而有此惡神，當除去，而善神可致』。」卷六，頁263。

書》。《尚書》初出于屋壁，朽折散絕，今其書見在，時師
傳讀而已。《詩》始萌牙。天下眾書往往頗出，皆諸子傳
說，猶廣立於學官，為置博士。（卷三十六，頁 1968－1969）

前已述及，漢初天下唯有《易》卜，未有它書，至博士叔孫通方略
定禮儀。自惠帝除挾書令後，文帝時《尚書》《詩》及諸子傳記皆
已立於學官，並置博士，諸子傳說兼有博士之職。趙岐《孟子題
辭》亦稱：「孝文皇帝欲廣游學之路，《論語》、《孝經》、《孟
子》、《爾雅》皆置博士」，文景倡導學術，不論經、子，皆使博
士講學，博士未有專責；是時博士仍屬「雜學」，「五經」仍未獨
佔博士學官。

武帝建元五年「置《五經》博士」，《漢書·武帝紀》贊曰：

漢承百王之弊，高祖撥亂反正，文景務在農民，至于稽古禮
文之事，猶多闕焉。孝武初立，卓然罷黜百家，表章《六
經》。遂疇咨海內，舉其俊茂，與之立功。興太學，修郊
祀，改正朔，定曆數，協音律，作詩樂，建封禪，禮百神，
紹周後，號令文章，煥焉可述。後嗣得遵洪業，而有三代之
風。如武帝之雄材大略，不改文景之恭儉以濟斯民，雖
《詩》《書》所稱何有加焉！（卷六，頁 212）

顏師古注曰：「百家，謂諸子雜說，違背六經」，「《六經》，謂

《易》、《詩》、《書》、《春秋》、《禮》、《樂》也」，❽武帝與文、景二世所立博士最大不同，在於武帝使博士各掌其經，各司其職，此亦是博士有專責《五經》之始，亦是武帝賦與經書法定權威地位，從而鞏固博士官與經學不可分隔之關係。此後，《五經》便成為法定之典籍，並依此設立博士學官，同時，博士職權由「通古今」轉為「作經師」。

《後漢書·志·百官二》載：

> 博士祭酒一人，六百石。本僕射，中興轉為祭酒。博士十四
> 人，比六百石。本注曰：《易》四，施、孟、梁丘、京氏。
> 《尚書》三，歐陽、大小夏侯氏。《詩》三，魯、齊、韓
> 氏。《禮》二，大小戴氏。《春秋》二，公羊嚴、顏氏。掌
> 教弟子。國有疑事，掌承問對。（志二十五，頁3572）

西漢時博士教授任職於太學，眾博士之上設首席博士，稱僕射，至東漢改稱為博士祭酒。而太學內之學生稱做博士弟子，至東漢改為太學生或諸生。

西漢時，公孫弘以布衣治《春秋》而為丞相兼學官，且建言武帝為博士官設弟子員，❽更使博士之途成為天下學士追名逐利之

---

❽　《漢書·武帝紀》，卷六，頁212。

❽　《史記·儒林列傳》載元朔五年（B.C.124），公孫弘建言曰：「古者政教未洽，不備其禮，請因舊官而興焉。為博士官置弟子五十人，復其身。太常擇民年十八已上，儀狀端正者，補博士弟子。郡國縣道邑有好文學，敬長上，肅政教，順鄉里，出入不悖所聞者，令相長丞上屬所二千石。二千石謹察可者，常

徑，後世帝王亦在此基礎之上，增加博士弟子員額。《漢書‧儒林傳》補述這段過程：

> 昭帝時舉賢良文學，增博士弟子員滿百人，宣帝末增倍之。元帝好儒，能通一經者皆復。數年，以用度不足，更為設員千人，郡國置《五經》百石卒史。成帝末，或言孔子布衣養徒三千人，今天子太學弟子少，於是增弟子員三千人。歲餘，復如故。平帝時王莽秉政，增元士之子得受業如弟子，勿以為員，歲課甲科四十人為郎中，乙科二十人為太子舍人，丙科四十人補文學掌故云。（卷八十八，頁3596）

武帝之時「開弟子員，設科射策」，以利祿勸誘儒生，「博士藉儒而為業，儒因博士而得官」。至經學博士官秩卑而職尊，附以其弟子員額之增衍，儒生為祿利所趨，一經解說有百萬言，激越出解經有門戶派別之分，祿利愈豐，解經愈多；解經愈繁，博士學位愈增，至東漢時，《易》有施、孟、梁丘、京氏四家；《尚書》有歐陽、大小夏侯氏三家。《詩》有魯、齊、韓氏三家；《禮》有大小戴氏二家；《春秋》有公羊嚴、顏氏二家；《五經》博士凡十有四家。

　　章帝下詔「太常、將、大夫、博士、議郎、及諸生、諸儒」等

與計偕，詣太常，得受業如弟子。一歲皆輒試，能通一藝以上，補文學掌故缺；其高弟可以為郎中者，太常籍奏。即有秀才異等，輒以名聞。其不事學若下材及不能通一藝，輒罷之，而請諸不稱者罰。……制曰：『可。』自此以來，則公卿大夫士吏斌斌多文學之士矣。」頁3119—3120。

人所開之白虎觀會議，由與會者之頭銜，大概可分為二系：一，以
太常為首，以經學為主軸之博士、儒生一系。二，以光祿勳為首，
以顧問論議為主軸之大夫、議郎一系。從參與白虎觀會議之官職與
身分看，人數之多足以代表當時官方之學術立場，且會議「連月乃
罷」，更可以想見此會議工程之浩大。《後漢書》雖然詳載章帝詔
書之內容與會議日期，然而，究竟有那些人，有多少人實際參與會
議，《後漢書》記載並不明確。因此，若欲得知實際參與白虎觀會
議之人士，則需從個別傳記之中考證。

魯恭（？－112），字仲康，扶風平陵人。

> （魯恭）其先出於魯（傾）頃公，為楚所滅，遷於下邑，因氏
> 焉。世吏二千石，哀平閒，自魯而徙。祖父匡，王莽時，為
> 羲和，有權數，號曰「智囊」。父某，建武初，為武陵太
> 守，卒官。時恭年十二，弟丕七歲，晝夜號踊不絕聲，郡中
> 賻贈無所受，乃歸服喪，禮過成人，鄉里奇之。十五，與母
> 及丕俱居太學，習《魯詩》，閉戶講誦，絕人閒事，兄弟俱
> 為諸儒所稱，學士爭歸之。（《後漢書·魯恭傳》卷二十五，頁
> 873）

> 太尉趙（喜）慕其志，每歲時遣子問以酒糧，皆辭不受。恭
> 憐丕小，欲先就其名，託疾不仕。郡數以禮請，謝不肯應，
> 母強遣之，恭不得已而西，因留新豐教授。建初初，丕舉方
> 正，恭始為郡吏。太傅趙（喜）聞而辟之。肅宗集諸儒於白
> 虎觀，恭特以經明得召，與其議。（《後漢書·魯恭傳》卷二十

五，頁 874）

其後拜為《魯詩》博士，由是家法學者日盛。……（《後漢
書·魯恭傳》卷二十五，頁 878）

魯恭之祖父魯匡為羲和之官，其父為武陵太守，堪稱世家，早年與
弟魯丕居太學，習《魯詩》，學士爭相歸依門下。至建初初始為郡
吏，建初四年，魯恭特以經明得召，與其議於白虎觀，其後拜為
《魯詩》博士，建立家法，門下弟子更盛於以往。

賈逵（30−101），賈逵字景伯，扶風平陵人。

（賈逵）九世祖誼，文帝時為梁王太傅，曾祖父光，為常山
太守，宣帝時以吏二千石自洛陽徙焉。父徽，從劉歆受《左
氏春秋》，兼習《國語》、《周官》、又受《古文尚書》於
塗惲，學《毛詩》於謝曼卿，作《左氏條例》二十一篇。
（《後漢書·賈逵傳》卷三十六，頁 1234）

逵悉傳父業，弱冠能誦《左氏傳》及《五經》本文，以《大
夏侯尚書》教授，雖為古學，兼通五家《穀梁》之說。自為
兒童，常在太學，不通人閒事。身長八尺二寸，諸儒為之語
曰：「問事不休賈長頭。」性愷悌，多智思，俶儻有大節。
尤明《左氏傳》、《國語》，為之《解詁》五十一篇，永平
中，上疏獻之。顯宗重其書，寫藏秘館。（《後漢書·賈逵
傳》卷三十六，頁 1235）

時有神雀集宮殿官府，冠羽有五采色，帝異之，以問臨邑侯
劉復，復不能對，薦逵博多識，帝乃召見逵，問之。對曰：
「昔武王終父之業，鸑鷟在岐，宣帝威懷戎狄，神雀仍集，
此胡降之徵也。」帝敕蘭臺給筆札，使作神〈神雀頌〉，拜
為郎，與班固並校秘書，應對左右。（《後漢書・賈逵傳》卷三
十六，頁1235）

肅宗立，降意儒術，特好《古文尚書》、《左氏傳》。建初
元年，詔逵入講北宮白虎觀、南宮雲臺。帝善逵說，使發出
《左氏傳》大義長於二傳者。逵於是具條奏之曰：「臣謹摘
出《左氏》三十事尤著明者，斯皆君臣之正義，父子之紀
綱。其餘同《公羊》者什有七八，或文簡小異，無害大體。
至如祭仲、紀季、伍子胥、叔術之屬，《左氏》義深於君
父，《公羊》多任於權變，其相殊絕，固以甚遠，而冤抑積
久，莫肯分明。臣以永平中上言《左氏》與圖讖合者，先帝
不遺芻蕘，省納臣言，寫其傳詁，藏之秘書。……至光武皇
帝，奮獨見之明，興立《左氏》、《穀梁》，會二家先師不
曉圖讖，故令中道而廢。……又《五經》家皆無以證圖讖明
劉氏為堯後者，而《左氏》獨有明文。《五經》家皆言顓頊
代黃帝，而堯不得為火德。《左氏》以為少昊代黃帝，即圖
讖所謂帝宣也。如令堯不得為火，則漢不得為赤。其所發
明，補益實多。……書奏，帝嘉之，賜布五百匹，衣一襲，
令逵自選《公羊》嚴、顏諸生高才者二十人，教以《左
氏》，與簡紙經傳各一通。（《後漢書・賈逵傳》卷三十六，頁

1239）

　　達數為帝言《古文尚書》與經傳《爾雅》詁訓相應，詔令撰
《歐陽》、《大小夏侯尚書》《古文》同異。達集為三卷，
帝善之。復令撰《齊》、《魯》、《韓詩》與《毛氏》同
異。并作《周官解詁》。遷達為衛士令。八年，乃詔諸儒各
選高才生，受《左氏》、《穀梁春秋》、《古文尚書》、
《毛詩》，由是四經遂行於世。皆拜達所選弟子及門生為千
乘王國郎，朝夕受業黃門署，學者皆欣欣羨慕焉。（《後漢
書·賈達傳》卷三十六，頁 1239）

賈達之父賈徽從劉歆受《左氏春秋》，兼習《國語》、《周官》、
《古文尚書》、《毛詩》，作《左氏條例》二十一篇，而專精《左
氏春秋》，學術涉獵廣泛，足稱淵博。賈達承續父志，尤明《左氏
春秋》，作《解詁》三十篇，《國語》二十一篇。⑧⑥明帝永平十七
年（74），賈達作〈神雀頌〉，⑧⑦拜為郎，與班固並校秘書，應對
左右。
　　賈達之《左氏春秋》學與當時流行之圖讖結合，言「《左氏》
與圖讖相合」，適章帝好《古文尚書》、《左氏傳》，乃召賈達入
講北宮白虎觀、南宮雲臺。帝善達說，使發出《左氏傳》大義長於

---

⑧⑥　《後漢書·賈達傳》卷三十六，李賢注：「《左氏》三十篇，《國語》二十一
　　篇也。」頁 1235。
⑧⑦　《後漢書·明帝紀》卷二載：「（永平十七年）是歲，甘露仍降，樹枝內附，
　　芝草生殿前，神雀五色翔集京師。」

二傳者，賈逵則擷出《左氏》三十事尤著明者，**❽**斯皆君臣之正義，父子之紀綱。其餘同《公羊》者什有七八，或文簡小異，無害大體。賈逵以圖讖證明漢繼堯後而為火德，故「其所發明，補益實多」，實與古文學家極力排斥圖讖之立場明顯不同。至其通《穀梁》尹更始、劉向、周慶、丁姓、王彥五家之說，**❾**亦有別於古學；故賈逵雖家學稱古學，亦習古文經，然其學術特色卻不必稱古學。儘管如此，章帝於建初元年（76）令逵自選《公羊》嚴、顏諸生高才者二十人，教以《左氏》，與簡紙經傳各一通；及建初八年（83）乃詔諸儒各選高才生，受《左氏》、《穀梁春秋》、《古文尚書》、《毛詩》，由是四經遂行於世，完全拜賈逵所賜。因此，從賈逵之家學淵源與其尤明《左氏春秋》而言，仍屬古文學陣營健

---

❽ 《後漢書》載賈逵擷出《左氏》三十事尤著明者，黃彰健考《太平御覽》引《三輔決錄》、徐彥《公羊序疏》、《後漢書·李育傳》，以為：「范曄《後漢書·賈逵傳》說：賈逵『謹擷出《左氏》三十事尤著明者』，三十，恐係『四十』之誤」。《經今古文學問題新論》（臺北：中央研究院歷史語言研究所，1992年9月），頁157。實則，賈逵以《左氏》附會圖讖，強調《左氏》與圖讖合者，並以《左氏》獨有明文以圖讖證明劉氏為堯後者，故所舉三十事「尤著明者」皆與圖讖有關，其餘什有七八與《公羊》者同。《後漢書·張衡傳》言張衡上疏曰：「往者侍中賈逵摘讖互異三十餘事」，即是明證。黃彰健之言，恐受感於《後漢書》言李育「嘗讀《左氏傳》，雖樂文采，然謂不得聖人深意，以為前世陳元、范升之徒更相非折，而多引圖讖，不據理體，於是作《難左氏義》四十一事」。李育作《難左氏義》四十一事，乃是泛指陳元、范升之徒多引圖讖，並非針對賈逵而發；即使李育《難左氏義》意在攻訐賈逵，在引述證據之數量上，亦不必與賈逵相對，以四十一事勝於三十事，在辯論上益顯優越。

❾ 李賢注：「五家謂尹更始、劉向、周慶、丁姓、王彥等，皆為《穀梁》，見《前書》也。」《後漢書·賈逵傳》卷三十六，頁1235。

將之一。

　　桓郁，字仲恩，沛郡龍亢人。

> 郁字仲恩，少以父任為郎。敦厚篤學，傳父業，以《尚書》
> 教授，門徒常數百人。榮卒，郁當襲爵，上書讓於兄子汎，
> 顯宗不許，不得已受封，悉以租入與之。帝以郁先師子，有
> 禮讓，甚見親厚，常居中論經書，問以政事，稍遷侍中。帝
> 自制《五家要說章句》，令郁校定於宣明殿，以侍中監虎賁
> 中郎將。（《後漢書・桓郁傳》卷三十七，頁 1254－1255）

> 永平十五年，入授皇太子經，遷越騎校尉，詔敕太子、諸王
> 各奉賀致禮。郁數進忠言，多見納錄。肅宗即位，郁以母憂
> 乞身，詔聽以侍中行服。建初二年，遷屯騎校尉。（《後漢
> 書・桓郁傳》卷三十七，頁 1255）

> 和帝即位，富於春秋，侍中竇憲自以外戚之重，欲令少主頗
> 涉經學，上疏皇太后曰：「……」由是遷長樂少府，復入侍
> 講。頃之，轉為侍中奉車都尉。永元四年，代丁鴻為太常。
> 明年病卒。（《後漢書・桓郁傳》卷三十七，頁 1255－1256）

> 郁經授二帝，恩寵甚篤，賞賜前後數百千萬，顯於當世。門
> 人楊震、朱寵，皆至三公。（《後漢書・桓郁傳》卷三十七，頁
> 1256）

> 初，榮受朱普學章句四十萬言，浮辭繁長，多過其實。及榮
> 入授顯宗，減為二十三萬言。郁復刪省定成十二萬言。由是
> 有《桓君大小太常章句》。（《後漢書·桓郁傳》卷三十七，頁
> 1256）

桓郁之父桓榮，「少學長安，習《歐陽尚書》，事博士九江朱
普」，❾朱普則從平當學《歐陽尚書》。❾桓郁既傳父業，且以
《尚書》教授，至章帝建初二年（77）遷屯騎校尉，和帝永元四年
（92）代丁鴻為太常，刪桓榮章句二十三萬言，為《桓君大小太常
章句》十二萬言，各其學當以《歐陽尚書》為主。

丁鴻，字孝公，潁川定陵人。

> 鴻年十三，從桓榮受《歐陽尚書》，三年而明章句，善論
> 難，為都講，遂篤志精銳，布衣荷擔，不遠千里。（《後漢
> 書·丁鴻傳》卷三十七，頁 1263）

> ……鴻感悟，垂涕歎息，乃還就國，開門教授。鮑駿亦上書
> 言鴻經學至行，顯宗甚賢之。（《後漢書·丁鴻傳》卷三十七，頁
> 1263）

---

❾　《後漢書·桓榮傳》卷三十七，頁 1249。
❾　《漢書·儒林傳》曰：「林尊字長賓，濟南人也。事歐陽高，為博士，論石
　　渠。後至少府、太子太傅，授平陵平當、梁陳翁生。……由是歐陽有平、陳之
　　學。……而平當授九江朱普公文、……」卷八十八，頁 3604。

永平十年詔徵，鴻至即召見，說文〈侯之命篇〉，賜御衣及綬，稟食公車，與博士同禮。頃之，拜侍中。十三年，兼射聲校尉。建初四年，徙封魯陽鄉侯。（《後漢書·丁鴻傳》卷三十七，頁1264）

肅宗詔鴻與廣平王羨及諸儒樓望、成封、桓郁、賈逵等，論定《五經》同異於北宮白虎觀，使五官中郎將魏應主承制問難，侍中淳于恭奏上，帝親稱制臨決。鴻以才高，論難最明，諸儒稱之，帝數嗟美焉。時人嘆曰：「殿中無雙丁孝公。」數受賞賜，擢徙校書，遂代成封為少府。門下由是益盛，遠方至者數千人。（《後漢書·丁鴻傳》卷三十七，頁1264）

贊曰：五更待問，應若鳴鍾。庭列輜駕，堂修禮容。穆穆帝則，擁經以從。丁鴻翼翼，讓而不飾。高論白虎，深言日食。（《後漢書·丁鴻傳》卷三十七，頁1269）

丁鴻早年從桓榮習《歐陽尚書》，與桓郁所學同出一系，為人善論難，讓而不飾，因經學至行，而得章帝賢之。建初四年，丁鴻徙封魯陽鄉侯，章帝詔丁鴻與諸儒與會白虎觀，丁鴻論難最明，帝數嗟歎其才美，號之曰：「殿中無雙丁孝公」，❷會後擢徙校書，遂代成封為少府，可知丁鴻與會白虎觀，會中以《歐陽尚書》論難群

---

❷ 《東觀漢記》曰：「上嗟歎鴻才，號之曰：『殿中無雙丁孝公』。」卷十五，頁2。

儒，諸儒稱之。

淳于恭，字孟孫，北海淳于人。

> （淳于恭）善說《老子》，清靜不慕榮名。家有山田果樹，
> 人或侵盜，輒助為收採。又見偷刈禾者，恭念其愧，因伏草
> 中，盜去乃起，里落化之。（《後漢書·淳于恭傳》卷三十九，頁
> 1301）

> 建初元年，肅宗下詔美恭素行，告郡賜帛二十匹，遣詣公
> 車，除為議郎。引見極，訪以政事，遷侍中騎都尉，禮待甚
> 優。其所薦名賢，無不徵用。進對陳政，皆本道德，帝與之
> 言，未嘗不稱善。五年，病篤，使者數存問，卒於官。詔書
> 褒歎，賜穀千斛，刻石表閭。除子孝為太子舍人。（《後漢
> 書·淳于恭傳》卷三十九，頁 1301）

淳于恭善說《老子》，章帝建初元年（76）除為議郎，其學與經學
屬性不同。淳于恭與會白虎觀時為侍中，職在上奏講議結果，供章
帝稱制臨決。

班固（32-92），字孟堅，扶風安陵人。

> （班固）年九歲，能屬文誦詩賦，及長，遂博貫載籍，九流
> 百家之言，無不窮究。所學無常師，不為章句，舉大義而
> 已。性寬和容眾，不以才能高人，諸儒以此慕之。（《後漢
> 書·班固傳》卷四十上，頁 1330）

父彪卒，歸鄉里。固以彪所續前史未詳，乃潛精研思，欲就
其業。既而有人上書顯宗，告固私改作國史者，有詔下郡，
收固繫京兆獄，盡取其家書。先是扶風人蘇朗偽言圖讖事，
下獄死。固弟超恐固為郡所覈考，不能白明，乃馳詣闕上
書，得召見，具言固所著述意，而郡亦上其書。顯宗甚奇
之，召詣校書部，除蘭臺令史，與前睢陽令陳宗、長陵令尹
敏、司隸從事孟異共成世祖本紀。遷為郎，典校秘書。固又
撰功臣、平林、新市、公孫述事，作列傳、載記二十八篇，
奏之。帝乃復使終成前所著書。（《後漢書·班固傳》卷四十
上，頁1333－1334）

固以為漢紹堯運，以建帝業，至於六世，史臣乃追述功德，
私作本紀，編於百王之末，廁於秦、項之列，太初以後，闕
而不錄，故探撰前記，綴集所聞，以為《漢書》。起元高
祖，終于孝平王莽之誅，十有二世，二百三十年，綜其行
事，傍貫《五經》，上下洽通，為《春秋》考紀、表、志、
傳凡百篇。固自永平中始受詔，潛精積思二十餘年，至建初
中乃成。當世甚重其書，學者莫不諷誦焉。（《後漢書·班固
傳》卷四十上，頁1334）

及肅宗雅好文章，固愈得幸，數入讀書禁中，或連日繼夜。
每行巡狩，輒獻上賦，朝廷有大議，使難問公卿，辯論於
前，賞賜恩寵甚渥。固自二世才術，位不過郎，感東方朔、
楊雄自論，以不遭蘇、張、范、蔡之時，作〈賓戲〉以自通

馬。後遷玄武司馬。天子會諸儒講論《五經》，作《白虎通
德論》，令固撰集其事。（《後漢書‧班固傳》卷四十下，頁
1373）

固所著〈典引〉、〈賓戲〉、〈應譏〉、詩、賦、銘、誄、
頌、書、文、記、論、議、六言，在者凡四十一篇。（《後
漢書‧班固傳》卷四十下，頁1386）

班固能屬文誦詩賦，著作亦以此為主而兼備史學，明帝永平中為
郎，典校秘書。❾❸班固最偉大之成就，乃是明帝時受詔撰寫，歷經
二十餘年，至章帝建初中時所完成之《漢書》。班固雖亦能「博貫
載籍，九流百家之言，無不窮究」，「專篤志於博學，以著述為
業」，然所學既無明確師承，亦無專治典籍。而班固與白虎觀會議
之關係，乃在於章帝令班固撰集其事，作《白虎通德論》。依周廣
業所考，「白虎通德論」並非一書，而是指「白虎通」與「功德
論」二書，不論是「白虎通德論」一書，或者是「白虎通」與「功
德論」二書，皆是班固所作，皆與白虎觀會議有關。然而，《後漢
書》記載此事並不明確，所謂「令固撰集其事」，是指白虎觀會議
之後，由淳于恭上奏，章帝親稱制臨決之結果，最後由班固集結而
成之資料，或者只是班固於會議之中所做之記錄報告，仍有待考
證。至於班固是否參與會議之討論，亦不得而知。

---

❾❸ 《漢書‧敘傳》卷一百上曰：「（班固）永平中為郎，典校秘書，專篤志於博
學，以著述為業。」頁4225。

張酺，字孟侯，汝南細陽人。

> 酺少從祖父充受《尚書》，能傳其業。又事太常桓榮。勤力
> 不怠，聚徒以百數。永平九年，顯宗為四姓小侯開學於南
> 宮，置《五經》師。酺以《尚書》教授，數講於御前。以論
> 難當意，除為郎，賜車馬衣裳，遂令入授皇太子。（《後漢
> 書·張酺傳》卷四十五，頁 1528－1529）

> 酺為人質直，守經義，每侍講間隙，數有匡正之辭，以嚴見
> 憚。及肅宗即位，擢酺為侍中、虎賁中郎將。數月，出為東
> 郡太守。酺自以嘗經親近，未悟見出，意不自得，上疏辭
> 曰……。（《後漢書·張酺傳》卷四十五，頁 1529）

> 自酺出後，帝每見諸王師傅，常言：「張酺前入侍講，屢有
> 諫正，闇闇惻惻，出於誠心，可謂有史魚之風矣。」元和二
> 年，東巡狩，幸東郡，引酺及門生並郡縣掾史並會庭中。帝
> 先備弟子之儀，使酺講《尚書》一篇，然後脩君臣之禮。賞
> 賜殊特，莫不沾洽。（《後漢書·張酺傳》卷四十五，頁 1530）

張酺少從祖父張充受《尚書》，能傳其業，並能以《尚書》教授，
數講於御前，除為郎。章帝即位，擢張酺為侍中、虎賁中郎將。元
和二年（85）章帝嘗以弟子之儀，使張酺講《尚書》一篇，然後再
脩君臣之禮，尤見張酺之榮寵。張酺事太常桓榮，亦習《歐陽尚
書》，其學所長又與丁鴻、桓郁同出一系。

楊終，字子山，蜀郡成都人。

> （楊終）年十三，為郡小吏，太守奇其才，遣詣京師受業，
> 習《春秋》。顯宗時，徵詣蘭臺，拜校書郎。（《後漢書·楊
> 終傳》卷四十八，頁 1597）

> 終又言：「宣帝博徵群儒，論定《五經》於石渠閣。方今天
> 下少事，學者得成其業，而章句之徒，破壞大體。宜如石渠
> 故事，永為後世則。」於是詔諸儒於白虎觀論考同異焉。會
> 終坐事繫獄，博士趙博、校書郎班固、賈逵等，以終深曉
> 《春秋》，學多異聞，表請之，終又上書自訟，即日貰出，
> 乃得與於白虎觀焉。後受詔刪《太史公書》為十餘萬言。
> （《後漢書·楊終傳》卷四十八，頁 1599）

> 帝東巡狩，鳳皇黃龍並集，終贊頌嘉瑞，上述祖宗鴻業，凡
> 十五章，奏上，詔貰還故郡。著《春秋外傳》十二篇，改定
> 章句十五萬言。永元十二年，徵拜郎中，以病卒。（《後漢
> 書·楊終傳》卷四十八，頁 1600－1601）

楊終自小習《春秋》，明帝時拜校書郎，是促進章帝詔開白虎觀會
議之主要人物。其學術治專在《春秋》，著有《春秋外傳》十二
篇，❾然《後漢書》未言楊終之《春秋》所習何家。❾值白虎觀會

---

❾ 《春秋外傳》即《國語》，《漢書·律曆志》亦稱《國語》為《春秋外傳》；
　　王充《論衡·案書篇》曰：「《國語》，《左氏》之外傳也。」

議詔開之際，楊終因事入獄，待博士趙博、校書郎班固、賈逵等人表請，乃得與於白虎觀，故楊終所以能夠參與白虎觀會議，乃憑其「深曉《春秋》，學多異聞」。

陳敬王羨，廣平王。

> 陳敬王羨，永平三年封廣平王。建初三年，有司奏遣羨與鉅鹿王恭、樂成王黨俱就國。肅宗性篤愛，不忍與諸王乖離，遂留京師。明年，案輿地圖，令諸國戶口皆等，租入歲各八千。羨博涉經書，有威嚴，與諸儒講論於白虎殿。（《後漢書・陳敬王羨傳》卷五十，頁 1667）

劉羨於明帝永平三年（60）封廣平王，其學術雖「博涉經書」，但無明確之專治典籍。

李育，字元春，扶風漆人。

> （李育）少習《公羊春秋》。沈思專精，博覽書傳，知名太學，深為同郡班固所重。固奏記薦育於驃騎將軍東平王蒼，由是京師貴戚往交之。州郡請召，育到，輒辭病去。（《後漢書・李育傳》卷七十九下，頁 2582）

---

⑮　王先謙則以為楊終之《春秋》所習皆《公羊》學也，曰：「而考終上疏三引皆《公羊傳》語，知所治必《公羊》，《春秋外傳》及改定之章句亦是《公羊》學也。」《後漢書集解》，頁 563。

> 常避地教授，門徒數百。頗涉獵古學。嘗讀《左氏傳》，雖
> 樂文采，然謂不得聖人深意，以為前世陳元、范升之徒更相
> 非折，而多引圖讖，不據理體，於是作《難左氏義》四十一
> 事。（《後漢書·李育傳》卷七十九下，頁 2582）

> 建初元年，衛尉馬廖舉育方正，為議郎。後拜博士。四年，
> 詔與諸儒論《五經》於白虎觀，育以《公羊》義難賈逵，往
> 返皆有理證，最為通儒。（《後漢書·李育傳》卷七十九下，頁
> 2582）

> 再遷尚書令。及馬氏廢，育坐為所舉免歸。歲餘復徵，再遷
> 侍中，卒於官。（《後漢書·李育傳》卷七十九下，頁 2582）

李育少習《公羊春秋》，但不知從嚴、顏何氏，且博覽書傳。建初
元年（76）為議郎，後拜博士。建初四年與諸儒會白虎觀，會中李
育以《公羊春秋》論難賈逵，最為通儒。

　　李育以為《左氏春秋》不得聖人深意，作《難左氏義》四十一
事乃是針對前人如陳元、范升之徒「多引圖讖，不據理體」以解
《左氏傳》，實有感而發。金德建則據《後漢書》之說，以為「知
李育曾參議白虎觀，有《公羊義四十一事》之作，則李育之說，必
存於今《白虎通義》中無疑」。[96]金德建考證《白虎通》曰：

---

[96]　金德建：《古籍叢考》（臺北：臺灣中華書局，1967 年 4 月），頁 114。

而李育之《大義》，據《後漢書》〈何休傳〉所云，實為何休《解詁》之所追本。則《通義》之說《公羊》，凡同於何休《解詁》者，謂即出於李育所說，恐亦甚當。余讀《白虎通義》，取其說《春秋公羊》者，比而錄之，得八十三條；其中與何休之《解詁》參證相符合者，適得四十有一條，正值此數。以為此即〈李育傳〉所謂李育所說《公羊義四十一事》云。**❾❼**

金德建以為，李育參與白虎觀會議，則李育之說必存於《白虎通》之中，而何休之《公羊解詁》乃追本李育，則《解詁》之義等於李育之義，故凡《白虎通》中合於何休之《解詁》者，即可視為李育在白虎觀會議之意見。金德建之考證《白虎通》條文取《春秋公羊》者得八十三條，而合於何休之《解詁》者，適得四十一條，如下：**❾❽**

　　證一：二、「《春秋傳》曰：『合伯子男為一爵』。或曰：
　　『合從子貴中也』以《春秋》名鄭忽，忽者鄭伯也。此未踰
　　年之君，當稱子；嫌為改伯從子，故名之也。」
　　證二：四、「爵皆一字也，大夫獨兩字何？《春秋傳》曰：
　　『大夫無遂事』以為大夫職在之適四方，受君之法，施之於
　　民，故獨兩字言之。或曰：大夫爵之下者也，稱大夫，明從

---

❾❼　《古籍叢考》，頁114。
❾❽　《古籍叢考》，頁114─138。

大夫以上受下施，皆大自著也。」

證三：六、「何以知天子之子亦稱世子也。《春秋》曰：
『公會王世子于首止。』」

證四：九、「《春秋》曰：『元年春王正月，公即位。』改
元位也。王者改元，即事天地；諸侯改元，即事社稷。」

證五：十一、「《春秋》曰：『公朝于王所。』于是知晉文
之霸也。」

證六：十六、「王者諸侯必有誡社者何？示有存亡也。明為
善者得之，為惡者失之。故《春秋公羊傳》曰：『亡國之
社，奄其上，柴其下。』」

證七：十八、「王者始起，何用正民以為，且用先代之禮
樂，天下太平，乃更制作焉。……《春秋傳》曰：『曷為不
修乎近，而修乎遠，同已也，可因先以太平也。』」

證八：十九、「天子八佾，諸侯四佾，所以別尊卑。樂者陽
也，故以陰數，法八風，六律，四時也。故《春秋公羊傳》
曰：『天子八佾，諸公六佾，諸侯四佾。』」

證九：二十一、「為其專權擅勢，傾覆國家。……故《春秋
公羊傳》曰：『譏世卿；世卿，非禮也。』」

證十：二十三、「立子以貴不以長，防愛憎也。《春秋傳》
曰：『立適以長，不以賢；立子以貴，不以長也。』」

證十一：二十六、「誅君之子不立者，義無所繼也。諸侯世
位，象賢也；今親被誅，絕也。《春秋傳》曰：『誅君之子
不立。』」

證十二：三十、「京師者，何謂也？千里之邑號也。京大

也，師眾也，天子所居，故以大眾言之。明什倍諸侯，法日月之徑千里。《春秋傳》曰：『京師，天子之居也。』」

證十三：三十一、「大夫將兵出，不從中御者，欲盛其威，使士卒一意繫心也。故但聞軍令，不聞君命，明進退在大夫也。《春秋傳》曰：『此受命于君如伐齊，則還何？大其不伐喪也。大夫以君命出，進退在大夫也。』」

證十四：三十三、「誅不避親戚何？所以尊君卑臣，強幹弱枝，明善善惡惡之義也。《春秋傳》曰：『季子煞其母兄，何善？爾不避母兄，君臣之義也。』」

證十五：三十四、「諸侯有三年之喪，有罪且不誅何？君子恕已，哀孝子之思慕，不忍加刑罰。《春秋傳》曰：『晉士（丐）帥師侵齊，至穀，聞齊侯卒，乃還。』《傳》曰：『大其不伐喪也。』」

證十六：三十五、「王者諸侯之子，篡弒其君而立，臣下得誅之者，廣討賊之義也。《春秋傳》曰：『臣弒君，臣不討賊，非臣也。又曰：『蔡世子班弒其君，楚子誅之。』」

證十七：三十七、「子得為父報仇者，臣子之於君父，其義一也。忠臣孝子所以不能已，恩義不可奪也。故曰：父之仇不與共天下，兄弟之仇不與共國，朋友之仇不與同朝，族人之仇不共鄰。故《春秋傳》曰：『子不復仇非子。』」

證十八：三十八、「父母以義見殺，子不復仇者，為往來不止也。《春秋傳》曰：『父不受誅，子不復仇可也。』」

證十九：四十、「討者何謂也？討猶除也。欲言臣當掃除弒君之賊也。《春秋》曰：『衛人殺州吁于濮。』《傳》曰：

『其稱人何,討賊之辭也。』」

證二十:四十二、「襲者何謂也?行不假途,掩人不備也。《春秋傳》曰:『其謂之秦何?夷狄之也。曷為夷狄之?秦伯將襲鄭。』入國掩人不備,行不假途,人銜枚,馬(韁)勒,晝伏夜行為襲也。」

證二十一:四十五、「何以言災有哭也?《春秋》曰:『新宮火,三日哭。』《傳》曰:『必三日哭何?禮也。』災三日哭,所以然者,宗廟先祖所處,鬼神無形體,曰:今忽得天火,得無為災所中乎,故哭也。」

證二十二:四十六、「鼓用牲于社,社者眾陰之主,以朱絲縈之,鳴鼓攻之,以陽責陰也。故《春秋傳》曰:『日有食之,鼓用牲于社。』」

證二十三:四十九、「不臣妻父母何?⋯⋯《春秋》曰:『紀季姜歸于京師。』父母之于子,雖為王后,尊不加於父母,知王者不臣也。」

證二十四:五十、「又譏宋三世內娶於國中,謂無臣也。」

證二十五:五十二、「王者臣不得為諸侯臣,以其尊當與諸侯同。《春秋傳》曰:『寓公不世,待以初。』」

證二十六:五十三、「不名者,貴賢者而已,共成先祖功德,德加于百姓者也。《春秋》單伯不言名,《傳》曰:『吾大夫之命于天子者也。』」

證二十七:五十四、「盛德之士不名,尊賢也。《春秋》曰:『公弟叔肸。』不名盛心之士者,不可屈以爵祿也。」
五十五、「諸父諸兄不名,諸父諸兄者;親與己父兄有敵體

之義也。……《春秋傳》曰：『王札子何？長庶之稱也。』」（此條與五十四條（證二十七）同說『不名』之義）

證二十八：五十六、「故后夫人以棗栗腵修者，凡内修陰也。又取其朝早起，栗戰自正也。修者脯也。故《春秋傳》曰：『宗婦覿用幣，非禮也。然則曷用棗栗云乎，腵修云乎！』」

證二十九：五十七、「王者所以存二王之後何也？所以尊先王，通天下之三統也。……《春秋傳》曰：『王者存二王之後，使服其正色，行其禮樂。』」

證三十：六十、「《春秋》譏二名何？所以譏者，乃謂其無常者也。」

證三十一：六十一、「男女異長，各自有伯仲，法陰陽各自有終始也。《春秋傳》曰：『伯姬者何？内女稱也。』」

證三十二：六十六、「天子諸侯一娶九女者何？重國廣繼嗣也。……《春秋公羊傳》曰：『諸侯娶一國，則二國往媵之。以姪娣從，謂之姪者何？兄之子也。娣者何？女弟也。……必一娶何？防淫泆也，為其棄德嗜色，故一娶而已；人君無再娶之義也。備姪娣從者，為其必不相嫉（妒）也。一人有子，三人共之，若己生之也。』」

證三十三：六十七、「《公羊傳》曰：『叔姬歸於紀。』明待年也。」

證三十四：六十八、「所以不聘妾何？人有子孫欲尊之，義不可求人為賤也。《春秋傳》曰：『二國來媵。』可求人為士，不可求人為妾何？士即尊之漸，賢不止于士，妾雖賢，

不得為嫡。」

證三十五：六十九、「《春秋傳》曰：『紀侯來朝。』紀子以嫁女於天子，故增爵稱侯，至數十年之間，紀侯無他功，但以子為天王后，故爵稱侯。知雖小國者，必封以大國，明其尊所不臣也。王者娶及庶邦何？開天下之賢士，不遺善也。故《春秋》曰：『紀侯來朝。』文加為侯，明封之也，先封之，明不與庶邦交禮也。」

七十、「諸侯所以不得自娶國中何？諸侯不得專封，義不可臣其父母。《春秋傳》曰：『宋三世無大夫，惡其內娶也。』」（《通義》此條與前四十九條（證二十三）重複）

證三十六：七十二、「王者嫁女，必使同姓主之何？昏禮貴和，不可相答，為傷君臣之義，亦欲使女不以天子尊乘諸侯也。《春秋傳》曰：『天子嫁女於諸侯，必使諸侯同姓者主之；諸嫁女於大夫，使大夫同姓者主之。』」

證三十七：七十七、「禮有取於三，故謂之三年，緣其漸三年之氣也。故《春秋傳》曰：『三年之喪，其實二十五月也。』」

證三十八：七十八、「諸侯有親喪，聞天子崩，奔喪者何？屈己親親，猶尊尊之義也。《春秋傳》曰：『天子記崩，不記葬者，必其時葬也。諸侯記葬，不必有時，諸侯為有天子喪尚奔，不得必以其時葬也。』」

證三十九：八十、「臣下有大喪，不呼其門者，使得終其孝道，成其大禮。故《春秋傳》曰：『古者臣有大喪，君三年不呼其門。』」

證四十：八十一、「臣死亦赴告於君何？此君哀痛於臣子
也。欲聞之加賵贈之禮。故《春秋》曰：『蔡侯考父卒。』
《傳》曰：『卒赴而葬不告。』」

證四十一：八十三、「諸侯夫人薨告天子者，不敢自廢政
事，亦欲知之當有禮也。《春秋》曰：『天王使宰咺來歸惠
公仲子之賵。』譏不及事。」

若李育以《難左氏義》四十一事發表於白虎觀會議，且今之《白虎
通》即白虎觀會議之資料，則金德建之輯證當無可疑；而金德建之
考證，亦間接證實《白虎通》乃白虎觀會議之資料無疑。然而，觀
其四十一事輯證，實有諸多疑點有待考證。

　　首先，《後漢書》稱李育作《難左氏義》四十一事，應指李育
批評《左氏傳》之解《春秋》中之四十一事例「更相非折，而多引
圖讖」，故金德建將第五十五條與第五十四條（證二十七）視為同
證，第七十條與第四十九條（證二十三）同證。但是，第三十條（證
十二）與第四十九條（證二十三）同引《春秋公羊傳》桓公九年
「春，紀季姜歸于京師」；❾❾第三十五條（證十六）與第三十七條

---

❾❾　《春秋公羊傳》曰：「紀季姜歸于京師，其辭成矣，則其稱紀季姜何？自我言
紀，父母之於子，雖為天王后，猶曰吾季姜。京師者何？天子之居也。京者
何？大也。師者何？眾也。天子之居，必以眾大之辭言之。」《十三經註疏》
（臺北：藝文印書館，1997年8月），第七冊《公羊傳》，頁61。

（證十七）同引隱公十一年「冬十有一月壬辰，公薨」；⑩；第五十三條（證二十六）與七十二條（證三十六）同引莊公元年「夏，單伯送王姬」；⑩第六十六條與第六十八條同引莊公十九年「秋，公子結媵陳人之婦于鄄，遂及齊侯宋公盟」；⑩金德建卻皆離析為二證。

其次，金德建每舉一證，輒云：「此《通義》所說《公羊》為何休所本而知出於李育之證」，其實亦未必然。例如第九條（證四），金德建曰：

> 按《春秋》三傳桓、文、宣、成、襄、昭、哀元年並有此文。《公羊》隱公元年傳何休注云：「惟王者然後改元立號，《春秋》託新王受命於魯，故因以錄即位，明王者當繼天奉元，養成萬物。」與《通義》「改元位也，王者改元事

---

⑩ 《春秋公羊傳》曰：「何以不書葬？隱之也。何隱爾？弒也。弒則何以不書葬？春秋君弒，賊不討，不書葬，以為無臣子也。子沈子曰：『君弒，臣不討賊，非臣也。不復讎，非子也。葬，生者之事也。春秋，君弒，賊不討，不書葬，以為不繫乎臣子也。公薨，何以不地？不忍言也。隱何以無正月？隱將讓乎桓，故不有其正月也。」」《十三經註疏》（臺北：藝文印書館，1997 年 8 月），第七冊《公羊傳》，頁 41－42。

⑩ 《春秋公羊傳》曰：「單伯者何？吾大夫之命乎天子者也。何以不稱使？天子召而使之。逆之者何？使我主之也。曷為使我主之？天子嫁女乎諸侯，必使諸侯同姓者主之。諸侯嫁女于大夫，必使大夫同姓者主之。」《十三經註疏》，頁 73。

⑩ 《春秋公羊傳》曰：「媵者何？諸侯娶一國，則二國往媵之，以姪娣從。姪者何？兄之子也。娣者何？弟也。諸侯壹聘九女，諸侯不再娶。媵不書，此何以書？為其有遂事書，大夫無遂事，此其言遂何？聘禮，大夫受命不受辭，出竟，有可以安社稷利國家者，則專之可也。」《十三經註疏》，頁 97。

天地社稷」義符。此《通義》所說《公羊》為何休所本而知
出於李育之證四也。❿

考《春秋公羊傳》隱公「元年,春王正月」,❿並無何休「惟王者
然後改元立號,《春秋》託新王受命於魯,故因以錄即位,明王者
當繼天奉元,養成萬物」與《白虎通》「改元位也,王者改元事天
地社稷」之義。此證只能證成《解詁》之說合於《白虎通》,若謂
「此《通義》所說《公羊》為何休所本而知出於李育之證」,則未
必然。又如第十八條(證七),金德建「按此引《春秋傳》雖未見
《公羊傳》」;第五十二條(證二十五)「按《公羊傳》無此文」;
第五十七條(證二十九)「按此未引《公羊傳》本文」;第六十七條
(證三十三)隱公七年「叔姬歸于紀」與第六十九條(證三十五)桓公
二年「紀侯來朝」,《公羊傳》皆有經文而無傳文,金德建卻仍持
何休《解詁》之說視為《白虎通》所說本之《公羊傳》。

　　至於第三十三條(證十四)金德建言:

---

❿　《古籍叢考》,頁117。

❿　《春秋公羊傳》曰:「元年者何?君之始年也。春者何?歲之始也。王者孰
　　謂?謂文王也。曷為先言王而後言正月?王正月也。何言乎王正月?大一統
　　也。公何以不言即位?成公意也。何成乎公之意?公將平國而反之桓。曷為反
　　之桓?桓幼而貴,隱長而卑,其為尊卑也微,國人莫知,隱長又賢,諸大夫扳
　　隱而立之,隱於是焉而辭立,則未知桓之將必得立也,且如桓立,則恐諸大夫
　　之不能相幼君也,故凡隱之立,為桓立也。隱長又賢,何以不宜立?立適以長
　　不以賢,立子以貴不以長。桓何以貴?母貴也。母貴則子何以貴?子以母貴,
　　母以子貴。」《十三經註疏》,頁8—11。

按此引《公羊》莊公三十二年《傳》文曰：「季子殺母兄，
何善爾？誅不得辟兄，君臣之義也。」何休《解詁》云：
「以臣事君之義也，惟人君然後得申親親之恩。」亦與《通
義》合。《解詁》「申親親之恩」，亦即《通義》「明善善
惡惡之義」，此《通義》所說《公羊》為何休所本而知出於
李育之證十四也。❿

其實《解詁》「申親親之恩」與《通義》「明善善惡惡之義」文義
並不一致。

第五十四條（證二十七）金德建言：

按此引《公羊》宣十七年《傳》文曰：「公弟叔肸卒」。何
休《解詁》曰：「稱字者賢之。宣公篡立，叔肸不仕其朝，
不食其祿，終身於貧賤。……禮，盛德之士不名，天子上大
夫不名。」此與《通義》「盛德之士不名，尊賢也」「不可
屈以爵祿」文義相合。此《通義》所說《公羊》為何休所本
而知出於李育之證二十七也。❿

按宣公十七年「冬，十有一月壬午，公弟叔肸卒」，《公羊》並無
傳文。考之《穀梁傳》曰：

---

❿ 《古籍叢考》，頁 123－124。
❿ 《古籍叢考》，頁 129。

其曰公弟叔肸,賢之也。其賢之何也?宣弒而非之也,非
之,則胡為不去也?曰:兄弟也,何去而之?與之財,則
曰:我足矣,織屨而食,終身不食宣公之食。君子以是為通
恩也,以取貴乎春秋。[107]

可知《白虎通》言「盛德之士不名,尊賢也」、「不名盛德之士
者,不可屈以爵祿也」,其義全襲《穀梁傳》,而金德建仍執意以
為「此《通義》所說《公羊》為何休所本而知出於李育之證」。

　　金德建勉強拼湊四十一證,以符合《後漢書》載李育「作《難
左氏義》四十一事」,其用心可知;然而引何休《解詁》比對《白
虎通》,謂「《通義》此條,全合何休」,或云:「《通義》與何
休合」,「何休《解詁》……與《通義》……義符」,「與《通
義》說合」,「文義相合」,「文義相同」,「文義全合」,「義
近」者,大概只能說明何休《解詁》符合《白虎通》之解《公羊
傳》,至於是否可以將何休之《解詁》凡義符《白虎通》者,即視
為李育在白虎觀會議之意見,此說則有待考證。

　　再者,李育作《難左氏義》四十一事,乃泛指前人如陳元、范
升之徒「多引圖讖,不據理體」以解《左氏傳》,並非針對賈逵而
發;即使是針對賈逵而來,此四十一事在白虎觀會議之前,亦未必
全然發表在會議之上;即使是四十一事完全發表在會議之中,大會
亦未必全然接受。而何休雖「與其師博士羊弼,追述李育意以難二

傳，作《公羊墨守》、《左氏膏肓》、《穀梁癈疾》」，⑩然《後漢書·鄭玄傳》載：

> 時任城何休好《公羊》學，遂著《公羊墨守》、《左氏膏
> 肓》、《穀梁癈疾》；玄乃發《墨守》，鍼《膏肓》，起
> 《癈疾》。休見而歎曰：「康成入吾室，操吾矛，以伐我
> 乎！」初，中興之後，范升、陳元、李育、賈逵之徒爭論古
> 今學，後馬融答北地太守劉懷及玄答何休，義據通深，由是
> 古學遂明。（卷三十五，頁1208）

可見何休所著《公羊墨守》等三書，受鄭玄之論難而承認失敗。李育與范升、陳元、賈逵等古文學家間之論難，《後漢書》雖稱李育「以《公羊》義難賈逵，往返皆有理證，最為通儒」，實則，是李育「辯輸了」，⑩正因為李育不敵古文學家，章帝便在建初「八年，乃詔諸儒各選高才生，受《左氏》、《穀梁春秋》、《古文尚

---

⑩ 《後漢書·儒林列傳》，卷七十九下，頁2583。

⑩ 黃彰健以《白虎通》所引之說，證明李育與賈逵之論難，言：「此可證白虎議奏，經章帝裁決，此處仍從賈逵義，後漢書儒林傳說，李育與賈逵往復辯難，『均有理證』，其實是李育辯輸了的。」《經今古文學問題新論》，頁195。黃彰健以為《白虎通》即白虎觀會議之成果，並以《白虎通》中所引《公羊傳》視為李育之言，引《左氏》為賈逵之語，進而以《白虎通》之中引《左氏》而不用《公羊》者，視為李育論敗之證。其實，《白虎通》並非白虎觀會議之成果，故以《白虎通》中所引《公羊傳》視為李育之言，引《左氏》為賈逵之語，皆是一種謬誤。凡《白虎通》之中引《左氏》而不用《公羊》者，只能視為《白虎通》之取捨態度，並不能當做李育論敗之證。

書》、《毛詩》，由是四經遂行於世。皆拜逵所選弟子及門生為千乘王國郎，朝夕受業黃門署，學者皆欣欣羨慕焉」，古學至鄭玄答何休之時，已漸昌明。何休亦清楚李育與賈逵辯論之勝負，與古今學間之消長，特別是今文學家所興起之章句之學，乃是何休著《解詁》時極力避免之流弊。《春秋公羊傳·序》曰：

> 昔者孔子有云，「吾志在《春秋》，行在《孝經》」。此二學者，聖人之極致，治世之要務也。傳《春秋》者非一，本據亂而作，其中多非常異義可怪之論。說者疑惑，至有倍經任意，反傳違戾者，其勢雖問，不得不廣，是以講誦師言，至於百萬，猶有不解。時加釀嘲辭，援引他經，失其句讀，以無為有，甚可閔笑者，不可勝記也。是以治古學貴文章者謂之俗儒，致使賈逵緣隙奮筆，以為《公羊》可奪，《左氏》可興。恨先師觀聽不決，多隨二創。此世之餘事。斯豈非守文持論，敗績失據之過哉？余竊悲之久矣。往者略依胡母生條例，多得其正，故遂隱括使就繩墨焉。⑩

何休既已知李育之說不敵古文學家，章帝又鼓勵古文學，故竊悲今文學家章句之學「倍經任意，反傳違戾」，「援引他經，失其句讀，以無為有」，被古文學家視之為「俗儒」，致使賈逵之流乘勢興《左氏》而奪《公羊》。何休既感歎今文學家「豈非守文持論，

---

⑩　何休著：《春秋公羊傳·序》（臺北：中華書局《四部備要》據永懷堂本校刊），頁1-2。

敗績失據之過」，豈可再重蹈李育之覆轍？況且，何休《春秋公羊解詁》乃是「略依胡母生條例，多得其正」，今胡母生之條例已不可考，何休是否全然接受李育四十一事之說，而完全記載於《解詁》之中，乃是一大疑問。《解詁》在白虎觀會議之後，因此，金德建舉《解詁》與《白虎通》之說「文義相合」、「文義相同」、「文義全合」、「義近」者，只能說明何休之《解詁》符合《白虎通》之解《公羊傳》；若謂《白虎通》舉《公羊傳》乃李育《難左氏義》之「四十一事」而全部被何休之《解詁》所承襲，則於理不通。

召馴，召馴字伯春，九江壽春人。

> （召馴）曾祖信臣，元帝時為少府。父建武中為卷令，倜儻不拘小節。馴少習《韓詩》，博通書傳，以志義聞，鄉里號之曰「德行恂恂召伯春」。累仕州郡，辟司徒府。建初元年，稍遷騎都尉，侍講肅宗。拜左中郎將，入授諸王。帝嘉其義學，恩寵甚崇。出拜陳留太守，賜刀劍錢物。元和二年，入為河南尹。章和二年，代任隗為光祿勳，卒於官，賜冢塋陪園陵。（《後漢書·儒林列傳》卷七十九下，頁2573-2574）

召馴少習《韓詩》，且能博通書傳。建初元年稍遷騎都尉，侍講章帝，拜左中郎將。章和二年 (88) 代任隗為光祿勳。

魏應，字君伯，任城人。

> （魏應）少好學。建武初，詣博士受業，習《魯詩》。閉門

誦習，不交僚黨，京師稱之。後歸為郡史，舉明經，除濟陰
王文學。以疾免官，教授山澤中，徒眾常數百人。永平初，
為博士，再遷侍中。十三年，遷大鴻臚。十八年，拜光祿大
夫。建初四年，拜五官中郎將，詔入授千乘王伉。（《後漢
書·魏應傳》卷七十九下，頁 2571）

應經明行修，弟子自遠方至，著錄數千人。肅宗甚重之，數
進見，論難於前，特受賞賜。時會京師諸儒於白虎觀，講論
《五經》同異，使應專掌難問，侍中淳于恭奏之，帝親臨稱
制，如石渠故事。明年，出為上黨太守，徵拜騎都尉，卒於
官。（《後漢書·魏應傳》卷七十九下，頁 2571）

魏應少年時習《魯詩》，永平初為博士，再遷侍中，十三年（70）
遷大鴻臚、十八年（75）拜光祿大夫。建初四年拜五官中郎將，參
與白虎觀會議。魏應因善於論難而深獲章帝重視，故章帝使魏應於
議場之中，職在「專掌難問」、「主承制問難」，意即構思問題提
供與會者討論，故理應不得參與討論其中。

　　樓望（22－101），字次子，陳留雍丘人。

（樓望）少習《嚴氏春秋》。操節清白，有稱鄉閭。建武
中，趙節王栩聞其高名，遣使齎玉帛請以為師，望不受。後
仕郡功曹。永平初，為侍中、越騎校尉，入講省內。十六
年，遷大司農。十八年，代周澤為太常。建初五年，坐事左
轉太中大夫，後為左中郎將。教授不倦，世稱儒宗，諸生著

> 錄九千餘人。年八十，永元十二年，卒於官，門生會葬者數
> 千人，儒家以為榮。（《後漢書・樓望傳》卷七十九下，頁 2580－
> 2581）

樓望少習《嚴氏春秋》，永平中為侍中，十八年代澤為太常。建初
五年（80），坐事左轉太中大夫，後為左中郎將。世稱儒宗，儒家
以為榮。

　　成封，其學術未可知。

　　依史書所載，實際參與白虎觀會議之成員，凡以上所列十四
人，章帝「稱制臨決」不在此列。而與會者中，魏應「承制問」，
淳于恭「奏」，班固「撰集其事」，三人職責分明，應非會議中之
講議者；因此，實際參與講議者，可考者有十一人。然而，章帝下
詔太常以下，以至於諸生、諸儒，會白虎觀講議《五經》同異，歷
經「連月乃罷」，其規模之大不難想像；因此，實際參與講議者，
理應不止上述十一人，且此十一人之學術背景亦不能代表與會全
體。不過，由此十一人之官銜而言，已經涵蓋以太常為首，以經學
為主軸之博士、儒生一系，與以光祿勳為首，以顧問論議為主軸之
大夫、議郎一系等二大系統，此項頗能符合詔書中之論述。至於諸
生、諸儒，乃是一種總稱，概指博士門下之諸弟子；也正因為諸
生、諸儒不具官銜，若無顯赫之事跡，亦難登錄青史。儘管如此，
欲知當時與會者之學術背景，亦只能從如此有限之資料「按圖索
驥」。

　　在講議者之中，治《春秋》者：楊終以深曉《春秋》，李育少
習《公羊春秋》（且博覽書傳），樓望少習《嚴氏春秋》。治《尚

書》者：丁鴻少年從桓榮受《歐陽尚書》，桓郁傳父業以《尚書》教授，張酺少從祖父張充受《尚書》，三者係同出桓榮《歐陽尚書》。治《詩》者：召馴少習《韓詩》（且博通書傳），魯恭習《魯詩》。而賈逵悉傳賈徽學業（賈徽從劉歆受《左氏春秋》，兼習《國語》、《周官》，又受《古文尚書》於塗惲，學《毛詩》於謝曼卿），劉羨則「博涉經書」，二人非專治一經而名。至於成封之學術則無可考。

　　若以今古文學之立場區分，與會學者中，除賈逵（「從劉歆受《左氏春秋》，兼習《國語》、《周官》、又受《古文尚書》於塗惲，學《毛詩》於謝曼卿，作《左氏條例》二十一篇」、「兼通五家《穀梁》之說」）具有鮮明之古文學立場，與班固（「博貫載籍，九流百家之言，無不窮究。所學無常師，不為章句，舉大義而已」）兼通古今學之外，大要皆屬今文經學者，故皮錫瑞以為《白虎通》是集今文經學之大成者。❶然而，《白虎通》文本所引經傳文句，與白虎觀會議之與會者所學並不一致。莊述祖曰：

　　　《白虎通義》雜論經傳。《易》則施、孟、梁丘經。《書》
　　　則伏生，傳及歐陽、夏侯，大指相近，莫辨其為，解故為說
　　　義也；經二十九篇外，有厥兆天子爵與五社（祀）之文，在
　　　七逸中。《詩》三家，則魯故居多，〈藝文志〉所云，最為
　　　近之者，《韓內傳》、《毛故訓》亦間入焉。《春秋》則
　　　《公羊》，而外間采《穀梁》、《左氏傳》與《古文尚

---

❶ 皮錫瑞：《經學歷史》曰：「《白虎通議》猶存四卷，集今學之大成。十四博士所傳，賴此一書稍窺崖略。」頁117。

書》，當時不立學官，書且晚出，雖賈逵等以特明古學議北
宮，而《左氏》義不見於《通義》，九族上湊高祖，下至元
孫，書古文義也，在經傳之外備一說，不以為尚書家言。
《禮經》則今禮十七篇，并及《周官經》，傳則二戴，有
〈諡法〉、〈三正〉、〈五帝〉、〈王度〉、〈別名〉之
屬，皆記之逸篇也。《樂》則河間之記。《論語》、《孝
經》、六藝並錄。傳以讖記，援緯證經，自光武以《赤伏
符》即位，其後靈台郊祀，皆以讖決之，風尚所趨然也。故
是書論郊祀、社稷、靈臺、明堂、封禪，悉騶括緯候，兼綜
圖書，附世主之好，以緄道真，違失六藝之本，視石渠為駁
矣。⑫

由此可知，《白虎通》所論之經傳典籍文句，乃是博採眾說，今古
並陳，甚至雜以讖記之文，援緯證經，乃風尚所趨，附世主之好，
並非今文經學家之「集大成者」。

　　章帝詔開白虎觀會議之目的，乃在講議《五經》同異，然而由
與會者之學術背景言，要皆集中在《尚書》（如丁鴻、桓郁與張酺
等）、《春秋》（如賈逵、楊終、李育與樓望等）與《詩》（如召馴、魯恭
等）三經，即使再加魏應治《魯詩》、淳于恭治《老子》、班固治
《齊詩》，依然缺少《易》、《禮》二經專家。與會者之專長所以
集中在《春秋》、《尚書》、《詩》三經，固然是由於代表齊學之
公羊家與代表魯學之穀梁家，自西漢以來對《春秋經》之詮釋不

⑫　〈白虎通義攷〉，頁6-7。

同，使《春秋經》之詮釋於《五經》之中最具爭議性；更重要之因素，乃在於劉歆於西漢哀帝建平元年（B.C.6）請建立《左氏春秋》、《毛詩》、《逸禮》與《古文尚書》皆列於學官，所引發之今古文經之爭論；因此，與會學者大多集中於《春秋》、《尚書》、《詩》三經。然而，章帝詔書明白宣示，白虎觀會議之目的乃在「講議《五經》同異」，與會代表之學術所長，豈可偏廢《易》、《禮》二經專家？再者，從上述《白虎通》文本引述之典籍而言，引《禮》經傳者近四成（38.82%），幾近引《春秋》（19.14%）、《尚書》（13.27%）、《詩》（9.74%）經傳者之總合（42.15%），十一位與會學者竟然獨漏治《禮》學家？相較於歷史對「白虎通」之論述，實與《白虎通》文本差距甚大；若非史書之記載缺漏太多，今就與會者之學術背景而言，可能無法滿足白虎觀會議「講議《五經》同異」之目的，且與現行之《白虎通》文本內容不相應。

第四章
《白虎通》禮制思想

第一節　《白虎通》內容與性質

　　抱經本《白虎通》四十三篇三百一十一章，乃後人所分，其篇目章節名稱，亦後人所加。比對《白虎通》之文本，後人所分之篇章數目，不致影響全書結構，所加之篇章名稱，亦頗能反映文本論述之範圍。《白虎通》既是以「條例式問答」之型態為其著述之體例，則抽取出書中所提問之問題，應可進一步掌握《白虎通》文本論述之宗旨。以下以各章所舉之問題為中心，分別討論《白虎通》各篇章之論述範圍。（為避免篇幅過大，以下凡引《白虎通》之「問題」文本，見附錄一，不另加注。）

　卷一：〈爵〉

　　「天子為爵稱」章問題有四，討論天子與皇帝爵號之由來，及天子爵稱之意義。❶

　　「制爵三等五等之異」章問題有七，討論公侯伯子男爵號之意

---

❶ 本節以下凡引《白虎通》之「問題」，皆從陳立疏證本，不另加注。

義與內容,並論公侯封地大小之制。

「天子諸侯爵稱之異」章問題有十一,❷討論公、卿、大夫爵號,及內爵所以三等之意義與內容。

「王者太子稱士」章問題有一,討論太子稱士之道理。

「婦人無爵」章問題有二,討論婦人所以有諡無爵之道理。

「庶人稱匹夫」章未設問題,討論庶人稱匹夫匹婦之名義。

「爵人于朝封諸侯于廟」章未設問題,討論爵人於朝與封諸侯於廟之道理。

「追賜爵」章問題有一,討論大夫功成未封而死,不得追賜爵,與葬從死者之制。

「諸侯襲爵」章問題有六,討論天子之子稱世子與王者世子受爵於天子之道理。

「天子即位改元」章問題有五,討論天子諸侯大斂之後與繼體之君即位改元之制度,並論天子諸侯即位三年之內,百官聽於冢宰之道理。

本篇〈爵〉共十一章,凡三十七問題,討論天子、諸侯之王者,其政權之由來與轉移,舉凡天子之爵稱,天子封爵諸侯,制爵三等、五等與內爵三等之編制,並論王者之世子襲爵與即位天子改元之制度與道理。

卷二:〈號〉

「皇帝王之號」章問題有三,討論帝、王、皇三者稱號之意

---

❷ 抱經本分此部分為「內爵」、「天子諸侯爵稱之異」二章,陳立本合為一章,無「內爵」章名。

義。

「王者接上下之稱」章問題有三，討論天子、帝王、一人或朕等稱號之意義。

「君子為通稱」章問題有二，討論天子、諸侯之王者通稱君子之意義。

「三皇五帝三王五伯」章問題有十五，討論三皇五帝與三王五霸之對象所指及其各別稱謂之意義。

「伯子男於國中得稱公」章問題有二，討論王者臣子褒其君為公，不得褒其君謂之為帝，與諸侯得稱公之道理。

本篇〈號〉共五章，凡二十五問題。本篇延續上篇，討論對象依然是天子諸侯之王者，從王者之別稱規範天子之實質內容，更以上古之皇帝各別功德，闡發王者應有之德性。

〈謚〉

「總論謚」章問題有三，討論賜謚對死者之意義。

「帝王制謚之義」章問題有四，討論帝王制謚之目的與不同謚號之各別意義。

「謚天子於南郊」章問題有一，討論大臣謚天子於南郊之道理。

「天子謚諸侯」章問題有一，討論天子謚諸侯之道理。

「卿大夫老有謚」章問題有一，討論卿大夫老死亦有謚之道理。

「無爵無謚」章問題有五，討論夫人、妻妾與附庸者所以無謚之道理。

「諡后夫人」章問題有二，❸討論后夫人所以有諡之道理。

「號諡取法」章問題有一，討論號諡乃效法天日、地月之道理。

本篇〈諡〉共八章，凡十八問題。討論諡號之意義，並且規定賜諡之對象與資格。

〈五祀〉

「總論五祀」章問題有三，討論五祀之內容與祭祀五祀之道理。

「大夫巳上得祭」章問題有一，本章承續上章，討論大夫以上始得祭五祀之道理。

「五祀順法五行」章問題有三，討論祭五祀與時序之關係與祭五祀之次序。

「祭五祀所用牲」章未設問題，討論祭五祀時所用之牲禮。

本篇〈五祀〉共四章，凡七問題。討論祭五祀之對象與祭祀之牲禮，並且涉及祭五祀與時序之對應關係。

卷三：〈社稷〉

「總論社稷」章問題有一，討論王者所以有社稷之道理。

「歲再祭」章問題有一，討論祭社稷之次數與其道理。

「祭社稷所用牲」章問題有二，討論祭社稷俱少牢之道理。

「王者諸侯兩社」章問題有一，討論王者諸侯各有兩社之道理。

---

❸ 本章之「婦人本無外事，何為于郊也？」乃是回答上問：「婦人天夫，故但白君而已。何以不之南郊也？」之答案，故不得視為問題，頁92。

「誡社」章問題有一,本章承續上章,討論王者諸侯必有誡社之道理。

「社稷之位」章問題有二,討論社稷擺設位置之道理。

「大夫有社稷」章未設問題,討論大夫亦有社稷之道理。

「名社稷之義」章問題有二,討論社稷兩字之名義。

「社無屋有樹」章問題有二,討論社稷植樹與社無屋之道理。

「王者親祭」章問題有一,討論王者自親祭社稷之道理。

「社稷之壇」章問題有二,討論社稷之壇之規格與顏色。

「祭社稷有樂」章問題有一,討論祭社稷時是否有樂。

「祭社稷廢禮」章問題有一,討論諸侯祭社稷時聞天子崩當廢禮之道理。

本篇〈社稷〉共十三章,凡十七問題,討論王者諸侯祭社稷之禮;舉凡社稷之名義、祭社稷之理由,祭社稷之次數與社稷之規格等。

〈禮樂〉

「總論禮樂」章問題有六,討論禮樂之名義及禮樂之作用。

「太平乃制禮樂」章問題有二,討論太平乃制作禮樂之道理。

「帝王禮樂」章問題有二,討論王者始起以禮樂正民之道理。

「天子諸侯佾數」章未設問題,討論天子諸侯佾數有別之道理。

「王者六樂」章未設問題,討論王者所以有六樂之道理。

「四夷之樂」章問題有九,討論所以備四夷之樂之理由與蠻夷之名義與對象。

「歌舞異處」章問題有一,討論歌舞所在之處及其意義。

「降神之樂」章問題有二，討論降神之樂所在之處及其使用之樂器。

「侑食之樂」章問題有二，討論王者侑食所以有樂及日四食之道理。

「五聲八音」章問題有五，討論五聲八音之內容與天子所以用八音之道理。

「通論異說」章問題有一，此章置此略顯突兀，討論異說並行所應採取之態度。

本篇〈禮樂〉共十一章，凡三十問題，討論禮樂之內容與王者制作禮樂之道理，並論述行禮樂時之相關規定。

卷四：〈封公侯〉

「三公九卿」章問題有二，討論王者設立三公九卿與論主兵之道理。

「封諸侯」章問題有一，討論王者封諸侯之道理。

「設牧伯」章問題有四，討論王者設州伯之道理與天下分州之歷史沿革。

「諸侯卿大夫」章未設問題，討論諸侯之卿與大夫之歸屬。

「封諸侯制土之等」章問題有一，討論諸侯封地面積之大小及其道理。

「封諸侯親賢之義」章問題有一，討論王者封土之原則與道理。

「夏封諸侯」章問題有一，討論封諸侯以夏之道理。

「諸侯繼世」章問題有三，討論諸侯繼世與大夫不世位之道理。

「立太子」章問題有一，討論立太子之制度。

「昆弟相繼」章問題有二，討論諸侯繼世之制度。

「為人後」章問題有一，討論不絕大宗之道理。

「興滅繼絕之義」章問題有二，討論王者興滅繼絕之道理。

「大夫功成未封得封子」章未設問題，討論大夫功成未封得封子之道理。

「周公不之魯」章問題有一，討論周公不至魯之道理。

本篇〈封公侯〉共十四章，凡二十問題，討論設立公侯與封公侯土地之義意與封地繼承之相關規定。

〈京師〉

「建國」章問題有一，討論王者建國京師必設於國土中央之道理。

「遷國」章問題有一，討論周室遷國之道理。

「京師」章問題有一，討論稱京師之意義。

「三代異制」章未設問題，討論夏、商、周三代對京師不同之稱呼。

「制祿」章未設問題，討論各種職官之食祿制度。

「諸侯入為公卿食菜」章問題有一，討論諸侯入為公卿大夫得食兩家菜之制度。

「太子食菜」章未設問題，討論太子之食祿制度。

「公卿大夫食菜」章未設問題，討論公卿大夫之意義。

本篇〈京師〉共八章，凡四問題，討論京師之名義與京師之內各種官職之食祿制度。

〈五行〉

「總論五行」章問題有二，討論五行之內容意義。

「五行之性」章問題有二，討論五行之陰陽屬性。

「五味五臭五方」章問題有五，討論五行與五味、五臭與五方之對應關係。

「陰陽盛衰」章未設問題，討論陰陽與干支音律之對應關係。

「十二律」章問題有十二，討論十二月與十二律之對應關及其道理。

「五行更王相生相勝變化之義」章問題有十五，討論以五行之相生相勝之理類比更王之義及五行之各種不同屬性。

「人事取法五行之義」章問題有四十三，討論以陰陽五行變化之理解釋各種人事制度。

本篇〈五行〉共七章，凡七十九問題，討論五行之內容與屬性，且以五行之屬性與變化對應天地萬物之變化與人事之制度。

卷五：〈三軍〉

「總論三軍」章問題有四，討論國防三軍之必要性與三軍之編制，並論及諸侯所以有一軍之作用。

「王者征伐所服」章問題有一，討論王者征伐時行軍之服。

「告天告祖之義」章問題有二，討論王者征伐前必告天告祖之道理。

「商周改正誅伐先後之義」章問題有一，討論王者受命，質家先伐，文家先改正朔之道理。

「天子自出與使方伯之義」章未設問題，討論天子自出或使方伯之道理。

「兵不內御」章未設問題，討論出兵進退在大夫之道理。

「遣將於廟」章問題有二，討論天子遣將軍必於祖廟之道理。

「受兵還兵」章問題有二，討論人民服兵役之年限問題。

「師不踰時」章未設問題，討論師出不踰時之道理。

「大喪伐畔」章未設問題，討論王者有三年之喪，逢有夷狄內侵亦伐之者之道理。

本篇〈三軍〉共十章，凡十二問題，討論三軍之必要性與其編制，並論兵役制度與出兵行軍之相關事宜。

〈誅伐〉

「誅不避親」章問題有一，討論誅伐對象不論親戚之道理。

「不伐喪」章問題有一，討論諸侯有喪則有罪不誅之道理。

「討賊之義」章未設問題，討論諸侯不得起兵誅不義之道理。

「誅大罪」章未設問題，討論追誅弒君之臣或自立為諸侯者之道理。

「父殺子」章問題有一，討論父不得殺子之道理。

「誅佞人」章問題有一，討論佞人當誅之道理。

「冬至休兵」章問題有三，討論冬至休兵與商旅不行，兼論夏熱冬寒之道理。

「復讎」章未設問題，討論子得為父報仇之道理。

「總論誅討征伐之義」章問題有九，討論誅、討、伐、征、戰、弒、篡、襲等各種戰爭之名實與其道理。

本篇〈誅伐〉共九章，凡十六問題，討論出兵爭戰必有其相對應之名與討伐對象罪證之實，且戰爭乃為必要之手段之道理。

〈諫諍〉

「總論諫諍之義」章問題有一，討論臣有諫君之義與天子置輔

弼之作用。

「三諫待放之義」章問題有三，討論臣諫君、君待臣之道理。

「士不得諫」章未設問題，討論士不得諫君之道理。

「妻諫夫」章未設問題，討論妻得諫夫之道理。

「子諫父」章問題有一，討論子諫父、兼論臣之諫君之道理。

「五諫」章問題有一，討論諫與五種不同性質諫諍之名義。

「記過徹膳之義」章問題有四，討論王者所以立諫諍制度之道理。

「隱惡之義」章問題有六，討論臣為君隱、諸侯為天子隱、父為子隱、兄弟朋友夫妻相為隱之道理。

本篇〈諫諍〉共八章，凡十六問題，討論君臣、父子、夫妻、兄弟、朋友等五倫相互諫諍與隱惡揚善之道理。

〈鄉射〉

「天子親射」章問題有一，討論天子所以親射之道理。

「射侯」章問題有七，討論天子射熊、諸侯射麋、大夫射虎豹、士射鹿豕之道理。

「總論射義」章問題有三，討論射侯之象徵意義與射侯時之相關細節。

「鄉飲酒」章問題有一，討論十月行鄉飲酒禮之道理。

「養老之義」章問題有四，討論王者父事三老、兄事五更之道理與三老、五更之名義。

本篇〈鄉射〉共五章，凡十六問題，討論射侯與鄉飲酒之制度及王者事三老五更之道理。

卷六：〈致仕〉

　　本篇〈致仕〉共一章，凡一問題，討論臣老致仕與君待致仕之臣之制度與道理。

〈辟雍〉

　　「總論入學尊師之義」章問題有一，討論貴族之子之教育制度。

　　「父不教子」章問題有一，討論父所以不自教子之道理。

　　「師道有三」章未設問題，討論師弟子之道有三之內容。

　　「辟雍泮宮」章問題有五，討論天子立辟雍、諸侯立泮宮之名義及其目的。

　　「庠序之學」章未設問題，討論立庠序之學於鄉里之道理。

　　「靈臺明堂」章問題有一，討論天子立靈臺、明堂之道理及其象徵意義。

　　本篇〈辟雍〉共六章，凡八問題，討論教育教制度與教育處所，並兼論天子立靈臺、明堂之道理。

〈災變〉

　　「災變譴告之義」章問題有一，討論天所以有災變之道理。

　　「災異妖孽異名」章問題有七，討論災異之名義與各種不同性質之災異內容。

　　「霜雹」章未設問題，討論霜、雹、露之寒害。

　　「日月食水旱」章問題有一，討論對應日蝕與月蝕之方法及其道理。

　　本篇〈災變〉共四章，凡九問題，討論天所以有災異之道理與災異之種類，並討論對應不同災異之方法。

〈耕桑〉

　　本篇〈耕桑〉共一章「論王與后親耕親桑之禮」，凡三問題，討論王者親耕后親桑之道理。

〈封禪〉

　　「封禪之義」章問題有五，討論王者易姓而起，必升封泰山，下禪梁甫之道理，及封禪之名義。

　　「符瑞之應」章問題有三，討論符瑞應王者之德而至，德至天地萬物，始有各種不同符瑞跡象。

　　本篇〈封禪〉共二章，凡八問題，討論王者始起，必封禪於泰山之道理，而王者德至充塞於天地之間，便有各種不同符瑞應王者之德而生。

〈巡狩〉

　　「總論巡狩之禮」章問題有一，討論王者巡狩之意義。

　　「巡狩以四仲義」章問題有一，討論王者所以四時巡狩四方之道理。

　　「巡狩述職行國行邑義」章問題有一，討論王者五年一巡狩，三年二伯出述職黜陟之道理。

　　「祭天告祖禰載遷主義」章問題有五，討論王者巡狩必祭於天、告於廟、造於禰之道理。

　　「諸侯待於竟」章問題有一，討論王者巡狩，諸侯待於境之道理。

　　「巡狩舍諸侯祖廟」章問題有一，討論王者巡狩，必捨諸侯祖廟之道理。

　　「三公從守」章未設問題，討論王者巡狩之時，三公各有守從之制度。

「道崩歸葬」章問題有二，討論王者巡狩之時，若崩於道則歸葬之道理。

「太平乃巡狩義」章問題有二，討論王者太平乃巡狩之道理。

「五嶽四瀆」章問題有八，討論五嶽四瀆之名義。

本篇〈巡狩〉共十章，，凡二十二問題，討論王者巡狩之意義，並論及巡狩時之相關事宜，與巡狩之範圍。

卷七：〈考黜〉

「總論黜陟」章問題有一，討論王者所以攷黜諸侯之道理。

「九錫」章未設問題，討論九錫之內容，並論九錫隨其才德而賜之道理與九錫之意義。

「三考黜陟義」章問題有六，討論王者三年一攷績，並視績效而論其賞罰之制度。

「諸侯有不免黜義」章問題有五，討論王者攷黜時，對特殊之情況得有非常之制度。

本篇〈攷黜〉共四章，凡十二問題，討論王者攷黜諸侯之意義，王者依對象之績效，有功則賞有過必罰之制度。

〈王者不臣〉

「三不臣」章問題有二，討論王者不臣之三者，及其不臣之道理。

「五暫不臣」章未設問題，討論王者暫不臣之五者，及其暫不臣之道理。

「諸侯不純臣」章問題有一，討論凡不臣者乃是異於眾臣，諸候不純臣之道理。

「不臣諸父兄弟」章問題有一，討論王者不臣諸父兄弟之道

理。

　　「子為父臣異說」章未設問題，討論子為父臣與子不得為父臣二說。

　　「王臣不仕諸侯異義」章未設問題，討論王者臣不得為諸侯臣與王者臣得復為諸候臣二說。

　　「五不名」章未設問題，討論王者之臣有五者不言名及其不名之道理。

　　本篇〈王者不臣〉共七章，凡四問題，討論君臣之關係，對於特殊身分者不得為臣，或不得言臣名之道理。至於子得不得為父臣、王者臣得不得為諸侯臣等二問題，並不有定論。

　〈蓍龜〉

　　「總論蓍龜」章未設問題，討論蓍龜之作用。

　　「蓍龜尺寸」章未設問題，討論不同身分者使用蓍龜之尺寸亦有別。

　　「決疑之義」章問題有二，討論決疑時先謀及卿士，然後問於蓍龜之道理。

　　「龜蓍卜筮名義」章問題有二，討論所以問於龜蓍，與龜曰卜、蓍曰筮之道理。

　　「筮必於廟」章問題有一，討論必於廟筮畫卦之道理。

　　「卜筮方向」章問題有一，討論卜筮時之方面問題。

　　「卜筮之服」章未設問題，討論卜筮時應著之服。

　　「占卜人數」章未設問題，討論占卜時應用之人數。

　　「先筮後卜」章問題有一，討論先筮不見吉凶，復以卜之道理。

「灼龜」章問題有三，討論以荊火灼龜，不以水動蓍之道理。

「埋蓍龜」章問題有一，討論蓍龜敗則埋之道理。

「周禮卜筮及取龜義」章未設問題，列舉《周官》有關卜筮之記載。

本篇〈蓍龜〉共十二章，凡十問題，討論必求於卜筮之道理，與卜筮時之相關規定。

〈聖人〉

「總論聖人」章問題有一，討論聖人之名義。

「知聖」章問題有二，討論人是否知聖人與聖人是否自知之問題。

「古聖人」章問題有四，討論帝王為聖人與皋陶、禹、湯、文、武、周公為聖人之道理。

「異表」章未設問題，討論古之聖人皆有異表，與聖人之異表之意義。

本篇〈聖人〉共四章，凡七問題，討論聖人之稱所代表之內容與歷代之聖人，並論及帝王同為聖人，與聖人異表之道理。

〈八風〉

本篇〈八風〉共一章「論八風節候及王者順承之政」，凡一問題，討論八風之名義與八風形成之道理，並論王者必須承順八風形成之節氣以行政治。

〈商賈〉

本篇〈商賈〉共一章，凡二問題，討論商賈之名義與作用。

卷八：〈瑞贄〉

「諸侯朝會合符信」章問題有一，討論王者始立，諸侯皆見之

道理。

「五瑞制度名義」章問題有九,討論五瑞之內容與功能用途,並論各玉器之造型與象徵意義。

「合符還圭之義」章問題有三,討論天子諸侯朝會所執之玉器。

「見君之贄」章問題有三,討論臣見君之贄,依不同階級而定,並論所贄之意義。

「私相見贄」章問題有一,討論朋友私相見亦有贄之道理。

「婦人之贄」章未設問題,討論婦人所贄之物及其道理。

「子無贄臣有贄」章問題有一,討論子見父無贄與臣見君有贄之道理。

本篇〈瑞贄〉共七章,凡十八問題,討論五瑞之名義,並規定天子於朝會諸侯臣下等觀見所執之器,及君臣、朋友、父子間之贄及婦人之贄之制度。

〈三正〉

「改朔之義」章問題有二,討論王者受命必改朔與樂必得天應而後作之道理。

「改朔征伐先後」章問題有一,討論文質二家改朔與征伐先後之道理。

「三正之義」章問題有二,討論三正之朔所依之道理,與三微之月之名義。

「改正右行」章問題有一,討論天道左旋而改正者右行之道理。

「正言月不言日」章問題有一,討論正言月不言正日之道理。

「改正不隨文質」章問題有一，討論周統天正之道理。

「百王不易之道」章問題有一，討論王者受命或有所不改者之道理。

「存二王之後」章問題有一，討論王者所以存二王之後之道理。

「文質」章問題有一，討論王者始起先質後文之道理。

本篇〈三正〉共九章，凡十一問題，討論王者始起必改正朔之道理，並以三正、文質之觀念解釋歷史循環。

〈三教〉

「聖王設三教之義」章問題有一，討論王者設三教之道理。

「三教」章問題有五，討論三教始於夏與忠、敬、文三教一體並行之道理。

「三教所法」章問題有二，討論三教法天、地、人之道理。

「總論教」章問題有一，討論教之作用。

「三教所以失」章未設問題，討論三教可能產生之缺失。

「論三代祭器明器之義」章問題有一，討論三代使用明器、祭器之不同及其使用明器、祭器之道理。

本篇〈三教〉共六章，凡十問題，討論三教之名義及其所法對象，並論王者設三教之作用及其可能之缺失。

〈三綱六紀〉

「總論綱紀」章問題有二，討論三綱六紀之內容，與施綱紀所以整齊人道之道理。

「三綱之義」章問題有一，討論三綱之名義。

「綱紀所法」章未設問題，討論三綱六紀所取法之對象。

「六紀之義」章問題有四，討論六紀中之君臣、父子、夫婦、朋友之關係。

「詳論綱紀別名之義」章問題有八，討論人倫關係因男女性別而有不同之稱謂，及其各別稱謂所含之義意。

本篇〈三綱六紀〉共五章，凡十五問題，討論三綱六紀之名義與內容，並論綱紀取法對象與綱紀整齊人道之道理。

〈情性〉❹

「總論性情」章問題有一，討論性情之名義與人內懷性情之道理。❺

「五性六情」章問題有三，討論五性、六情之名義與性所以五，情所以六之道理。

「五藏六府主性情」章問題有十三，討論五藏六府主五性六情之道理。

「六情所配之方」章問題有一，討論六情所配方位之道理。

「魂魄」章問題有一，討論魂魄之名義與性情之關係。

「精神」章問題有一，討論精神之名義。

本篇〈情性〉共六章，凡二十問題，討論五性六情之名義與五藏六府之關係，並論人之魂魄、精神之名義與作用。

〈壽命〉❻

---

❹ 抱經本作「情性」，陳立本作「性情」。

❺ 陳立本「總論性情」重複二次，頁 452，453。觀後者之內容，主要討論五性六情之內容及其意含，而其後接細目「五性六情」，故後者應屬衍文。

❻ 本篇當與前篇合為一篇。以下「夫子過鄭……」八十三字，文義不類，疑後人誤鈔入。

　　本篇〈壽命〉共一章，「論三命之義」凡一問題，討論人之壽乃天使與三命之名義。

〈宗族〉

　　「論五宗」章問題有三，討論宗之名義，與人之親所以備五宗之道理。

　　「論九族」章問題有三，討論族之名義，九族之內容。

　　本篇〈宗族〉共二章，凡六問題，討論宗族之名義，與因血緣、姻親所產生之人倫關係。

卷九：〈姓名〉

　　「論姓」章問題有二，討論人所以有姓及姓有百者之道理。

　　「論氏」章問題有二，討論人所以有氏及氏王父字之道理。

　　「論名」章問題有二十一，討論人所以有名之道理，及命名之代表意義；並論人所以十月而生之道理，與人相拜時之禮儀。

　　「論字」章問題有八，討論人所以有字之道理，及稱號分別長幼兄弟之序，並論婦女十五稱伯仲與姓以配字之道理。

　　本篇〈姓名〉共四章，凡三十三問題，討論人所以有姓、氏、名、字之道理，及姓、氏、名、字規範人倫秩序之功能。

〈天地〉

　　「釋天地之名」章問題有一，討論天、地之名義與其地位。

　　「論天地之始」章未設問題，討論天、地形成之過程。

　　「論左右旋之義」章問題有一，討論天道所以左旋，地道右周之道理。

　　「論天地何以無總名」章問題有一，討論天地所以無總名之道理。

「論天行反勞於地」章問題有一，討論天行所以反勞於地靜之道理。

本篇〈天地〉共五章，凡四問題，討論天地之名義，及天地形成之過程與其運行方式。

〈日月〉

「日月右行」章問題有一，討論天左旋，日月五星右行之道理。

「日月行遲速分晝夜之義」章問題有二，討論日行遲，月行疾及日月所以懸晝夜之道理。

「釋日月星之名」章問題有二，討論日、月、星三者之名義，與月所以有闕之道理，並論日月運行之速度。

「晝夜長短」章問題有二，討論日月所以照晝夜，與日照有長短之規律。

「月有大小」章問題有一，討論日月運行所產生月乍大乍小之現象。

「閏月」章問題有一，討論三年一閏，五年再閏之現象。

本篇〈日月〉共六章，凡九問題，討論日月運行之方向與規律，及其運行規律所產生之晝夜、月有盈闕、月有大小與月有閏餘之週期變化。

〈四時〉

「論歲」章問題有一，討論歲之週期及其名義。

「四時」章問題有三，討論四時週期成一歲及其名義。

「三代歲異名」章問題有一，討論歲、載、年之異名，及三異名之意義。

「朝夕晦朔」章問題有一，討論日言夜朝、月言晦朔之名義。

本篇〈四時〉共四章，凡六問題，討論一歲有四時，及歲與四時之名義。

〈衣裳〉

「總論衣裳」章問題有四，討論聖人所以制衣服之道理，與衣裳之名義。

「裘」章問題有一，討論裘所以用狐羔之道理與狐羔之意義。

「帶」章未設問題，討論男子所以有紳帶之道理。

「佩」章問題有一，討論佩之種類與所佩之道理。

本篇〈衣裳〉共四章，凡六問題，討論人所以有衣裳之道理，裘之材質，男子有紳帶，與佩之種類所表徵之意義。

〈五刑〉

「刑罰科條」章問題有三，討論刑罰之必要性與五刑之內容。

「刑不上大夫義」章問題有一，討論刑不上大夫之道理。

本篇〈五刑〉共二章，凡四問題，討論刑罰之必要性與其內容，並論及刑罰之對象。

〈《五經》〉

「孔子定《五經》」章問題有二，討論孔子所以定《五經》之目的，並論及《五經》未定時之社會情況。

「《孝經》《論語》」章問題有三，討論《孝經》、《論語》二書之重要性。

「文王演《易》」章問題有一，討論文王所以演《易》之重要性。

「伏羲作八卦」章問題有一，討論伏羲作八卦之道理。

「《五經》象五常」章問題有一，討論經之所以有五之道理。

「《五經》之教」章問題有一，討論《五經》之內容及其教義。

「書契所始」章問題有二，討論書契之歷史與作用。

本篇〈《五經》〉共七章，凡十一問題，討論《五經》之內容及其教義，並論孔子定《五經》之作意，與《孝經》《論語》之重要性。

卷十：〈嫁娶〉

「總論嫁娶」章問題有二，討論人道所以有嫁娶及男娶女嫁之道理。

「嫁娶不自專」章問題有一，討論男娶女嫁必由父母、須媒妁之道理。

「嫁娶之期」章問題有三，討論適男娶女嫁之年齡及其道理。

「贄幣」章未設問題，討論女子許嫁，以雁為贄，納徵用玄纁之道理，並述納徵、納采詞。

「親迎授綏」章問題有一，討論天子下至士，必親迎授綏之道理。

「遣女戒女」章問題有一，討論遣女於襧廟及父母親戒女之道理。

「昏禮不賀」章未設問題，討論嫁女之家三日不絕火，三日不舉樂之道理。

「授綏親迎醮子辭」章未設問題，記述授綏、親迎、父醮子遣之迎之辭。

「不先告廟」章未設問題，討論娶妻不先告廟之道理。

「嫁娶以春」章問題有一，討論嫁娶必以春之道理。

「妻不得去夫」章未設問題，討論夫雖有惡行，妻不得去夫之道理。

「天子適媵」章問題有八，討論天子諸侯一娶九女之道理。

「卜娶妻」章問題有一，討論娶妻以卜之道理。

「人君宗子自娶」章未設問題，討論人君及宗子無父母，得自定娶之道理。

「大夫受封不更聘及世子與君同禮」章未設問題，討論大夫功成受封得備八妾，及不更聘大國之道理。

「天子必娶大國」章問題有二，討論天子必娶大國之女之道理。

「諸侯不娶國中」章問題有一，討論諸侯所以不得自娶國中之女之道理。

「同姓外屬不娶」章未設問題，討論不娶同姓及外屬小功已上者之道理。

「同姓諸侯主昏」章問題有四，討論王者嫁女，必使同姓主親，及不使同姓卿、同姓諸侯主親之道理。

「卿大夫士妻妾之制」章問題有三，討論卿大夫一妻二妾，士一妻一妾之道理。

「人君嫡死媵攝」章問題有一，討論嫡夫人死，應否更立夫人之道理。

「變禮」章問題有一，討論昏禮既納幣，有吉日，女之父母死，婿亦如之之道理。

「婦人有師傅」章問題有二，討論婦人所以有師，女必有傅姆

之道理。

「事舅姑與夫之義」章未設問題，討論婦人學事舅姑，不學事夫之道理，及婦事夫有四禮。

「不娶有五」章未設問題，討論有五種不娶之女。

「出婦之禮」章未設問題，討論出婦必送，接以賓客之禮之道理。

「王后夫人」章問題有二，討論天子之妃謂之后，及國君之妻曰夫人之道理。

「妻妾」章問題有一，討論妻妾之名義。

「論嫁娶男女夫婦婚姻名義」章問題有六，討論嫁娶、男女、夫婦、妃匹、婚姻等名義，及所以昏時行禮之道理。

「閉房開房之義」章問題有一，討論男子六十閉房之道理。

本篇〈嫁娶〉共三十章，凡四十二問題，討論人道所以有嫁娶之道理，及其因身份不同而有不同嫁娶方式之相關規定，並討論夫婦對待之道，及嫁娶之本質與意義。

〈紼冕〉

「紼」章問題有一，討論紼之名義與作用，及天子諸侯之紼不同色之道理，與天子之紼之尺寸規格。

「總論冠禮」章問題有三，討論冠之名義，及十九見正而冠之道理。

「皮弁」章問題有一，討論皮弁之名義。

「冕制」章問題有三，討論冕之名義，及冕所以用麻為之與冕所以前後邃延之道理。

「委貌母追章甫」章問題有二，討論委貌之名義，與所以謂之

委貌之道理。

「爵弁」章問題有六，討論爵弁之名義，與爵弁冠色之道理。

本篇〈紼冕〉共六章，凡十六問題，討論天子之紼冕及其他頭冠之材質、顏色與格規，及不同之冠冕所代表之不同意義。

卷十一：〈喪服〉

「諸侯為天子」章問題有二，討論諸侯為天子斬衰三年，與天子諸侯絕期之道理。

「庶人為君」章問題有二，討論王者崩，京師之民喪三月，與何以為民制服之道理。

「臣下服有先後」章問題有一，討論王者崩，臣下服之有先後之道理。

「論三年喪義」章問題有二，討論三年之喪二十五月，與三年之喪不以閏月數之道理。

「衰」章問題有三，討論喪禮必制衰麻，與腰絰者以代紳帶也，所以結之與必再結之道理。

「杖」章問題有三，討論孝子失父、母所以杖竹、桐之道理。

「倚廬」章問題有二，討論孝子失親必居倚廬之道理，並論孝子於既虞、既練與二十五月而大祥時之起居飲食。

「喪禮不言」章問題有一，討論喪禮不言之道理。

「變禮」章問題有三，討論喪有病，得飲酒食肉之道理。

「婦人不出竟弔」章未設問題，討論婦人不出竟弔之道理。

「三不弔」章問題有一，討論畏、厭、溺死者三不弔之道理。

「弟子為師」章未設問題，討論弟子為師服喪之道理。

「私喪公事重輕」章問題有五，討論諸侯有親喪，但聞天子崩

得奔喪，與諸侯朝而有私喪得還之道理。

「奔喪」章問題有二，討論聞喪哭而後行，與既除喪，乃歸哭於墓之道理。

「哭位」章未設問題，討論哭喪時所在之處。

「論周公以王禮葬」章問題有一，討論周公以王禮葬之道理。

本篇〈喪服〉共十六章，凡二十八問題，討論喪葬之各種禮儀，特別是天子崩，諸侯、臣下及庶人應服之喪禮；篇中並規定服喪期間之飲食起居與言行舉止。

〈崩薨〉

「崩薨異稱」章問題有二，討論天子下至庶人之死之異稱，及崩薨紀於國之道理。

「天子至庶人皆言喪」章問題有四，討論喪之名義，及人之死謂之喪之道理。

「天子赴告諸侯」章問題有一，討論天子崩，遣使者赴告諸侯之道理。

「諸侯奔大喪」章問題有二，討論王者崩，諸侯悉奔喪，及童子諸侯亦不朝而奔來喪之道理。

「臣赴於君」章問題有一，討論臣死亦赴告於君之道理。

「諸侯赴鄰國」章問題有一，討論諸侯薨，亦赴告鄰國之道理。

「諸侯夫人告天子」章未設問題，討論諸侯夫人薨，亦告天子之道理。

「諸侯歸瑞圭」章問題有一，討論諸侯薨，使臣歸瑞珪於天子之道理。

「天子弔諸侯」章問題有一，討論諸侯薨，天子哭之，及使大夫弔之之道理。

「君弔臣」章問題有一，討論臣子死，君往弔之之道理。

「含歛」章問題有四，討論王者死後含歛之儀式及其道理。

「贈襚賵賻」章問題有二，討論贈襚、賵賻之名義。

「殯日」章問題有一，討論天子七日而殯，諸侯五日而殯之道理。

「三代殯禮」章問題有一，討論三代之殯禮各有不同，及其各別道理。

「天子舟車殯」章問題有一，討論天子舟車殯之道理。

「祖載」章問題有一，討論祖於庭之道理。

「棺槨厚薄之制」章問題有二，討論棺槨之名義及人死所以有棺槨之道理，及隨不同身分其棺槨亦有別之制度。

「尸柩」章問題有一，討論尸柩之名義。

「葬」章問題有三，討論人死葬於地之道理，及天子七月而葬，諸侯五月而葬之道理。

「兆域」章未設問題，討論先王葬兆域之中。

「合葬」章問題有一，討論合葬之道理。

「葬北首」章問題有二，討論葬於城郭外之北方之道理。

「墳墓」章未設問題，討論墳墓所以封樹之道理，及隨不同身分其墳、樹亦有別之制度。

本篇〈崩薨〉共二十三章，凡三十三問題，討論人之死，隨身分而有不同稱謂及殯葬儀式。本篇強調著重在喪葬期間，天子與諸侯、君與臣之對應關係上，及王者之喪至墳墓封樹之殯葬儀式。

陳立本《白虎通》除卷十二「闕文」七篇外❼（「闕文」部分之「問題」，見附錄二），共四十三篇，三百零八章，凡六百五十七「問題」。

《白虎通》以「問答」之型態呈現討論之主旨與論證之結論，體例極為明確且一致。書中所探討之「問題」，主要有二種性質：一是問名物制度之實質內容與意義；二是問名物制度之由來及其道理；前者是問「名」之「然」，而後者則是問「名」之「所以然」。質言之，《白虎通》乃是透過「問答」之形式，以期達到「正名」之目的。《白虎通》全書所「正名」之範疇，主要在人與事兩方面：就人而言，從天子、諸侯之王者，至公、侯、伯、子、男，卿、大夫與士等貴族，下至庶人，每個人之「名」與「實」，意即在政治上之權利與義務，皆有詳細之規定。就事而言，《白虎通》文本所重視者，依然是「人事」，即使如〈五行〉、〈天地〉、〈日月〉、〈四時〉等篇，亦非僅以論述自然環境為目的，而是以自然法則做為人事取法之對象，故從政治制度上之職稱及其相互間運作，人我群己間之關係，乃至個人之性情、壽命，至嫁娶、喪葬等人事禮制，無不蘊含於《白虎通》文本之中。姑且不論《白虎通》之篇目次序，僅就其內容論述所及，繁複而多樣，體大而思精，實是部長篇鉅構，斷非偶然拼湊而成。

就政治制度而言，《白虎通》規範以天子為中心之中央政權制度，以及以諸侯為主之地方治權制度；而中央政權中並建立宰輔制度與中央組織，地方治權則以封建制度分封諸侯。而天子與諸侯之

---

❼ 闕文部分乃後人增補而成。

關係，即中央對地方之權限與地方對中央之義務，亦有明確之規範。《白虎通》最多篇幅在於確立天子地位之合法性，及其相對應之權力與義務，舉凡自天子之爵號以至喪葬儀式，皆有詳盡規定。在《白虎通》四十三篇之中，除少數篇章之外（如：〈災變〉、〈商賈〉、〈情性〉、〈壽命〉、〈姓名〉、〈天地〉、〈日月〉、〈四時〉等），討論議題皆與王者（天子、諸侯）有關，即使有些篇章與王者無直接關聯，但仍多少會涉及王者，或者與王者有關之制度。除王者之外，士以上之貴族，乃是《白虎通》討論最多之對象，凡涉及王者以下之士族之諸多禮儀，亦有詳盡之記載。因此，將《白虎通》視為王者之政治制度之書，或者士族禮儀之典，亦無不可。

　　就禮樂法治而言，所謂「禮不下庶人」（〈喪服〉），此禮乃謂「酬酢之禮」，此「禮為有知制」；所謂「刑不上大夫」（〈五刑〉），此刑為庶人之「無知設也」。貴族之「酬酢之禮」，雖是禮之重要內容，但屬狹義之禮；而廣義之禮，應包含貴族之禮樂與庶人之刑法，一切禮樂刑法制度乃匯歸於禮。意即：《白虎通》全書之禮樂刑法制度，實是對天下之人而設，天下之人之一切言行舉止，必以禮為依歸，故就《白虎通》所討論之重點而言，實是一部為當時制作之禮書。唯需注意者，貴族之「酬酢之禮」，固然屬於狹義之禮，但卻是禮最重要之內容，亦正因為有「禮不下庶人」、「刑不上大夫」二大前提之制約下，《白虎通》中有關庶人之討論極為罕見，只有零星散落少數篇章之中，且亦無單純以庶人為討論之篇章，只有在討論君臣士族與人倫秩序時，附帶將庶人一併討論。

第二節　禮制與政治

　　分析《白虎通》各篇章內容討論範圍，不外乎國家政治制度與貴族之禮儀規範兩項議題；因此，《白虎通》全書兼含「禮制」與「法典」雙重性質。然而，《白虎通》書中並無意區分禮儀與政治為兩類，而是泯除彼此界域，將禮儀度數與政治制度合而為一。而無論是禮儀內含政治，或是政治融於禮儀之觀念，乃是中國禮學思想或是政治思想之特色。

　　「禮」一字而含多義。《說文》曰：「禮，履也，所以事神致福也。從示從豊，豊亦聲。」（頁2）又：「履，足所依也，從尸服履者也。從彳又，從舟象履形。」（頁407）「禮」、「履」二字疊韻，又以履訓禮，禮乃是履行事神致福之事。《說文》曰：「豊，行禮之器也。從豆象形，凡豊之屬皆從豊，讀與禮同。」（頁210）故「禮」之本義，概指一種行為，一種近似敬事神明以求福報之宗教儀式。段玉裁注曰：「履，……引伸之訓踐，如君子所履是也。……又引伸之訓禮。」（頁407）「禮」之義本為一宗教儀式，其後引伸為概括天地間萬事萬物之行為總稱，如《左傳》曰：「夫禮，天之經也，地之義也，民之行也。天地之經，而民實則之」；❽「禮，上下之紀，天地之經緯也」；❾禮是天經地義之事，是人類行為活動之綱紀準則。又如《禮記·哀公問》曰：

---

❽　《左傳·昭公二十五年》，頁888。
❾　《左傳·昭公二十五年》，頁891。

> 民之所由生，禮為大。非禮無以節事天地之神明也，非禮無
> 以辨君臣上下長幼之位也，非禮無以別男女父子兄弟之親、
> 婚姻疏數之交也。（卷五十，頁848）

禮之作用極大，無論是祭祀天地神明，定君臣、上下、長幼之人倫
秩序，或者區別男女與父子兄弟之血緣親情，甚至婚姻儀式禮節，
皆必需仰賴禮之規範。《禮記·曲禮》曰：

> 夫禮者，所以定親疏，決嫌疑，別同異，明是非也。……道
> 德仁義，非禮不成；教訓正俗，非禮不備；分爭辨訟，非禮
> 不法；君臣上下，父子兄弟，非禮不定；宦學事師，非禮不
> 親；班朝治軍，涖官行法，非禮威嚴不行；禱祠祭祀，供給
> 鬼神，非禮不誠不莊。是以君子恭敬，撙節退讓以明
> 禮。……是故聖人作為禮以教人，使人有禮，知自別於禽
> 獸。（卷一，頁14-15）

《禮記》特別強調禮之功能性，如：成就道德仁義，完備教訓正
俗，繩法分爭辨訟，定位君臣上下、父子兄弟，親近宦學事師，威
嚴行班朝治軍、涖官行法，誠敬莊重禱祠祭祀、供給鬼神。此時所
謂「禮」，已由單純之祭祀活動，擴大引伸為人類一切行為準則之
總稱。

　　禮所以由單純之宗教儀式引伸為人類一切行為規範之天經地義
之事之總稱，實際上已經賦予禮許多人文化成意義；且禮既是聖人
所作，具有區分人之異於禽獸之指標性意義，禮更隱含道德價值之

判斷。《左傳・昭公五年》：「晉侯謂女叔齊曰：魯侯不亦善於禮乎？對曰：魯侯焉知禮。公曰：何為？自郊勞至於贈賄，禮無違者，何故不知？對曰：是儀也，不可謂禮。禮所以守其國，行其政令，無失其民者也」，❿又如昭公二十五年：「子大叔見趙簡子，簡子問揖讓周旋之禮焉。對曰：是儀也，非禮也」，⓫所謂「自郊勞至於贈賄」、「揖讓周旋之禮」，是屬於「儀」，「儀」是指行為活動，固然是屬於禮之範疇，但非禮之全部，「儀」與「禮」仍有區別。「儀」與「禮」之區別，不僅在於二字指涉意義之廣狹，並且關乎禮之形式與本質：「儀」是行「禮」之形式，而「禮」之本質在於「義」。

《論語・八佾》曰：

> 林放問禮之本。子曰：大哉問。禮，與其奢也，寧儉；喪，與其易也，寧戚。（卷三，頁 26）

奢與儉儀式之程度，屬於「儀」之範疇，皆可謂之行禮，儀式之奢儉，可以隨人因革損益，⓬但非禮之本質。《左傳・桓公二年》曰：

---

❿ 《左傳・昭公五年》，卷四十三，頁 745。

⓫ 《左傳・昭公二十五年》，卷五十一，頁 888。

⓬ 又如《論語・子罕》曰：「子曰：麻冕，禮也；今也純，儉，吾從眾。拜下，禮也；今拜乎上，泰也，雖違眾，吾從下。」頁 77。是以行禮之儀式與其相關之規定，可以因革損益，而無損於「禮」之本質。

夫名以制義，義以出禮，禮以體政，政以正民。是以政成而
民聽，易則生亂。（卷五，頁96－97）

孔子言「正名」，可言之「名」，必有其「名」之義，由正名之過
程，以規範「名」與「實」之必然相符；故正名之目的，乃在確立
政治上之權利與義務。名既有其義，則以其義以制禮，是其禮當為
政治之本體，而其政體可以治民。因此，制禮之基礎乃建立在政治
上之名、義；名是政治作用上之意義，義則是指「正當」之「道
理」。❸《禮記・郊特牲》曰：

> 禮之所尊，尊其義也。失其義，陳其數，祝史之事也。故其
> 數可陳也，其義難知也。知其義而敬守之，天子之所以治天
> 下也。（卷二十六，頁504）

禮可區分為儀式形式之「禮數」，與內容本質之「禮義」，而禮之
尊重在於義。行「禮數」是祝史之事，可以不知其「禮義」；能行
「禮數」，且能知「禮義」者，方是天子之所以治天下之道。《禮
記・禮運》曰：

> 何謂人情？喜、怒、哀、懼、愛、惡、欲七者，弗學而能；

---

❸ 勞思光言：「所謂『義』，在《論語》中皆指『正當』或『道理』。偶因語脈
影響，意義稍有變化，但終不離此一意義。」《新編中國哲學史》（臺北：三
民書局，2001 年 9 月），頁 110。

何謂人義？父慈、子孝、兄良、弟弟、夫義、婦聽、長惠、幼順、君仁、臣忠十者，謂之人義；講信脩睦謂之人，利爭奪相殺謂之人患。故聖人之所以治人七情，脩十義，講信脩睦，尚辭讓、去爭奪，舍禮何以治之。（卷二十二，頁431）

聖人設禮之目的在節人情、去人患，而禮之基礎在於人有「十義」，義是設禮之基礎，禮是義之實踐，舍禮無以言義，舍禮無以言治。是故，禮是政治之基礎，而義是禮之本質。《論語·衛靈公》載孔子曰：「君子義以為質，禮以行之。」（卷十五，頁 139）《禮記·禮運》曰：「故禮也者，義之實也。」（卷二十二，頁 439）是以君子之行禮，乃以正當之道理之義為本質。

因「禮」一字含義豐富，故「古代所謂『禮』者，實無乎不包，而未易以一語說明其定義也」。❶❹「禮」字在不同語意脈絡中，分別指涉不同義意，並時與其他字組合，如：禮儀、禮容、禮器、禮教、禮治、禮法、禮制、禮經、禮學……等詞組，指涉較為精確之義意。禮，若強為區分，概有廣狹二義。廣義之禮，含禮之本質「義」與形式之「儀」，指凡一切合於義之行為、儀式與制度，如單稱「禮」，或與其他字所構成之詞組皆屬之，即統稱之「禮」，或合稱之為「禮儀」；而狹義之禮，則指宗教儀式與具有政治意義之典禮儀式，或單稱「儀」。

廣義之禮既已涵蓋典章制度，而所謂「禮制」，「制」則指涉

---

❶❹ 柳詒徵：《中國文化史》（北京：中國大百科全書出版社，1988 年），頁173。

明確之典章制度。《禮記‧仲尼燕居》曰：「制度在禮」（卷五十，頁 855）即是指制度乃以禮為原則，以禮為基礎，故「禮制」屬於狹義之禮。然而，因「禮」一字而多義，而古人使用時，亦常以一字表多義，特別是在指涉禮制方面，往往以「禮儀」代之。如《周禮‧春官》曰：「凡國之大事，治其禮儀，以佐宗伯；凡國之小事，治其禮儀而掌其事，如宗伯之禮。」（卷十九，頁 299）其所謂「禮儀」，概指國家之典禮儀式，其義近禮制；又如《史記‧禮書》曰：「至秦有天下，悉內六國禮儀，采擇其善，雖不合聖制，其尊君抑臣，朝廷濟濟，依古以來。」（卷二十三，頁 1159）所指秦時悉納六國之禮儀，亦是指六國之禮制；又如《漢書‧禮樂志》曰：「漢興，撥亂反正，日不暇給，猶命叔孫通制禮儀，以正君臣之位」（卷二十二，頁 1030），漢高祖命叔孫通所作之「禮儀」，與禮制之義無別；由此可知，禮儀與禮制，只是指涉意義之範圍之廣狹不同，在使用上並未嚴格區分。先秦以前，古人往往以「禮儀」一詞指涉包括禮制在內之一切行為規範，殊少用「禮制」一詞指涉政治制度，❶此固然是古人無意將禮制從禮之中剝離成一獨立個體，❻實際上，廣義之禮已涵蓋狹義之禮制，而以禮直指禮制，乃

---

❶ 《史記》僅有一處言「禮制」，〈樂書〉曰：「五帝殊時，不相沿樂；三王異世，不相襲禮。樂極則憂，禮粗則偏矣。及夫敦樂而無憂，禮備而不偏者，其唯大聖乎？天高地下，萬物散殊，而禮制行也；流而不息，合同而化，而樂興也。」頁 1193。張守節《正義》曰：「禮以節制為義，故云禮制。」頁 1194。《史記》此處稱「禮制」者，與「樂」對舉，乃指狹義之禮節儀文；而後世之「禮制」概念，雖亦是狹義之禮，但仍包括樂在內之成文法典。

❻ 顧希佳言：「先秦時代的人們……那時侯，『禮』的範疇極其寬泛，包括了國家政治制度，諸如官制、法律等內容在內，和我們今天一般的理解有較大歧

是順理成章之事。至西漢後期，「禮制」之概念逐漸成形：如《漢書・成帝紀》載成帝詔曰「聖王明禮制以序尊卑」（卷十，頁325），「禮制」具有定序上下尊卑之作用；〈禮樂志〉曰「諸侯踰越法度，惡禮制之害己」（卷二十二，頁 1029），「禮制」具有約束諸侯之實質意義；〈刑法志〉曰「言制禮以止刑，猶隄之防溢水也。今隄防淩遲，禮制未立」（卷二十三，頁 1109），「禮制」與「止刑」對揚，可防止刑犯滋蕃之消極作用。因此，所謂「禮制」，乃專指具有節制約束之實質作用，且以建立制度為主之成文法典者，❶故「中國古代的一切制度，都可說是禮制」。❸陳戍國解釋「禮制」一辭言：

異。大概到了秦、漢以後，官制、法律才逐漸從『禮』的範疇裡剝離出來，而『禮』則主要是指儀式和各種行為規範，開始與今天人們的理解接近起來。」《禮儀與中國文化》（北京：人民出版社，2001 年 8 月），頁 16。

❶ 《禮儀與中國文化》言：「國家的統治者出于統治的需要，往往會對民間早已經存在著的這一系列行為方式作出統一的規定，要求大家按統一的規範去做，先是國君要這樣做，逐步往下推行。這樣一種統一的規範，具有國家法典制度的性質，通常稱之為禮制。」頁 27。

❸ 《今古文經學新論》，王保玹言：「在中國傳統文化裡，『禮』的概念有廣義狹義之分。就其廣義而論，『禮』可說是中國傳統文化的總名，中國古代的一切制度都可說是禮制，中國古代一切法定的社會關係都可說是禮的關係。就其狹義而論，『禮』僅僅指某種儀式，而且主要指宗教的或帶有宗教色彩的儀式。」頁 284－285。本書採取王保玹對禮制之解釋，但不同意其對禮之廣義之解釋。廣義之「禮」，應含「數」與「義」，亦即凡含有「義」之行為者，皆屬「禮」之範疇，王保玹稱廣義之禮是一切制度之禮制，似乎稍嫌窄化「禮」之範圍。

……禮上升為制度規程，就是禮制。凡制度總是出於某種需
要�產生的。它一方面必須順乎人情，為人們所接受；一方
面又必須有約束力，為人們所遵循。禮制，作為執禮的根
據，限定了行禮的範圍、規模、程序、儀態以及大致具體的
言行。不容許禮物和禮議違反禮制的規程，否則就不能表達
應有的禮意。不妨說，禮制是具有法律效力的，在這個意義
上可以把禮制看作典章制度。維護禮制，實際上就是維護政
治權力和經濟利益，維護當時的生產關係。❶❾

「禮制」含有禮儀與制度雙重意義，故凡納入制度規章中之禮儀
者，便是禮制。禮既是天子治天下之具，而制度又具有強制執行之
法律效力，故禮制與現代之政治制度意義相似。

雖云禮制與政治制度之關係密切，但兩者之間仍有一段差距。
現代所謂「政治制度」一辭，張金鑑解釋言：

政治制度者，乃政治權力者在管理眾人之事之進程中，所以
設政施治，齊民使眾而建立或所由形成具有必然性、人為
性、強制性、調適性的社會生活之共同規範，及人群行動之
一致準繩。❷⓪

所謂「政治」，乃指管理眾人之事，「制度」是政治權力者管理眾

---

❶❾ 陳戍國：《先秦禮制研究》（長沙：湖南教育出版社，1991 年 12 月），頁
17。
❷⓪ 張金鑑：《中國政治制度史》（臺北：三民書局，1998 年 2 月），頁 1。

人之過程中所設施制定具有「必然性、人為性、強制性、調適性」之共同規範，以達到齊民使眾之目的；故所謂「政治制度」，簡言之，乃是政治管理者與被管理者間之「社會契約」內容。❷「政治」一辭，至今仍未有一公認之界說。張金鑑說：「政治，乃指社會生活中的一種『管理眾人之事』的活動和現象」，❷因為各派學說對政治之界說與意義不一，遂形成不同之「政治觀」。❷

《淮南子·氾論》曰：「政，治也」，「政」與「治」相通。若分別釋之，則「治」，《孟子·離婁上》曰：「治，將理之義也」，《呂覽·振亂》曰：「治，整也」，《周禮·司約》曰：「治者，理其相抵，冒上下之差也」，故「治」有整理、治理之義；「政」者，《廣雅·釋詁》曰：「政，正也」，《說文》亦同，《周禮·夏官序官注》曰：「政，正也。政所以正不正者也」，此義與「治」義同；「政」者在「治」，「治」者唯「政」，兩者意義相通。漢代以「政」釋「治」，又以「治」釋

---

❷ 盧梭（J.J. Rousseau）《社約論》（*De Contrat Social, The Social Contract*）（又稱《民約論》）言：「總之，每個人把自己讓與公共，就不是把自己讓與什麼人；他對於每個分子，都可取得相同於他自己所許他人的權利，所以他獲得相當於他所喪失的一切，並獲得更多的力量以保護他所有的一切。」並對「社會契約」定義為：「我們每個人都把自身和一切權力交給公共，受公意（general will）之最高的指揮，我們對於每個分子都作為全體之不可分的部分看待。」盧梭著·徐百齊譯述：《社約論》（臺北：臺灣商務印書館，1989年10月），頁20—21。

❷ 張金鑑，《政治學概論》（臺北：三民書局，1976年9月初版），頁1。

❷ 同上註。因為各家學派對「政治」一辭有不同認定，故又有所謂「理性主義者的政治觀」、「權勢主義者的政治觀」、「功利主義者的政治觀」、「法治主義者的政治觀」、「民生主義者的政治觀」等，參考該書頁1—9。

「政」，顯示「政」、「治」乃為一事，「政」、「治」雖指涉內容不同，然皆是合一制。若《法言‧先知》曰：「政，君也」，《禮記‧禮運》曰：「政者，君之所以藏身也」，❷此二解「政」，則專指君主之所執也，故《大戴禮記》曰：「君師者，治之本也」，是以「政治」者，乃君主管理眾人事物之權力。「政」者屬於天所受命，「治」者是天子對天下行使統治權，故有政權始有治權，有治權者必來自天所受命之政權。

　　牟宗三以「政道」稱君主政權之道理，而相應於「政道」者，便是「治道」，❷並稱中國之政治，只有治道之吏治，而無政道之政治。克就此言，中國無論是在封建貴族，或是君主專制之時，並無「政治」可言，有之，只是「吏治」而已。❷依牟宗三之意，並非指中國只有「治道」而無「政道」，而是中國之「治道」早已發展成熟，「政道」則仍停留在先秦天子受命說之階段。在漢代「天人之學」之思潮中，人間政治制度，是參照天地自然循環之規律加

---

❷　《十三經注疏‧禮記》，頁 422。

❷　牟宗三，《政道與治道》言：「政道是相應政權而言，治道是相應治權而言。中國在以前于治道，已進至最高的自覺境界，而政道則始終無辦法。因此，遂有人說，中國在以往只有治道而無政道，亦如只有吏治，而無政治。吏治相應治道而言，政治相應道政道而言。」（臺北：臺灣學生書局，1991 年 4 月增訂新版四刷，頁 1。）

❷　《中國哲學十九講》：「『政治』不同於『吏治』，故至今仍有政務官與事務官的分別。政務官要參與決策，因而有政治的意義；事務官則不參與決策，只負責決策的執行，是所謂的官吏，亦即西方人所謂的『文官制度』（civil service），這代表吏治。……因此民國以來了解政治的人常說：從前中國在君主專制的政體下只有吏治而沒有政治。」頁 179。

以訂定，故需要有「媒介」與上天溝通，天與人間之聯係，完全託負於天子，故「天子」顧名思義，即是人與天間之「媒介」，是上天所命之代言人；如此，天人之間才能得到繫聯，政治才能獲得穩定與久遠。

　　相較於現代政治制度，古代禮制有二大特點：其一，禮制所規範之對象，主要是天子以下、士大夫以上之貴族，其中並不涉及無行「禮」能力之市井小民。如前所述，廣義之「禮」乃是具有「義」之行為儀式，然而「禮制」之「禮」並非普遍施之於眾人，《禮記・曲禮上》曰「禮不下庶人」，注曰：「為其遽於事，且不能備物」，❷孔穎達《禮記正義》解釋「禮」之所以不及庶人之道理曰：「禮不下庶人者，謂庶人貧，無物為禮，又分地是務，不服燕飲，故此禮不下與庶人行也。」❷因庶人無能力行繁文縟節之「禮」，且又不知「禮」，❷故「禮」乃施之於大夫以上者，是有特定之對象，此乃古代禮制與現代政治制度明顯之區別。其次，禮制必然出於天子之手，是天子治天下之具。《說文》曰：「制，裁也。」（頁184）「制」若置於「禮」之前，可做為動詞「制裁」、「制作」；若置於「禮」之後，則是做名詞「制度」之意。「禮制」制定之過程或許有禮學專家或其他人參與討論，但「制」是出於天子制度之命令，❸「禮」之制定，必以天子為最後之仲裁者，

---

❷　《禮記・曲禮上》卷三，頁55。

❷　《禮記・曲禮上》卷三，頁56。

❷　《白虎通・五刑》曰：「禮為有知制，刑為無知設。庶人雖有千金之幣不得　　服，刑不上大夫者，據禮無大夫刑。」頁525。

❸　蔡邕〈獨斷〉：「制書，帝者制度之命也，其文曰『制』。」

故「禮制」必然出於管理者之手，是政治管理者治天下之工具，天子乃是立法者兼執法者。而現代政治之「制度」，要皆出於少數代表民意之「立法者」所制定之「契約」，**③**政治之管理者與被管理者均有義務遵循此「契約」；此亦是「禮制」與「政治制度」不同之處。

　　由上可知，禮制乃源於政治之需要。《荀子・禮論篇》曰：

> 禮起於何也？曰：人生而有欲，欲而不得，則不能無求。求而無度量分界，則不能不爭；爭則亂，亂則窮。先王惡其亂也，故制禮義以分之，以養人之欲，給人之求。使欲必不窮於物，物必不屈於欲。兩者相持而長，是禮之所起也。**㉒**

因人生而有欲，欲求無度量則導致亂窮，先王惡其亂，所以制作禮義以分之，使欲必不窮於物，物必不屈於欲，兩者相輔相成，此乃禮之所由起也。先王制禮之目的，在於防止人因欲求而產生之亂窮，並促成欲、物兩者之均衡發展，故禮之所起，乃是出於王者治政之需要，以求人民謀福祉為目的，此亦孟子所謂「先王有不忍人

---

③ 盧梭言：「立法者，從各方面看來，都是國家的非常人。他的才識如此，他的職務亦如此。他的職位不是長官，也不是主權。他的職務是構成共和國的，不在共和國的組織之內；它是一種個別的超越的職務與人類國家的行政不相混合。治人者不應兼立法，立法者不應兼治人。否則他所立的法適足以濟其私慾，促成其不義了。他的私欲必致破壞其工作之神聖。」《社約論》，頁55。

㉒ 〔周〕荀子著，〔唐〕楊倞注，〔清〕王先謙集解：《荀子集解・考證》（臺北：世界書局，2000 年），頁 321。

之心，斯有不忍人之政矣」，❸故禮制出於有不忍人之心之先王之政。《史記·禮書》曰：

> 觀三代損益，乃知緣人情而制禮，依人性而作儀，其所由來尚矣。人道經緯萬端，規矩無所不貫，誘進以仁義，束縛以刑罰，故德厚者位尊，祿重者寵榮，所以總一海內，而整齊萬民也。……所以防其淫侈，救其彫敝。是以君臣朝廷尊卑貴賤之序，下及黎庶車輿衣服宮室飲食嫁娶喪祭之分，事有宜適，物有節文。（卷二十三，頁 1157－1158）

三代之制禮作儀，在消極方面可以「防其淫侈，救其彫敝」，而在積極方面，從上可以序「君臣朝廷、尊卑貴賤」，在下可以分「黎庶、車輿、衣服、宮室、飲食、嫁娶、喪祭」。《漢書·禮樂志》亦曰：

> 人性有男女之情，妒忌之別，為制婚姻之禮；有交接長幼之序，為制鄉飲之禮；有哀死思遠之情，為制喪祭之禮；有尊尊敬上之心，為制朝覲之禮。哀有哭踊之節，樂有歌舞之容，正人足以副其誠，邪人足以防其失。……故孔子曰：「安上治民，莫善於禮；移風易俗，莫善於樂。」禮節民心，樂和民聲，政以行之，刑以防之。禮樂政刑四達而不誖，則王道備矣。（卷二十二，頁 1027－1028）

---

❸ 《孟子·公孫丑·上》，頁 65。

王者所以制婚姻之禮、鄉飲之禮、喪祭之禮與朝覲之禮，乃因循人性中有男女之情、有交接長幼之序、有哀死思遠之情、有尊尊敬上之心而發，目的在使人之哀、樂、正、邪皆能受一定禮制之規範。故王道必具有：傳統與習俗中成文與不成文之禮、樂之行為準則，有足以推動禮樂政令之行政權，與消極制約不法之刑罰，始稱完備；禮、樂、政、刑四者，乃有完備之禮制始能貫徹。

第三節　漢代「三禮」與《禮經》學官

「禮」字既含形式之「儀」與本質之「義」，故「禮」可區分為可實踐之禮制與其禮制所以然之禮學。從發生歷程而言，先王先有禮學而有禮制，後世循禮制以求先王之禮學，故無禮學不能成禮制，無禮制不能知禮學；禮學是禮制之指導原則，禮制乃禮學之具體實現；禮制與禮學，兩者互為表裡。漢代之禮學，可從禮書與《禮經》博士學官兩方面探討。

《漢書·藝文志》載西漢禮書有：

《禮古經》五十六卷，《經》（十七）七十篇。后氏、戴氏。

《記》百三十一篇。七十子後學者所記也。

《明堂陰陽》三十三篇。古明堂之遺事。

《王史氏》二十一篇。七十子後學者。

《曲臺后倉》九篇。

《中庸說》二篇。

《明堂陰陽說》五篇。

《周官經》六篇。王莽時劉歆置博士。

《周官傳》四篇。

《軍禮司馬法》百五十五篇。

《古封禪群祀》二十二篇。

《封禪議對》十九篇。武帝時也。

《漢封禪群祀》三十六篇。

《議奏》三十八篇。石渠。

凡《禮》十三家，五百五十五篇。入《司馬法》一家，百五十五篇。

以上諸書，大多已亡佚。依班固自注，知部分禮書乃入漢以後之作品，如《封禪議對》十九篇，是武帝時之作；《議奏》三十八篇，是宣帝時之作；而《曲臺后倉》九篇，是后蒼或是其後學之作。《後漢書·儒林列傳》曰：

> 中興，鄭眾傳《周官經》，後馬融作《周官傳》，授鄭玄，玄作《周官注》。玄本習《小戴禮》，後以古經校之，取其義長者，故為鄭氏學。玄又注小戴所傳《禮記》四十九篇，通為《三禮》焉。（卷七十九下，頁2577）

自鄭玄（127–200）注《周官經》、《小戴禮》與《禮記》，❸❹稱此三書為「三禮」。

《周官經》或稱《周官》、《周官禮》，至王莽居攝時改名

---

❸❹ 《後漢書·鄭玄列傳》曰：「凡玄所注⋯⋯《儀禮》」，卷三十五，頁1212。

《周禮》。西漢時有六篇，後亡失一篇，以《考工記》補充之。**㉟**
關於《周禮》之作者及其成書年代，前已述及。六篇之名，依序
是：天官冢宰第一，地官司徒第二，春官宗伯第三，夏官司馬第
四，秋官司寇第五，冬官考工記第六。其書內容陳列各級政府之組
織結構，六官各有職責，而以天官冢宰（或曰大宰）統攝之。《周
禮·大宰》曰：

> 大宰之職，掌建邦之六典，以佐王治邦國：一曰治典，以經
> 邦國，以治官府，以紀萬民；二曰教典，以安邦國，以教官
> 府，以擾萬民；三曰禮典，以和邦國，以統百官，以諧萬
> 民；四曰政典，以平邦國，以正百官，以均萬民；五曰刑
> 典，以詰邦國，以刑百官，以糾萬民；六曰事典，以富邦
> 國，以任百官，以生萬民。（卷二，頁26）

大宰之職責，在輔佐王者以治其邦國，主要掌管治、教、禮、政、
刑、事等六典。《周禮·天官冢宰》下曰：

> 惟王建國，辨方正位，體國經野，設官分職，以為民極，乃
> 立天官冢宰，使帥其屬而掌邦治，以佐王均邦國。（卷一，
> 頁10－12）

㉟ 《漢書·藝文志》，顏師古曰：「即今之《周官禮》也，亡其冬官，以《考工
記》充之。」卷三十，頁1710。

鄭玄注曰：「天子立冢宰，使掌邦治，亦所以總御眾官，使不失職。不言司者，大宰總御眾官，不主一官之事也。」（《周禮·天官冢宰》，卷一，頁 10）是冢宰雖列於六官之中，但不主一官之事，其職責有統帥其餘五官，督導五官盡職之權。至於五官之職：「乃立地官司徒，使帥其屬而掌邦教，以佐王安擾邦國」（《周禮·地官司徒》，卷九，頁 138），地官專掌教化；「乃立春官宗伯，使帥其屬而掌邦禮，以佐王和邦國」（《周禮·春官宗伯》，卷十七，頁 259），春官專掌祭祀；「乃立夏官司馬，使帥其屬而掌邦政，以佐王平邦國」（《周禮·夏官司馬》，卷二十八，頁 429），夏官專掌軍事；「乃立秋官司寇，使帥其屬而掌邦禁，以佐王刑邦國」（《周禮·秋官司寇》，卷三十四，頁 510），秋官專掌刑法；至於第六篇〈冬官〉亡佚，〈天官冢宰〉小宰之職曰：「六曰事職，以富邦國，以養萬民，以生百物」（《周禮·天官冢宰·小宰》，卷三，頁 43），乃《考工記》所記百工之事。

　　《周禮》是一部具有組織架構之職官制度之書，書中「掇拾周代政治制度，融合孔孟學說，揉和法家、陰陽家的言論，參入作者的卓見，編成一部理想化的政府組織法，以待後代王者的取法，達到『託古改制』的目的」。**❸❻** 自劉歆「發得《周禮》，以明因監」，以為是書乃「周公致太平之跡」，當時雖有眾儒以為非是，並出而共排之，然王莽以周公自命，視其書為周代建國之藍本，遂以書中制度施行於執政時期，並立《周禮》博士。何休稱其為「六國陰謀之書」，亦可說明是書王者官制之本質。

---

❸❻ 劉德漢著：〈三禮概述〉，《三禮研究論集》，頁 26。

　　《儀禮》一書，西漢時稱《士禮》、《經》，或逕稱《禮》，至鄭玄為之作注，始定名為《儀禮》。〈藝文志〉載《禮古經》五十六卷，《經》七十篇，又曰：

> 漢興，魯高堂生傳《士禮》十七篇。訖孝宣世，后倉最明。戴德、戴聖、慶普皆其弟子，三家立於學官。《禮古經》者，出於魯淹中及孔氏，篇文相似，多三十九篇。及《明堂陰陽》、《王史氏記》所見，多天子諸侯卿大夫之制，雖不能備，猶瘉倉等推《士禮》而致於天子之說。（卷三十，頁1710）

高堂生所傳之《士禮》有十七篇，《禮古經》五十六篇多三十九篇，是知〈藝文志〉所載之《經》七十篇乃十七篇之誤。㊲《禮古經》與《士禮》十七篇者「同而字多異」，餘三十九篇者，稱為《逸禮》，㊳《禮古經》因《士禮》十七篇立於學官得以部份流傳，其餘三十九篇則已逐次亡佚。

　　西漢所傳《儀禮》有三本：一曰戴德本，二曰戴聖本，三曰劉向《別錄》本。三本之篇數與篇名相同，唯篇次各異，列簡表如

㊲　王先謙《漢書補注》引劉敞曰：「此『七十』與後『七十』皆當作『十七』，計其篇數則然。」

㊳　鄭玄《六藝論》曰：「漢興高堂生得《禮》十七篇，後得孔氏壁中《古文禮》凡五十六篇，記百三十一篇，《周禮》六篇。其十七篇與高堂生所傳同而字多異，其十七篇外，則《逸禮》是也。」（臺北：藝文印書館，1969 年《百部叢書集成》影印《經典集林》本），卷七，頁 3。

下：

篇次	戴德本	戴聖本	劉向《別錄》本
第一	〈士冠禮〉	〈士冠禮〉	〈士冠禮〉
第二	〈士昏禮〉	〈士昏禮〉	〈士昏禮〉
第三	〈士相見禮〉	〈士相見禮〉	〈士相見禮〉
第四	〈士喪禮〉	〈鄉飲酒禮〉	〈鄉飲酒禮〉
第五	〈既夕禮〉	〈鄉射禮〉	〈鄉射禮〉
第六	〈士虞禮〉	〈燕禮〉	〈燕禮〉
第七	〈特牲饋食禮〉	〈大射禮〉	〈大射禮〉
第八	〈少牢饋食禮〉	〈士虞禮〉	〈聘禮〉
第九	〈有司徹〉	〈喪服〉	〈公食大夫禮〉
第十	〈鄉飲酒禮〉	〈特牲饋食禮〉	〈覲禮〉
第十一	〈鄉射禮〉	〈少牢饋食禮〉	〈喪服〉
第十二	〈燕禮〉	〈有司徹〉	〈士喪禮〉
第十三	〈大射禮〉	〈士喪禮〉	〈既夕禮〉
第十四	〈聘禮〉	〈既夕禮〉	〈士虞禮〉
第十五	〈公食大夫禮〉	〈聘禮〉	〈特牲饋食禮〉
第十六	〈覲禮〉	〈公食大夫禮〉	〈少牢饋食禮〉
第十七	〈喪服〉	〈覲禮〉	〈有司徹〉

鄭玄所注及賈公彥所疏，乃用劉向《別錄》本之篇次。賈公彥言《別錄》尊卑吉凶次第倫敘，故鄭用之；而二戴本尊卑吉凶雜亂，故鄭不從之。❸❾鄭玄所以採取《別錄》篇次之理由，乃是《別錄》之尊卑吉凶次第有序，而二戴本則雜亂無章。邵懿辰（1810－

---

❸❾ 《儀禮·士冠禮》，卷一，頁2。

1861）《禮經通論》則云·:

> 大戴（即戴德本次第）士冠禮一……是一二三篇，冠昏也；四
> 五六七八九篇，喪祭也；十一十二十三篇，射鄉也；十四
> 十五十六篇，朝聘也；而喪服之通乎上下者附焉。小戴次序
> 最為雜亂，冠、昏、相見而後繼以鄉射四篇，忽繼以士虞與
> 喪服，又繼以特牲少牢有司徹，復繼以士喪既夕，而後以聘
> 禮、公食覲禮終焉。今鄭賈注疏，所用劉向別錄次序，則以
> 喪祭六篇居末，而喪服一篇移在士喪之前，似依吉凶人神為
> 次。蓋向見記云：「吉凶異道，不得相干」……遂以昏、
> 冠、射鄉、朝聘十篇，為吉禮居先，而喪祭七篇凶禮居後
> 焉。較小戴稍有條理，而要不若大戴之次，合乎禮運。

邵懿辰以為，劉向《別錄》本「以昏、冠、射鄉、朝聘十篇，為吉
禮居先，而喪祭七篇凶禮居後」，以吉凶為次，雖較戴聖本有條
理，但不如戴德本之次序。戴德本以冠昏、喪祭、射鄉、朝聘為
序，以喪服之通乎上下者附於最後，不僅最有條理，並且吻合《禮
記・禮運》之論。《禮記・禮運》曰：

> 夫禮必本於天，動而之地，列而之事，變而從時，協於分
> 藝。其居人也曰養，其行之以貨力、辭讓、飲食、冠昏、喪
> 祭、射御、朝聘。（卷二十二，頁439）

〈昏義〉亦曰：

> 夫禮，始於冠，本於昏，重於喪祭，尊於朝聘，和於射鄉，
> 此禮之大體也。（卷六十一，頁 1000－1001）

戴德本之篇次最具條理，且完全符合《禮記》之說；至於戴聖本次序則是「最為雜亂」。然而王葆玹認為「戴聖所定的篇次大致上是按照社會階層而定的，下層貴族的禮儀在前，上層貴族在后，觀天子禮在最后」，❹故戴聖本之篇次，亦非漫無章法。

　　戴德等三人所編撰之篇次，看似皆有理據，然優劣各不同，而三人撰次之原意，若僅從篇次推測，亦恐無助於還原《儀禮》本來面貌。然而，在此不禁質疑：為何三本篇次互異？若三人之前已有定本，則三本豈敢妄自擅改篇次？更重要者是，漢代《禮》經學官以何者為本？

　　劉歆〈移書太常博士〉曰：「及魯恭王壞孔子宅，欲以為宮，而得古文於壞壁之中，《逸禮》有三十九，《書》十六篇。天漢之後，孔安國獻之，遭巫蠱倉卒之難，未及施行。」❹漢初魯高堂生傳《士禮》十七篇，乃是今文經，其後《禮古經》五十六篇是古文經。《禮古經》之稱「古」，乃是相較於《士禮》之今文經；而《禮古經》較《士禮》多三十九篇，漢人稱三十九篇乃《禮》之「逸篇」，亦是相較於《士禮》之十七篇而言。是以《士禮》乃《禮古經》之部分，而〈藝文志〉逕自以《經》稱之，遂置於《禮古經》之後。

---

❹　《今古文經學新論》，頁 301。
❹　《漢書·楚元王傳》，卷三十六，頁 1969。

　　魯高堂生傳《士禮》十七篇，后蒼最明。《漢書·儒林傳》
曰：

> 　　倉說《禮》數萬言，號曰《后氏曲臺記》，授沛聞人通漢子
> 方、梁戴德延君、戴聖次君、沛慶普孝公。孝公為東平太
> 傳。德號大戴，為信都太傳；聖號小戴，以博士論石渠，至
> 九江太守。由是《禮》有大戴、小戴、慶氏之學。（卷八十
> 八，頁 3615）

　　后蒼說《禮》數萬言，號曰《后氏曲臺記》，傳授聞人通漢、戴
德、戴聖與慶普四人。武帝立后蒼為《禮》博士，至宣帝之世，只
有戴聖「以博士論石渠」，可知后蒼《禮》學博士乃由戴聖擔任，
且戴聖所傳本之始於〈士冠禮〉終於〈覲禮〉篇次，正符合「猶瘉
倉等推《士禮》而致於天子之說」，對后蒼《禮》篇次之描述，正
式繼承后蒼之學，因此，戴聖本應為當時官方《禮》之傳本。
　　〈藝文志〉稱戴德、戴聖、慶普三家立於學官，此說易使人誤
以為戴德、戴聖、慶普三家，同時立於學官。其實，終漢世之
《禮》學便屬大小戴氏，慶普之學可能只有在西漢末期與新莽之交
曾與二戴並立於學官。《漢書·儒林傳》贊「至孝宣世，復立大小
夏侯《尚書》，大小戴《禮》」，其中並不包括慶普《禮》學；東
漢光武帝所立十四博士，亦無慶普之名；❷至《後漢書·章帝紀》

---

❷　《後漢書·儒林列傳》曰：「及光武中興，愛好經術，……於是立《五經》博
　　士，各以家法教授，《易》有施、孟、梁丘、京氏，《尚書》歐陽、大小夏

載建初四年詔曰:「至建武中,復置顏氏、嚴氏《春秋》,大小戴
《禮》博士。」《後漢書·百官志》亦曰:「《禮》二,大小戴
氏。」是知戴德等三人皆為后蒼博士之弟子,但只有大、小戴
《禮》置於學官;獨未見慶普《禮》學。但是《後漢書·儒林列
傳》又稱:「前書魯高堂生,漢興傳《禮》十七篇。後瑕丘蕭奮以
授同郡后蒼,蒼授梁人戴德及德兄子聖、沛人慶普。於是德為《大
戴禮》,聖為《小戴禮》,普為《慶氏禮》,三家皆立博士。」
(卷七十九下,頁 2576) 對此一問題,王葆玹以為「三家皆立學官」
或者「三家皆立博士」之說,乃是沿襲劉歆《七略》之說法,劉歆
言「三家皆立學官」乃指西漢平帝元始年間之官方學術而言,其實
「慶氏《禮》學只在西漢末期與新莽時期曾立學官,而在西漢的大
部分時期以及整個的東漢時期都與官方學術無緣,只在民間或私人
之間傳播」。❸至於戴德等三人,亦只有戴聖在宣帝時「以博士論
石渠」,得博士頭銜,並且升至九江太守,其餘二人皆未曾任職博
士。因此,漢代《禮經》博士,當以戴聖本為依歸。

　　雖然戴聖本之篇次「最為雜亂」,然而戴聖依后蒼師傳得博
士,其傳本遂為漢代《禮經》正宗,地位最崇。從另一角度思考,
正因為戴聖本之篇次「最為雜亂」,進而促使戴德依《禮記》說禮

侯,《詩》齊、魯、韓,《禮》大小戴,《春秋》公羊嚴、顏,凡十四博士,
太常差次總領焉。」頁 2545。

❸ 王葆玹根據《漢書·王莽傳》平帝元始四年「立《樂經》益博士員,經各五
人」之記載,推論《禮》博士之五人,「當為后氏、大戴、小戴、慶氏及《逸
禮》五家」,此說並無直接證據證明慶普曾立於學官。《今古文經學新論》,
參考頁 342。

之序，調整后蒼（即戴聖本）之篇次，得與戴聖本並列於學官，分《禮》為二家；而劉向著《別錄》時，亦重新整理二戴本之篇次，改以尊卑吉凶次第之序，終獲鄭玄之青睞，用其篇次為《儀禮》作注；故戴德、戴聖與劉向三本，同時流傳於當時。

　　《儀禮》之文本，可分成三項：「經」，主要陳述禮儀形式之相關規定，是《儀禮》主體；「記」，賈公彥釋曰：「凡言記者，皆是記經不備，兼記經外遠古之言。」❹作用在解說經義，或者補充經文不足使之文理備足，並兼記遠古之禮制，《儀禮》十七篇，明言「記」者有十一篇。❹「傳」，賈公彥釋曰：「《儀禮》見在一十七篇，餘不為傳，獨為〈喪服〉作傳者，但〈喪服〉一篇，總包天子已下，五服差降，六術精麤，變除之數既繁，出入正殤交互，恐讀者不能悉解其義，是以特為傳解。」❹《儀禮》獨〈喪服〉一篇有「傳」，乃因〈喪服〉內容過於繁瑣，故作「傳」以利讀者解析。今且依戴聖本之篇次，觀察《儀禮》之內容。

---

❹　《儀禮·士冠禮》，卷三，頁33。

❹　《儀禮》十七篇，明言「記」者有十一篇：〈士冠禮〉、〈士昏禮〉、〈鄉飲酒禮〉、〈鄉射禮〉、〈燕禮〉、〈士虞禮〉、〈特牲饋食禮〉、〈既夕禮〉、〈聘禮〉、〈公食大夫禮〉、〈覲禮〉等。此外，《經學通論》「論熊朋來於三禮獨推儀禮其說甚通」一文中，引熊朋來之言：「〈士喪禮〉則士處適寢以後附在〈既夕〉者，即〈士喪禮〉之記矣；〈既夕禮〉則啟之昕以後，即〈既夕〉之記矣；漢儒稱〈既夕禮〉即〈士喪禮〉下篇，故二記合為一也；〈喪服〉一篇，每章有子夏作傳，而記公子為其母以後又別為〈喪服〉之記，其記文亦有傳，是子夏以前有此記矣。十七篇惟〈士相見〉、〈大射〉、〈少牢饋食〉、〈有司徹〉四篇不記，其有記者，十有三篇。」皮錫瑞著（臺北：河洛圖書出版社影印，1974年12月），頁28。

❹　《儀禮·喪服》，卷二十八，頁338。

〈士冠禮〉：鄭玄〈目錄〉曰：「童子任職，居士位，年二十而冠。主人玄冠朝服，則是仕於諸侯，天子之士，朝服皮弁素積。古者四民世事，士之子，恆為士。冠禮於五禮屬嘉禮。」（卷一，頁 2）**⑰** 此篇主要陳述自天子之士以下，凡年二十任職，居士位者，得行冠禮儀式。文中舉凡行冠禮之人、事、地、物，皆有相關規定。

〈士昏禮〉：鄭玄〈目錄〉曰：「士聚妻之禮，以昏為期，因而名焉。必以昏者，陽往而陰來，日入三商為昏，昏禮於五禮屬嘉禮。」（卷四，頁 39）此篇主要陳述士娶妻之禮，士以昏為期，因而以昏禮為名。昏禮儀式之進行，舉凡納采、問名、納吉、納徵、請期等，皆有詳細之規定。

〈士相見禮〉：鄭玄〈目錄〉曰：「士以職位相親，始承摯相見之禮。……士相見於五禮屬賓禮。」（卷七，頁 70）此篇主要陳述士與士，兼及士與大夫，大夫與大夫間相見之禮，並由士相見之禮推至士、大夫與庶人等見君王尊長之禮。

〈鄉飲酒禮〉：鄭玄〈目錄〉曰：「諸侯之鄉大夫三年大比、獻賢者能者於其君，以禮賓之，與之飲酒。於五禮屬嘉禮。」（卷八，頁 80）此篇主要陳述諸侯國之鄉大夫賓賢者之禮，其中包含主人獻賓、樂賓之禮，並兼言士之飲酒賢者之禮。

〈鄉射禮〉：鄭玄〈目錄〉曰：「州長春秋以禮會民，而射於州序之禮，謂之鄉者，州鄉之屬，鄉大夫或在焉，不改其禮。射禮

---

⑰ 《儀禮·士冠禮》，卷一，頁 2。以下十六篇，凡引鄭玄《三禮目錄》者，皆指此本。

於五禮屬嘉禮。」（卷十一，頁 109）此篇主要陳述王者、諸侯之州長、鄉大夫與士行鄉射之禮，自射禮之禮初與射事，及射後之飲酒，至賓出拜賜之禮。

〈燕禮〉：鄭玄〈目錄〉曰：「諸侯無事，若卿大夫有勤勞之功，與群臣燕飲以樂之，燕禮於五禮屬嘉（禮）。」（卷十四，頁158）此篇主要陳述諸侯燕請有勤勞之功之臣，群臣與之同樂，其禮之初始，升至禮稍殺而樂備，終於燕盡及燕畢賓出之禮。

〈大射禮〉：鄭玄〈目錄〉曰：「名曰大射者，諸侯將有祭祀之事，與其群臣射，以觀其禮，數中者得與於祭，不數中者，不得與於祭。射義於五禮屬嘉禮。」（卷十六，頁 187）此篇主要陳述諸侯即將舉行祭祀，以射選得與於祭之臣，自射之前戒備陳設之事，至射事三耦而畢，燕竟禮成。

〈士虞禮〉：鄭玄〈目錄〉曰：「虞，安也。士既葬父母，迎精而反，日中，祭之於殯宮以安之。虞於五禮屬凶（禮）。」（卷四十二，頁 493）此篇主要陳述士葬父母之後，祭於殯宮以安之，自祭前之事，至祭畢賓出之禮。

〈喪服〉：鄭玄〈目錄〉曰：「天子以下，死而相喪，衣服，年月，親疏，隆殺之禮。不忍言死而言喪，喪者，棄亡之辭，若存居於彼焉，已亡之耳。」（卷二十八，頁 337）此篇主要陳述喪服五等之制，由最重之斬衰、齊衰三年，漸次大功、小功，至緦麻三月等之服。此喪服之禮不限於天子貴族，下至庶人，皆總包在內。

〈特牲饋食禮〉：鄭玄〈目錄〉曰：「特牲饋食之禮，謂諸侯之士祭祖禰，非天子之士。而於五禮屬吉禮。」（卷四十四，頁 519）此篇主要陳述諸侯之士祭祖禰之禮，由祭前戒備之事，至祭事之過

程。

〈少牢饋食禮〉：鄭玄〈目錄〉曰：「諸侯之卿大夫祭其祖禰於廟之禮，羊豕曰少牢，少牢於五禮屬吉禮。」（卷四十七，頁 557）此篇主要陳述卿大夫祭其祖禰於廟之禮，由祭前之筮日，至將祭即位，終於祭畢出廟之禮。

〈有司徹〉：鄭玄〈目錄〉曰：「少牢之下篇也。大夫既祭儐尸於堂之禮，祭禮尸於室中。……有司徹於五禮屬吉禮。」（卷四十九，頁 580）劉向《別錄》以此篇為〈少牢饋食禮〉之下篇，二戴分為二篇，鄭玄因之。此篇主要陳述大夫儐戶與不儐尸之二種禮：儐尸者，由儐尸前之整設溫俎，至主婦亞獻、上賓獻尸與均神惠以成三獻之禮；不儐尸者，亦有由尸八飯後事，至禮終尸出之禮。

〈士喪禮〉：鄭玄〈目錄〉曰：「士喪其父母，自始死至於既殯之禮。喪於五禮屬凶（禮）。」（卷三十五，頁 408）此篇主要陳述士自父母死為始，至父母既殯之期之禮，由父母死起，小斂、大斂等事，至父母既殯之日之士喪之禮。

〈既夕禮〉：鄭玄〈目錄〉曰：「士喪禮之下篇也。既，巳也，謂先葬二日，巳夕哭時，與葬間一日，凡朝廟日請啟期必容焉，此諸侯之下士一廟，其上士二廟，則既夕哭，先葬前三日。」（卷三十八，頁 448）劉向本以此篇為〈士喪禮〉之下篇。此篇主要陳述士之父母死後，自請期，至啟殯、遷柩，終於葬日與葬後反哭之禮。

〈聘禮〉：鄭玄〈目錄〉曰：「大問曰聘，諸侯相於久無事，使卿相問之禮，小聘使大夫。《周禮》曰：『凡諸侯之邦交，歲相問，殷相聘也，世相朝也。』於五禮屬賓禮。」（卷十九，頁 226）

此篇主要陳述諸侯之國交相問聘之禮。聘禮分大、小，聘禮乃由受聘者賓至諸侯國境，至主國君臣與賓介之應對之禮。

〈公食大夫禮〉：鄭玄〈目錄〉曰：「主國君以禮食小聘大夫之禮。於五禮屬嘉禮。」（卷二十五，頁299）此篇主要陳述國君諸侯食聘大夫，兼及大夫相食之禮，由陳設饌食，至為食賓設正饌、加饌，終於賓卒食拜賜之禮。

〈覲禮〉：鄭玄〈目錄〉曰：「覲，見也。諸侯秋見天子之禮，春見曰朝，夏見曰宗，秋見曰覲，冬見曰遇。朝宗禮備，覲遇禮省，是以享獻不見焉。三時禮亡，唯此存爾。覲禮於五禮屬賓（禮）。」（卷二十六下，頁318）此篇主要陳述諸侯於秋見天子，天子待諸侯之禮。由諸侯將覲之初，至入覲之事，終於王者設壇賜諸侯之禮。

綜觀《儀禮》十七篇內容所涉及之對象，主要以士階層為主，故西漢時稱《士禮》，頗能反映其書精神。然而《士禮》並非全然只論士之禮，實際上，除士之外，十七篇尚且規範天子、諸侯與卿大夫等貴族，甚至〈鄉射禮〉、〈燕禮〉、〈大射禮〉、〈聘禮〉、〈公食大夫禮〉與〈覲禮〉等篇，概與士無甚關聯。故徐復觀以為：「實則《儀禮》中〈士禮〉十一篇，是因『天下無生而貴者』，天子之子亦猶士，故可推而至於天子。但〈喪服〉一篇，則總包天子以下之等差，而〈燕禮〉、〈大射〉、〈聘禮〉、〈公食大夫〉、〈覲禮〉五篇，皆諸侯之禮。《漢志》之言並不恰當。」⓲其實，稱「士禮」者，非專指士而言，而是指「士」以上之

⓲　《中國經學史的基礎》，頁166。

「禮」，如此解釋，始能符合「推《士禮》而致於天子之說」之論述；而鄭玄名之曰《儀禮》，似乎更能符合其書原貌，並且避免書名所引發無必要之誤解。至於〈喪服〉一篇，內容涉及庶人部份，所謂「庶人為國君」（卷三十一，頁368），乃指庶人為國君服喪，❹非謂庶人與士以上之貴族同遵一套喪服制度，因此，此篇尚未破壞「禮不下庶人」之原則。

　　鄭玄《三禮目錄》歸納十七篇禮之屬性，云：〈士冠禮〉、〈士昏禮〉、〈鄉飲酒禮〉、〈鄉射禮〉、〈燕禮〉、〈大射禮〉、〈公食大夫禮〉等七篇，於五禮中屬嘉禮；〈士相見禮〉、〈聘禮〉、〈覲禮〉等三篇屬賓禮；〈士虞禮〉、〈喪服〉（鄭玄未題此篇屬何禮）、〈士喪禮〉、〈既夕禮〉（鄭玄未題此篇屬何禮）等四篇屬凶禮；〈特牲饋食禮〉、〈少牢饋食禮〉、〈有司徹〉等三篇屬吉禮。所謂「五禮」者，《尚書·舜典》曰舜「修五禮」，馬融（79－166）注之曰：「修吉、凶、賓、軍、嘉之禮。」（卷三，頁38）又《周禮·地官·大司徒》曰：「以五禮防萬民之偽而教之中。」，鄭眾（？－85）云：「五禮謂：吉、凶、賓、軍、嘉。」（卷十，頁161）又〈春官·小宗伯〉曰：「掌五禮之禁令與其用等。」，鄭眾云：「五禮：吉、凶、軍、賓、嘉。」（卷十九，頁290）故鄭玄所謂「五禮」，當指吉、凶、軍、賓、嘉等五種不同屬性之禮。鄭玄以五禮題十七篇，獨缺軍禮，此一現象，並不意味

---

❹　《白虎通·喪服》卷十一曰：「禮不下庶人何？以為民制。服何？禮不下庶人者，尊卑制度也，服者，恩從內發，故為之制也。」頁600。

《儀禮》「殘闕」，亦不必因為《儀禮》缺軍禮而強為之解；**⑩**畢竟，「五禮」乃東漢時儒歸納禮之種類所得之結果，**⑪**以後世歸納之原則要求前世之著作，反倒扭曲前世著作之原貌。況且，《儀禮》缺軍禮，顯示《儀禮》乃以士階級為主要論述之對象，間接證實漢代博士學官所執之《儀禮》，乃魯高堂生所傳之《士禮》。

　　《儀禮》經文部分，只是單純記載典禮儀式，屬禮儀制度範疇。後世由經文知儀禮之「然」，而不知儀禮形式所隱含之意義之「所以然」，故「禮記」之產生，其目的便在解說經義，或者補充經文使之備足，並兼記遠古之禮制。孔穎達《禮記正義》曰：「至孔子沒，後七十二之徒共撰所聞，以為此記，或錄舊禮之義，或錄變禮所由，或兼記體履，或雜序得失，故編而錄之，以為記也。」（卷一，頁 11）因此，《儀禮》中之「記」與「禮記」，兩者在本質

---

⑩ 許清雲在〈儀禮概述〉一文中探究《儀禮》之內容言：「若如周官五禮之目，則軍禮誰屬？……邵氏懿辰則謂：『鄉射、大射，亦寓軍禮之意。』……是軍禮之缺，實已亡失，邵氏懿辰不承認儀禮殘闕，乃以鄉射、大射充軍禮，未免牽強不倫矣。」收錄在李曰剛等著：《三禮論文集》（臺北：黎明文化事業，1981 年 1 月），頁 54—55。邵懿辰以鄉射、大射充軍禮，固屬牽強；然許清雲以《周官》之五禮，謂《儀禮》中缺軍禮是殘闕之作，亦不恰當。

⑪ 徐復觀認為：「以吉凶賓軍嘉五個名稱概括禮的內容，這是出於王莽劉歆們對傳統中極為繁複的禮，作了歸納性的整理後所提出來的。五禮的系列，為《周官》出現以前所未有。」《周官成立之時代及其思想性格》，頁 170；金春峰則修正徐復觀之說，認為：「明確將『五禮』概括為吉凶軍賓嘉五類，大約是東漢經學家鄭眾、馬融等人。也就是說，吉凶軍賓嘉五禮的觀念不僅不是《周官》的觀念，也不是王莽、劉歆的觀念，而是東漢儒者的觀念。」《周官之成書及其反映的文化與時代新考》（臺北：東大圖書公司，1993 年 11 月），頁 107。

上,並無不同。所以區分者,《儀禮》中之「記」乃附經文之後,並融於經文之中;而「禮記」則是獨立自行。記禮之書,在西漢有二本,鄭玄《六藝論》曰:「戴德傳記八十五篇,戴聖傳記四十九篇。」❷戴德與戴聖根據散篇之禮記,各自彙編成冊,戴德本有八十五篇稱《大戴記》,戴聖本有四十九篇稱《小戴記》。其中戴聖本《禮記》四十九篇中之〈曲禮〉、〈檀弓〉與〈雜記〉三篇,因篇文較長,各分上下二篇,實則只四十六篇目。《漢書·藝文志》記《禮古經》下「《記》百三十一篇」,原注曰:「七十子後者所記也」,是合大、小戴二本《禮記》之篇數。錢大昕(1728－1804)《二十二史考異》曰:

> 按鄭康成《六藝論》云:「戴德傳記八十五篇,戴聖傳記四十九篇。」此云百三十一篇者,合大小戴所傳而言。《小戴記》四十九篇,〈曲禮〉、〈檀弓〉、〈雜記〉皆以簡策重多,分為上下,實止四十六篇。合大戴之八十五篇,正協百三十一篇之數。❸

故《漢書·藝文志》合稱大小戴《記》百三十一篇。因《記》乃孔子後學所記,大小戴各自編輯成書,故〈藝文志〉注「七十子後者所記也」。自鄭玄為《小戴禮記》作注,東漢靈帝刻熹平石經,亦

---

❷ 《六藝論》卷七,頁4。

❸ 〔清〕錢大昕:《二十二史考異》(臺北:樂天出版社,1971年10月),卷七,頁297。

將《小戴禮記》列為七經之一，小戴本《禮記》遂成為定本而流傳
至今；而大戴本八十五篇，則因後世傳之者少，遂漸次散失，今僅
存四十九篇。

由於《禮記》內容繁複多樣，劉向《別錄》將四十九篇分為十
一類：

一，制度：〈曲禮〉（上、下）、〈王制〉、〈禮器〉、〈少
儀〉、〈深衣〉六篇。

二，通論：〈檀弓〉（上、下）、〈禮運〉、〈玉藻〉、〈學
記〉、〈經解〉、〈哀公問〉、〈仲尼燕居〉、〈孔子閒居〉、
〈坊記〉、〈中庸〉、〈表記〉、〈緇衣〉、〈儒行〉、〈大學〉
十五篇。

三，通錄：〈大傳〉一篇。

四，明堂陰陽：〈月令〉、〈明堂位〉二篇。

五，喪服：〈曾子問〉、〈喪服小記〉、〈雜記〉（上、
下）、〈喪大記〉、〈奔喪〉、〈問喪〉、〈服問〉、〈閒傳〉、
〈三年問〉、〈喪服四制〉十一篇。

六，世子法：〈文王世子〉一篇。

七，子法：〈內則〉一篇。

八，祭祀：〈郊特牲〉、〈祭法〉、〈祭義〉、〈祭統〉四
篇。

九，樂記：〈樂記〉一篇。

十，吉禮：〈投壺〉、〈射義〉二篇。

十一，吉事：〈冠義〉、〈昏義〉、〈鄉飲酒禮〉、〈燕
義〉、〈聘義〉五篇。

　　自劉向之後，《禮記》四十九篇仍不斷被分類，如：吳澄
（1247－1331）簡化為四類，❺❹梁啟超分為十類，❺❺蔣伯潛（1892－
1956）分為四大類，❺❻至高明（1909－）則分為三大類十三小類等，
❺❼不一而足。究其癥結，仍在於《禮記》四十九篇原非一人一時一
地之書，七十二子之後各撰所聞，「或錄舊禮之義，或錄變禮所
由，或兼記體履，或雜序得失，故編而錄之，以為記也」，四十九
篇所涵蓋之範圍，既有與《儀禮》經文類似之儀式制度條文，又有
如「記」之總論禮之義，與分論具體之禮制，甚至單篇兼禮制與禮
學，其本身屬雜記性質；因此，試圖以分類方式統攝其內容，總不
免徒勞且失之偏頗。❺❽

---

❺❹　〔元〕吳澄《禮記纂言》分《禮記》為四大類：一、通禮：㈠通記大小儀文，
　　㈡專記國家制度；二、喪禮：㈠記喪，㈡說「喪之義」；三、祭禮：㈠記祭，
　　㈡說「祭之義」；四、通論。

❺❺　梁啟超《要籍解題及其讀法》分《禮記》為十類：一、記述某項禮節條文的專
　　篇；二、記述某政令的專篇；三、解釋禮經的專篇；四、專記孔子言論；五、
　　記孔門及時人雜事；六、制度的雜記載；七、制度禮節的專門考證及雜考證；
　　八、通論禮意或學術；九、雜記格言；十、某項掌故的專記。

❺❻　蔣伯潛《經典經學》分《禮記》為四大類：一、記錄性質的：㈠記政制的，㈡
　　記禮節的，㈢記掌故的，㈣記孔子及時人雜事的；二、考證性質的；三、傳注
　　性質的；四、議論性質的。

❺❼　高明《禮學新探》以為《禮記》之分類：一、通論：㈠通論禮意的，㈡通論與
　　禮有關的學術思想的；二、通禮：㈠關於世俗生活規範的，㈡關於國家政令制
　　度的；三、專禮：㈠喪禮，㈡祭禮，㈢冠禮，㈣昏禮，㈤鄉飲酒禮，㈥射禮，
　　㈦燕禮，㈧聘禮，㈨投壺禮。（臺北：臺灣學生書局，1981 年 9 月，頁 79－
　　80。）

❺❽　以高明之分類為例。第一大類之「通論」，又細分二小類：「通論禮意的」、
　　「通論與禮有關的學術思想的」，此二小類之界限為何？第二大類之「通禮」

　　綜觀漢代之「三禮」，《周禮》主要記載周代六官及其所屬之名稱與職掌，其書雖得王莽青睞而立於學官，其制亦在王莽居攝期間付諸實踐，然而其書在劉歆校書時始發見，其制隨王莽政府垮台而廢棄，故其學未能深刻影響漢代禮制。《禮記》則是漢儒整理古文禮記之資料彙編，其書雖有零散之儀禮條文，但畢竟是部論禮之論文集成；其禮學雖可指導漢代禮學之發展，亦只能停留在學理階段，與成文禮制仍有一段差距。《儀禮》在西漢時立於學官，蔚為漢代禮制之代表，雖遠比其他二書更為重要，然而《儀禮》所載之儀文細節，乃先秦禮制之殘餘，未必符合漢代之要求；且其內容所及，雖與卿大夫、諸侯，乃至天子有關，但仍以貴族中最多數之士階級為對象，相對於健全之禮制而言，《儀禮》只是徒具形式且不合時宜之舊典。就漢代禮制而言，《白虎通》之出現，顯然有其歷史背景與時代意義。

第四節　《白虎通》禮制思想

　　雖然《周禮》是部具有組織架構之職官制度之書，是現實政治之主要參考依據，但卻是掇拾周代政治制度之書；《儀禮》是博士學官所執，代表學術之主流價值，但是內容僅止於士族之儀文；而

部分，〈曲禮〉等十篇，乃與禮制有關，為何不同於第三大類之「專禮」？而第三大類之「專禮」中，第一小類之「喪禮」部分，分〈奔喪〉以下九篇「記喪制」，而〈大傳〉以下之五篇「論喪義」，為何「論喪義」五篇非關禮制，而置於「專禮」？同理，「祭禮」之〈祭義〉與〈祭統〉二篇「論祭義」，亦屬「專禮」？

《禮記》雖以闡揚儒家禮學之思想為主軸，但又與當時流行之思想相背反；「三禮」雖各有所長，但無法滿足當時之政治與生活所需，終究要面臨修改，或者淪為「復古」之材料。《白虎通》之問世，正凸顯出漢代禮制所面臨之困境。

傳統對於《白虎通》之認知，僅止於是東漢章帝時「講議《五經》同異」會議之資料彙編。雖然《白虎通》文本之中所引述之典籍以《五經》為最大宗，但是《白虎通》引述《五經》文句之用意，只是做為問答過程中之結論部分之注腳，所謂「講議《五經》同異」之作用並不明顯，與經學會議之關係亦未見深刻。如前所述，從《白虎通》之文本而言，其內容是規範天子以至庶人之權利與義務，是部組織縝密之政治制度；而其本質則是具有「國憲」意義之成文法典，故《白虎通》文本並非經學會議之資料彙編，而是與禮制息息相關。因此，欲推究《白虎通》之真實身分，若從經學發展之角度探索，固然可以尋求一些蛛絲馬跡；但是若以禮學之發展考證，應該更切近於《白虎通》文本之本質。

總體而言，《白虎通》全書深具組織結構，主旨大意乃在「正名」當時之名物度數，所論不離政治制度與人倫秩序之範疇，此皆廣義之「禮」之內容。且《白虎通》之「問答」體例，以「問題」、「結論」與「引典」三項要素構成一則條文為其「標準型態」，書中所引述典籍之條文，以《禮》之經傳二百三十一則近四成最多（38.82%），「問題」討論之重點，六百五十七「問題」，形成一套結構完整之「國憲」。故從「問題」之體例與引述《禮》之經傳之形式上看，《白虎通》乃是一部有關禮樂制度之書，此說殆無疑義。依據《白虎通》論禮之內容性質而言，可概分成三大

類：其一，是總論禮之含義、作用與原理；其二，是論行禮之過程內容應對進退之儀式，與各別具體行禮之內涵意義；其三，是禮所規範下之人倫秩序，與國體組織章程與運作之政治制度。以下便依此三類性質，申論《白虎通》之禮制思想。

一、《白虎通》之禮義

《白虎通》有關論禮之含義、作用及其與原理，集中見於〈五行〉、〈災變〉、〈聖人〉、〈三正〉、〈情性〉、〈壽命〉、〈天地〉、〈日月〉、〈四時〉與〈五經〉等篇章。這些篇章之內容，將陰陽五行、天人感應之思維觀念帶入禮學之中，提供制禮之理論基礎，使《白虎通》成為一部深具時代思想之代表作。

如前所述，「禮」一辭可專指宗教儀式，亦可指具有政治與人倫意義作用之典禮儀式，甚至一切凡合於「義」之正當行為、儀式與制度者，皆可謂之「禮」。《白虎通》對禮之含義及其作用，亦復如此。《白虎通》曰：

> 禮樂者，何謂也？禮之為言履也。可履踐而行。樂者，樂也。君子樂得其道，小人樂得其欲。（卷三〈禮樂〉111）

> 禮者履也，履道成文也。（卷八〈性情〉452）

廣義之禮包含「樂」，泛稱「禮樂」。「禮樂」之「禮」，係指以儀式行為，而「樂」則指行禮所奏之音樂；故「禮」是可履踐而行，行之成規矩，而「樂」則是君子與小人各得其樂。

禮之重要性，可從兩方面說明。《白虎通》曰：

> 故樂所以蕩滌，反其邪惡也。禮所以防淫泆，節其侈靡也。
> （卷三〈禮樂〉112）

> 禮貴忠何？禮者，盛不足，節有餘，使豐年不奢，凶年不
> 儉，貧富不相懸也。（卷三〈禮樂〉115）

就消極作用而言，禮具有杜絕人心因物質充裕而導致淫泆侈靡之弊
端，並具有調節供需平衡，防止貧富不均等經濟問題。禮之所以能
夠規範人心，並能解決民生問題，乃在於禮具有「尊人自損」、
「屈己敬人」、「揖讓」「不爭」之本質意義。❺❾《白虎通》曰：

> 夫禮者，陰陽之際也，百事之會也。所以尊天地，儐鬼神，
> 序上下，正人道也。（卷三〈禮樂〉114）

禮介於陰陽之際，匯集百事，舉凡祭祀天地，引導鬼神，順序上
下，端正人道之事，莫乎行禮。就人事而言，禮之積極作用，除祭
祀典禮之儀式外，乃在於建立人倫秩序。《白虎通》曰：

---

❺❾ 《白虎通》曰：「禮所揖讓何？所以尊人自損也，揖讓則不爭。《論語》曰：
『揖讓而升，下而飲，其爭也君子。』故『君使臣以禮，臣事君以忠』。『謙
謙君子，利涉大川』，以貴下賤，大得民也。屈己敬人，君子之心。故孔子
曰：『為禮不敬，吾何以觀之哉？』」（卷三〈禮樂〉114）

> 朝廷之禮，貴不讓賤，所以明尊卑也；鄉黨之禮，長不讓
> 幼，所以明有年也；宗廟之禮，親不讓疏，所以明有親也。
> 此三者行，然後王者得，王者得，然後萬物成，天下樂之。
> 故樂用磬也。（卷三〈禮樂〉150）

禮之作用於朝廷，可以依位階彰顯尊卑貴賤之政治制度；作用於鄉
黨鄉里，可以依年歲建立長幼有序之社會倫理；作用於宗廟祭祀，
可以依血緣區別遠近親疏之宗族關係。王者得此三禮，必能養成萬
物，天下和樂。樂之作用亦如是。⑩由此可知，禮樂之效能與「正
法度」、「同律厤」、「協時月」一致，皆是為民生所設，⑪亦是
王者治天下最基本、最重要之工具。

　　禮之所以具有建立人倫秩序之功能，而成為王者治天下之工
具，乃在於禮是依循陰陽五行運行之規律，與天人感應之天命觀而
設置，故禮必然能有效維護政治、社會與宗族之和諧。須知，禮是

---

⑩　《白虎通》曰：「故《孝經》曰：『安上治民，莫善於禮。』『移風易俗，莫
　　善於樂。』子曰：『樂在宗廟之中，君臣上下同聽之，則莫不和敬；在族長鄉
　　里之中，長幼同聽之，則莫不和順；在閨門之內，父子兄弟同聽之，則莫不和
　　親。故樂者，所以崇和順，比物飾節，節奏合以成文，所以和合父子君臣，附
　　親萬民也，是先王立樂之意。故聽其雅頌之聲，志意得廣焉，執干戚，習俯
　　仰屈伸，容貌得齊焉。行其綴兆，要其節奏，行列得正焉，進退得齊焉。故樂
　　者，天地之命，中和之紀，人情之所不能免焉。故樂者，先王之所以飾喜也。
　　軍旅鈇鉞，先王所以飾怒也。故先王之喜怒，皆得其齊焉。喜則天下和之，怒
　　則暴亂者畏之。先王之道，禮樂可謂盛矣。』」（卷三〈禮樂〉112－113）
⑪　《白虎通》曰：「考禮義，正法度，同律厤，協時月，皆為民也。」（卷六
　　〈巡狩〉342）

介於陰陽之際，匯集百事之儀式，必以禮為方法，始能達到溝通天
人相與之際，與建立人倫秩序之目的。《白虎通》曰：

> 王者所以盛禮樂何？節文之喜怒。樂以象天，禮以法地。人
> 無不含天地之氣，有五常之性者。故樂所以蕩滌，反其邪惡
> 也。禮所以防淫泆，節其侈靡也。（卷三〈禮樂〉112）

> 太平乃制禮作樂何？夫禮樂，所以防奢淫。天下人民飢寒，
> 何樂之乎？功成作樂，治定制禮。樂言作，禮言制何？樂
> 者，陽也，動作倡始，故言作；禮者，陰也，繫制於陽，故
> 言制。樂象陽也，禮法陰也。（卷三〈禮樂〉117-118）

> 心所以為禮何？心，火之精也。南方尊陽在上，卑陰在下，
> 禮有尊卑，故心象火，色赤而銳也。人有道尊，天本在上，
> 故心下銳也。耳為之候何？耳能遍內外，別音語，火照有似
> 于禮，上下分明。……小腸大腸，心肺之府也。主禮義，禮
> 義者，有分理，腸亦大小相承受也。（卷八〈性情〉456-460）

《白虎通》言人稟陰陽之氣而生，故生而有陰陽之氣；人之所以有
五性六情，亦是源於六律五行之氣，性情由五藏六府外化成行為表
現。相應於人之有五性六情，王者制禮作樂之目的，乃在效法陰陽
五行，樂象陽而禮法陰：以樂蕩滌性情，反其邪惡；以禮防淫泆，
節其侈靡。且相應於人之有五藏六府，五性之「禮」、五藏之
「心」與五官之「耳」，皆屬五行之「火」，而「火」在南方，陽

在上，陰在下，象徵禮有尊卑，上下分明，甚至六府之「小腸大腸」亦表現禮義之有大小相承之理。《白虎通》曰：

> 經所以有五何？經，常也，有五常之道，故曰《五經》。《樂》仁，《書》義，《禮》禮，《易》智，《詩》信也。人情有五性，懷五常不能自成，是以聖人象天五常之道而明之，以教人成其德也。（卷九〈五經〉531）

人雖有五常之性，但人非聖賢，不能由己自發五常之德，必有賴聖人之教誨。聖人所言之常道乃象天之五常，故經書有五部：以《樂》教仁，以《書》教義，以《禮》教禮，以《易》教智，以《詩》教信，聖人以《五經》教人發揮成就五常應有之德。人之道德文章皆從陰陽所生，故及成人，當制冠以飾首，以示成禮。⑫

　宇宙之初，先有陰陽五行，始生道德文章。因此，就發生歷程而言，是先有人之五常，始有禮樂制度。而禮樂制度乃是因應人之五常而設，必然合符人性之要求。然而，行禮者亦有相對之條件限制。《白虎通》曰：

> 王者制夷狄樂，不制夷狄禮何？以為禮者，身當履而行之。夷狄之人，不能行禮。樂者，聖人作為以樂之耳。故有夷狄樂也。（卷三〈禮樂〉132）

---

⑫　《白虎通》曰：「人懷五常，莫不貴德，示成禮有修飾文章，故制冠以飾首，別成人也。」（卷十〈紼冕〉586）

王者有制夷狄之樂而無制夷狄之禮，原因乃在樂以為娛樂，故有夷狄樂；但是禮當身體力行，而夷狄之人則不能行禮。夷狄之人所以不能行禮，僅是夷狄之人不知如何行禮，更重要者，是夷狄之人不知禮義，且不能被禮義所感化。《白虎通》曰：

> 夷狄者，與中國絕域異俗，非中和氣所生，非禮義所能化，故不臣也。（卷七〈王者不臣〉376－377）

夷狄民族居處偏遠，風俗與中國迥然不同，亦非中和陰陽之氣所生，故不能被禮義所化。由此可知，禮樂制度是根據人之五常之性所設，禮樂制度符合陰陽五行之理論，必然符合人性之需求；反之，若無五常之性，則不能被禮義所化，更無法知禮義、行禮儀。

禮樂制度乃為王者治天下而設。至於「禮不下庶人」之義，《白虎通》曰：

> 刑不上大夫何？尊大夫。禮不下庶人，欲勉民使至於士。故禮為有知制，刑為無知設也。庶人雖有千金之幣，不得服。刑不上大夫者，據禮無大夫刑也。或曰：捶笞之刑也。禮不下庶人者，謂酬酢之禮也。（卷九〈五刑〉525－526）

> 禮不下庶人，何以為民制服何？禮不下庶人者，尊卑制度也。服者，恩從內發，故為之制也。（卷十一〈喪服〉600）

禮既是王者治天下之工具，則廣義之禮，應包含貴族之禮樂與庶人

之刑法，「禮為有知制」，「刑為無知設」，一切禮樂刑法制度實是為天下之人而設，天下之人之一切言行舉止，必以禮為依歸。故所謂「禮不下庶人」，乃指筵席上賓主相互敬酒之「酬酢之禮」，此「禮為有知制」非關庶人；且禮重上下尊卑制度，庶人在下，故無禮可行。唯有在王者崩薨時期，天下庶人為國君服齊衰三月，方有服喪之禮。❻雖然《白虎通》言「禮不下庶人」，以禮分判庶人與貴族之社會地位，貴族雖然世襲，但是「禮不下庶人，欲勉民使至於士」，以禮鼓勵庶人爭取社會地位，躋身士以上之貴族，顯示庶人與貴族間之社會階級可以互通流動。

禮是王者理想治國之具，其本身有如經典般不易變更之神聖性，故王者之制禮，不僅在時間上有其嚴格規定，制禮之過程，亦充滿政治意味之象徵性。王者受天命，乃係天道循環之結果，故王者受命之時，當以改制封禪回應天命流行，回報天下太平。《白虎通》曰：

> 百王同天下，無以相別，改制，天子之大禮，號以自別于前，所以著己之功業也，必改號者，所以明天命已著，欲顯揚己于天下也。己復襲先王之號，與繼體守文之君無以異也。不顯不明，非天意也。故受命王者，必擇天下美號，表著己之功業，明當致施是也。所以預自表克于前也。（卷二〈號〉68）

---

❻ 《白虎通》曰：「禮，庶人為國君服齊衰三月。王者崩，京師之民喪三月何？民賤而王貴，故恩淺，故三月而已。」（卷十一〈喪服〉599）

王者受命於天而統一國家，國家統一象徵王者完成天命，天子即位之初，必改國號以別於前代，以彰顯天命已成。故改制乃是回應天命最重要之一環，是天子之大禮，而改號則是改制工程中之首要任務。天道以三正循環，今天子既已受命，即是正天命之一統；但天下猶歷經數代帝王經營，終非一家之有，「存二王之後」之意義，❻❹便是彰顯三正循環之必然與王者改制之必要。

　　立國號之後，王者另一項重大政治改制工程，便是禮樂制度。若謂改號是象徵意味濃厚之政治手段，則改制（禮樂）是具有政治實用目的之建設。《白虎通》曰：

> 太平乃制禮作樂何？夫禮樂，所以防奢淫。天下人民飢寒，
> 何樂之乎？功成作樂，治定制禮。（卷三〈禮樂〉117－118）

無論就消極或積極之功能而言，禮是王者治天下之具，故天下底定之後，一套完整之禮樂制度乃是王者治政必備之建設。

　　雖然禮樂制度是王者治政之具，但同時亦是文化累積之產物，既非一蹴可幾，亦不可截斷源頭，故一套兼具歷史文化精神與時效實務功能之禮樂制度，乃是王者改制工程中最重大之課題。因為禮必須繼承既有之傳統，更要符合時代之需求，故改制並非是斷頭式

---

❻❹　《白虎通》曰：「王者所以存二王之後何也？所以尊先王，通天下之三統也。明天下非一家之有，謹敬謙讓之至也。故封之百里，使得服其正色，行其禮樂，永事先祖。《論語》曰：『夏禮吾能言之，杞不足徵也。殷禮吾能言之，宋不足徵也。』《春秋傳》曰：『王者存二王之後，使服其正色，行其禮樂。』」（卷八〈三正〉433－434）

之革新，而是在既有之傳統基礎上，做部分修改變更，以適應時代之變遷，同時彰顯新王新政之政治意義。至於改制之時機，《白虎通》特別強調應在「太平」時候。

「太平乃制禮樂」之觀念，在漢代頗為流行。《漢書·禮樂志》曰：

> 王者必因前王之禮，順時施宜，有所損益，即民之心，稍稍制作，至太平而大備。（卷二十二，頁1029）

《漢書》以為禮樂既是文化累積之產物，故王者所制之禮樂，必依前代之禮因時制宜，逐漸修改部分內容，至天下太平而大體完成。《白虎通》曰：

> 王者始起，何用正民？以為且用先代之禮樂，天下太平，乃更制作焉。《書》曰：「肇稱殷禮，記新邑。」此言太平去殷禮。（卷三〈禮樂〉118）

天下不可一日無禮，故王者始起，且沿用先代之禮樂，待天下太平之時，乃更制作禮樂。《白虎通》與《漢書》所載稍有不同。《漢書》認為，自王者即位之時即可開始逐次修改前代之禮，至天下太平之時，代表當代之禮即可完成；而《白虎通》則是認為，王者即位之時且先沿用前代之禮，至天下太平之後再行改定禮樂，一舉完成。兩者之說法雖然不同，不過兩者皆同意，天下太平之時，禮樂制度應當完備無闕。

二、《白虎通》之禮儀

廣義之禮,指含禮、樂、制度等之禮制,故禮制兼具禮儀與制度雙重義意。《禮記·昏義》曰:「夫禮,始於冠,本於昏,重於喪、祭,尊於朝、聘,和於射、鄉,此禮之大體也。」(卷六十一,頁 1000－1001)《正義》曰:「此經因昏禮為諸侯之本,遂廣明禮之始終。始則在於冠、昏,終則重於喪、祭,其間有朝、聘、鄉、射,是禮之大體之事也。」(同上)所謂冠、昏、喪、祭、朝、聘、射、鄉等八種禮儀,乃貴族終生必經之重要階段過程,故是禮之大體,亦皆屬儀禮之範疇。《白虎通》書中與典禮儀式之儀禮部分關係較為密切者,有:〈五祀〉、〈社稷〉、〈禮樂〉、〈三軍〉、〈鄉射〉、〈封禪〉、〈巡狩〉、〈瑞贄〉、〈嫁娶〉、〈紼冕〉、〈喪服〉與〈崩薨〉等篇章。然而,《白虎通》全書以「問答」形式確立典禮儀式之原則,並闡述儀禮之意義與理論,同時亦提供歷史材料以資參考,類似《禮記》之性質。但是,《白虎通》之論述方式,與《儀禮》之清楚記載典禮儀式之前進後退、升階下堂、起坐揖讓等一切言行舉止之論述方式迥異。

古代禮儀繁複而多樣,而以「五禮」概括統稱各項典禮儀式之說,或可上溯《尚書》。〈舜典〉曰:

> 肆覲東后,協時月正日,同律度量衡,修五禮五玉。(卷三,頁 38)

注曰:「修吉、凶、賓、軍、嘉之禮。」〈皋陶謨〉亦有:「天秩

有禮，自我五禮有庸哉。」（卷四，頁 62）注曰：「當用我公、侯、伯、子、男五等之禮以接之，使有常。」《周禮·春官·大宗伯》曰：

> 大宗伯之職，掌建邦之天神人鬼地示之禮，以佐王建保邦國。以吉禮事邦國之鬼神示，……以凶禮哀邦國之憂：以喪禮哀死亡，以荒禮哀凶札，以弔禮哀禍災，以襘禮哀圍敗，以恤禮哀寇亂。以賓禮親邦國。以軍禮同邦國：大師之禮用眾也，大均之禮恤眾也，大田之禮簡眾也，大役之禮任眾也，大封之禮合眾也。以嘉禮親萬民：以飲食之禮親宗族兄弟，以昏冠之禮親成男女，以賓射之禮親故舊朋友，以饗燕之禮親四方之賓客，以脤膰之禮親兄弟之國，以賀慶之禮親異姓之國。（卷十八，頁 270－278）

鄭玄注之曰：「建，立也，立天神地祇人鬼之禮者，謂祀之，祭之，享之禮，吉禮是也。保，安也，所以佐王立安邦國者，主謂凶禮、賓禮、軍禮、嘉禮也。」所謂「五禮」，乃是將儀禮之性質分為五類，依《周禮》所言，「吉禮」乃謂祭祀享饗天神地祇人鬼之禮；「凶禮」是哀邦國之憂，凶禮有五：喪禮、荒禮、弔禮、襘禮與恤禮等細目；「賓禮」是諸侯覲見天子，天子敦睦邦國之禮；「軍禮」是和協邦國，使其不協僭差之禮，軍禮有五：大師之禮、大均之禮、大田之禮、大役之禮與大封之禮等細目；「嘉禮」是親善萬民，以別飲食男女之禮，嘉禮有六：飲食之禮親、昏冠之禮、賓射之禮、饗燕之禮、脤膰之禮與賀慶之禮等細目。故所謂「五

禮」，乃是依各項典禮儀式之性質加以分類，為吉、凶、賓、軍與嘉禮五種，泛稱一切典禮儀式，其作用在於之建立王者祭祀天神地祇人鬼，與輔佐王者立安邦國之禮儀。

《尚書》所言之「五禮」，其意未明，而兩注所指互異；《周禮》雖有五禮名目，猶未以「五禮」統合諸禮儀。馬融、鄭眾與鄭玄等以「五禮」稱之，是東漢儒生歸納禮之種類所得之結果，非禮儀創制之初即有此概念。鄭玄以「五禮」類分《儀禮》十七篇，獨缺軍禮；且〈喪服〉與〈既夕禮〉兩篇尚未歸類，是鄭玄疏忽或是無法歸納亦不可知。但是，然自東漢以後，以「五禮」概括所有儀禮乃成一股潮流，至清人秦蕙田（1702-1764）所著《五禮通考》，❻整理分析歷代禮制沿革，猶以「五禮」統攝之，顯見其影響之深遠。

秦蕙田謂「考制必從其朔，法古貴知其意。而議禮之家，古稱聚訟，權衡審度，非可臆決」，其《五禮通考》七十五門類，凡二百六十二卷，乃是以〈大宗伯〉之「五禮」為大類，根據《三禮》所載，詳考「杜氏佑《通典》、陳氏祥道《禮書》、朱子《儀禮經傳通解》、馬氏端臨《文獻通考》」，「古今沿革，本末源流，異同失得之故，咸有考焉」。其中徐乾學（1631-1694）之《讀禮通考》一百二十卷，秦蕙田稱是書內容「上自王朝，下逮民俗，古禮今制，靡弗該載。是編六籍而外，後世典章，始于秦漢，訖于前明」，可惜是書專論喪禮，「吉嘉賓軍四禮，屬草未就」，秦蕙田並以徐書為基礎，「詳悉考訂，定厥指歸」，將五禮再細分為八十

---

❻ 〔清〕秦蕙田：《五禮通考》（臺北：新興書局，1970 年 7 月原刻本）。

三類（不含附錄部分）。可知，〈大宗伯〉之「五禮」，係指大宗伯所職掌之五大典禮儀式，而《五禮通考》不僅記載歷代之禮儀，更重要者，是書乃將歷代之制度民俗納入其中，將《周禮》所言「五禮」狹義之禮儀，轉化且擴大為以禮為準則之廣義之禮制。❻今以《五禮通考》所列為參考基礎，比較《儀禮》篇章之分類，並歸納《白虎通》與禮儀有關之篇章。

五禮	《儀禮》	《白虎通》	《五禮通考》
吉禮			圜丘祀天
			祈穀
			大雩
			明堂
			五帝
			祭寒暑
			日月
			星辰
			方丘祭地
		〈社稷〉	社稷
			四望山川
		〈封禪〉	附：封禪
		〈五祀〉	五祀
			六宗
			四方

❻　《五禮通考》所論之禮，如：嘉禮之即位改元、上尊號、觀象授時、體國經野、設官分職；軍禮之軍制、車戰、舟師、馬政等，此類概與制度有關，但不涉及禮儀，特別是設官分職一類，專論歷代官制，且將「《周禮》官制」置於此類，猶可證明《五禮通考》已將「五禮」之專論禮儀擴大為廣義之禮制。

			四類
			高禖
			蜡臘
			儺
			酺
			盟詛
			釁
		〈禮樂〉	宗廟制度
			附：音樂
			宗廟時享
			禘祫
			薦新
			后祀廟
			私親廟
			太子廟
			諸侯廟祭
〈特牲饋食禮〉 〈少牢饋食禮〉 〈有司徹〉			大夫士廟祭
			祀先代帝王
			祭先聖先師
			祀孔子
			功臣配享
			賢臣祀典
			新耕享先農
			親蠶享先蠶
			享先火
			享先炊
			享先卜

			享先醫
			祭厲
嘉禮			即位改元
			上尊號
			朝禮
			尊親禮
			飲食禮
	〈士冠禮〉	〈絆冕〉	冠禮
	〈士昏禮〉	〈嫁娶〉	昏禮
	〈燕禮〉 〈公食大夫禮〉		響燕禮
	〈大射禮〉 ❻❽ 〈鄉射禮〉	〈鄉射〉	射禮
	〈鄉飲酒禮〉		鄉飲酒禮
			學禮
		〈巡狩〉	巡狩
			觀象授時
			體國經野
			設官分職
賓禮			天子受諸侯朝
	〈覲禮〉	〈瑞贄〉	天子受諸侯蕃國朝覲
			會同
			三恪二王後
			諸侯聘於天子
			諸侯相朝

---

❻❽　《五禮通考》凡例曰：「《儀禮》十七篇，依鄭注嘉禮居其七，《通典》從開元禮以〈大射〉、〈鄉射〉屬軍禮，《宋史》仍屬嘉禮。夫古者射以觀德，貫革非所尚也，今從鄭氏。」頁 26。

			諸侯會盟遇
	〈聘禮〉		諸侯遣使交聘
	〈士相見禮〉		士相見禮
軍禮		〈三軍〉	軍制
			出師
			校閱
			車戰
			舟師
			田獵
			馬政
凶禮			荒禮
			札禮
			災禮
			襘禮
			恤禮
			唁禮
			問疾禮
	〈喪服〉	〈喪服〉〈崩薨〉	喪禮
	〈士喪禮〉〈既夕〉		士喪禮
	〈士虞禮〉		士虞禮

　　由《五禮通考》比較《儀禮》與《白虎通》之篇章可知：一，《五禮通考》之範圍綜合王朝民俗、古禮今制於其中，使專指禮儀之「五禮」，轉化成泛指合乎禮義之禮制。《五禮通考》雖然以「五禮」做為歷代禮儀分類之標準，涵蓋歷史之範圍擴大，離析禮儀內容愈細，其分類愈多；因此，《儀禮》與《白虎通》二書之與其對應篇章之內容，未必僅侷限於單一門類之中。二，《儀禮》不

僅獨闕軍禮，歸於吉禮之〈特牲饋食禮〉、〈少牢饋食禮〉、〈有司徹〉三篇，乃屬「大夫士廟祭」類，是以士大夫階級為主之祭禮。而〈覲禮〉屬士大夫覲見王者之禮，對象亦是士大夫；甚至〈士喪禮〉、〈士虞禮〉二篇，專指士大夫之喪禮儀式，故《五禮通考》特別獨立成一類置於凶禮之末。凡此皆可說明，《儀禮》之本質乃以士族為主要論述對象，並擴及士以上之階級者，印證《儀禮》乃「推士禮而致於天子之說」之書。三，《白虎通》涉及禮儀之篇章，不僅記載典禮儀式行進之內容，而且極力闡述與禮儀相關規定具體事項之意義，其性質更貼近《禮記》。

《白虎通》曰：

> 考禮義，正法度，同律厤，（協）時月，皆為民也。《尚書》曰：「遂覲東后，（協）時月正日，同律度量衡，修五禮。」（卷六〈巡狩〉342）

《白虎通》以為考禮義與正法度，同律厤，協時月同等重要，皆為民所設，亦是王者治天下最基本之建設。事實上，《白虎通》僅有在〈巡狩〉篇引述《尚書》之「修五禮」一辭，其中並不涉及「五禮」之內容，亦未述及吉、嘉、賓、軍、凶等之五禮；因此，在《白虎通》之中並未說明所謂「五禮」之內容。雖云如此，但是「五禮」所涵蓋之禮儀範圍，《白虎通》皆有論述，今且依《周禮》所論「五禮」之序，說明《白虎通》之禮儀。

㈠ **吉禮**

《說文》曰：「吉，善也。」（頁59）《禮記·祭統》曰：

「凡治人之道，莫急於禮。禮有五經，莫重於祭。」（卷四十九，頁830）鄭玄注曰：「禮有五經，謂：吉禮、凶禮、賓禮、軍禮、嘉禮也。莫重於祭，謂以吉禮為首也。」又曰：「立天神地祇人鬼之禮者，謂祀之，祭之，享之禮，吉禮是也。」故「吉禮」乃指祭祀享饗天神地祇人鬼之禮，其重要性居五禮之首。《白虎通》有關吉禮部分，主要集中在〈五祀〉、〈社稷〉、〈封禪〉等篇，而〈禮樂〉篇則專論禮義與樂相關之規定。

《白虎通》曰：

> 獨大夫已上得祭之何？士者位卑祿薄，但祭其先祖耳。《禮》曰：「天子祭天地，諸侯祭山川，卿大夫祭五祀，士祭其先。」《曲禮下》記曰：「天子祭天地，四方山川，五祀，歲遍。諸侯方祀，祭山川，五祀，歲遍。卿大夫祭五祀。士祭其先。有廢莫敢舉，有舉莫敢廢，非所當祭而祭之曰淫祀，淫祀無福。」（卷二〈五祀〉95）

祭祀之禮乃是最具政治意味之典禮，故就祭祀者之階級，其及祭祀之對象範圍，有其嚴格限制。天子每年得祭天地，四方山川，五祀；諸侯每年得方祀，祭山川，五祀；卿大夫則只祭五祀；至於士則因為位卑祿薄，只能祭其先祖。祭祀者必須依據自身之位階以確立祭祀之對象，若祭祀者之位低而祭祀上位之對象，即「非所當祭而祭之曰淫祀」，淫祀乃非禮且無福報。故祭祀者與祭祀之對象必需相應，此乃祭祀之禮之最高原則。

凡卿大夫以上者，得祭五祀。《白虎通》曰：

五祀者，何謂也？謂門、戶、井、灶、中霤也。所以祭何？
人之所處出入，所飲食，故為神而祭之。（卷二〈五祀〉93）

所謂「五祀」，即祭門、戶、井、灶與中霤等五處之神。因五處乃
人所得以居住飲食，故卿大夫以上者，每年得祭一遍。五祀所以歲
一遍，乃是順五行之理。至於祭五祀之時間：春祭戶，夏祭灶，秋
祭門，冬祭井，六月祭中霤。而祭五祀所用之牲禮，且有二說：一
說「祭五祀，天子諸侯以牛，卿大夫以羊，因四時祭牲也」；「一
說戶以羊，灶以雞，中霤以豚，門以犬，井以豕。或曰：中霤用
牛，不得用牛者用豚，井用魚。」（卷二〈五祀〉97－98）

　　凡天子諸侯之王者，得有社稷而祭之。《白虎通》曰：

> 王者所以有社稷何？為天下求福報功。人非土不立，非穀不
> 食，土地廣博，不可遍敬也。五穀眾多，不可一一祭也，故
> 封土立社，示有土也。稷，五穀之長，故立稷而祭之也。稷
> 者，得陰陽中和之氣，而用尤多，故為長也。（卷三〈社
> 稷〉）

社乃土地之謂，而稷得陰陽中和之氣，而用處尤多，故為五穀之
長。人有土乃有立足之地，有穀方有可食之物。然而土地廣博，不
可遍敬；五穀眾多，不可一一祭也，故王者所以封土立社，立稷而
祭，乃為天下求福報功也。且因社為土地之神，生養萬物，故王者
當親臨主祭社稷，以示尊重。除王者之外，「有國及治民之大

夫」，因有其民，故亦有社稷。❻此外，諸如：以一年於春、秋兩祭為原則；祭品為三牲；設祭社稷於中門之外，外門之內；社稷無屋有樹；社稷其壇之大，其色為何；及社稷有樂等祭社稷之細節，皆有詳細規定。

唯有天子之尊，乃有封禪祭天之禮。《白虎通》曰：

> 王者易姓而起，必升封泰山何？報告之義也。始受命之日，改制應天，天下太平，功成封禪，以告太平也。（卷六〈封禪〉329）

王者受命即位之初，登泰山封禪之政治意涵，及封禪典禮乃是《白虎通》天人感應思想之具體表現。然而封禪之禮儀，在西漢之時已鮮為人知，至東漢時知之者亦寡。《白虎通》曰：

> 太平乃封，知告於天，必也於岱宗何？明知易姓也。刻石紀號，知自紀於百王也。燎祭天，報之義也；望祭山川，祀群神也。（卷六〈封禪〉333－334）

太平必於泰山封禪告天，刻石紀號，乃是彰顯天下易姓為王，王者居百王之列。封禪之禮，乃以燔柴祭天，以望祭山川，四方群神亦

---

❻ 《白虎通》曰：「大夫有民，其有社稷者，亦為報功也。《禮祭法》曰：『大夫以下，成群立社，曰置社。』《月令》曰：『擇元日，命民社。』《論語》曰：『季路使子羔為費宰。』曰：『有民人焉，有社稷焉。』」卷三〈社稷〉，頁105。

皆從祀。不僅封禪時祭天，巡狩時亦須祭天。《白虎通》曰：

> 巡狩必祭天何？本巡狩為天，祭天所以告至也。《尚書》曰
> 「東巡狩至于岱宗，柴」也。（卷六〈巡狩〉346）

天子五年親自巡狩天下，三年二伯出述職黜陟，乃是巡行守牧民之
公事，亦是天子代天巡狩天下謹敬重民之舉措，故天子巡狩之前必
至泰山祭天，以告天命。至於《白虎通》卷十二莊述祖增補之〈郊
祀〉部分，諸如：祭天必以祖配，祭天用夏正，祭天必於郊，祭日
用丁與辛，祭天歲一遍，及祭天作樂等，記載郊祀祭天之相關規
定，亦是吉禮之範圍。

(二) 凶禮

　　《說文》曰：「凶，惡也。象地穿交陷其中也。」（頁337）
《周禮》謂「凶禮」是哀邦國之憂，有喪禮、荒禮、弔禮、禬禮與
恤禮等細目，凶禮是喪禮之總稱。喪禮一直是五禮之中最受重視之
禮儀，原因不僅在於喪禮過程繁複，喪期曠日費時；更重要者，
「喪禮不僅是個人及家庭事件，而且也是家族及社會事件，喪禮中
可以表現死者家族中權利義務的確認、調整、轉移或延續，同時也
表現死者及其家族的社會關係。」⑥《白虎通》有關喪禮之論述，
主要集中在〈喪服〉與〈崩薨〉兩篇。

　　〈喪服〉之「服」，概有兩義，其一做名詞解，是指喪葬時，
依生者與死者之關係決定所應穿著之服裝，此乃〈喪服〉之主要意

---

⑥　《天、人、社會──試論中國傳統的宇宙認知模型》，頁205。

義。《白虎通》曰：

> 喪禮必制衰麻何？以意副也。服以飾情，情貌相配，中外相
> 應。故吉凶不同服，歌哭不同聲，所以表中誠也。（卷十一
> 〈喪服〉604）

> 凶服不敢入公門者，明尊朝廷，吉凶不相干。故《周官》
> 曰：「凶服不入公門。」（卷十一〈喪服〉626）

喪禮時著衰麻以為服，衰麻謂之凶服，以衰麻表現對死者哀慟之
情。而著凶服時不入朝廷之內，以示對朝廷之尊敬。其二做動詞
解，是指喪葬時，依生者與死者之關係，於喪葬期間應著之服飾與
克守相關規定之行為。《白虎通》曰：

> 禮，庶人為國君服齊衰三月。王者崩，京師之民喪三月何？
> 民賤而王貴，故恩淺，故三月而已。（卷十一〈喪服〉599）

王者崩，民賤恩淺，故只為國君服齊衰三月，此處之「服」，既指
著齊衰之喪服，且指著齊衰喪服為期三月之喪禮。喪服之意義，乃
在表現生者為死者哀悼之意，並且「藉由這套特殊的裝扮，將服喪
者與外界作一適度的區隔，以便服喪者能盡情宣洩對於死去親人的
悲傷情緒，同時還要慢慢學習與死者逐漸割離現實的羈絆，而將對

於死者的感情妥為收藏，且能轉移至永遠的懷念」。❼

〈喪服〉篇主要在論述生者為死者所行之喪禮與所著之喪服，喪服之禮乃視生者與死者之相對關係決定應服之禮儀。基本上，生者與死者之關係，可從政治與血緣兩項關係加以確認，以政治上之尊卑秩序或血緣上之親疏遠近決定生者之喪服。從政治關係而言，若死者為天子，則諸侯以下乃至庶人皆得服喪禮，生者且依政治階級服喪，如諸侯為天子斬衰三年，京師之民服喪三月，即使臣下服喪亦得依權位之高下而有先後之別。依血緣關係而言，則規定孝子失父、母所以杖竹、桐，孝子失親必居倚廬。至於無政治與血緣之師生關係，亦有弟子得為師服喪之規定。此外，〈喪服〉亦規定喪禮必制衰麻；腰絰以代紳帶；喪禮不言；服者若喪有病；得飲酒食肉之「變禮」；婦人不得出境弔喪；畏、厭、溺死者不弔；聞喪哭而後行之「奔喪」；與哭喪時所在之處等相關事宜。

〈崩薨〉篇則主要在闡述王者與貴族之死之相關規定，諸如：天子崩，遣使者赴告諸侯；王者崩，諸侯悉奔喪；臣死亦赴告於君；諸侯薨，亦赴告鄰國；諸侯夫人薨，亦告天子；諸侯薨，天子哭之，及使大夫弔之；諸侯薨，使臣歸瑞珪於天子；臣子死，君往弔之。篇中亦詳細規定，依死者之政治階級而有不同之殯葬儀式，如：「含斂」、「贈襚賻賵」、「殯禮」、「殯日」、「祖載」、「棺槨厚薄之制」、「葬禮」、「墳墓封樹」等。至於天子下至庶人之死，亦因死者之政治尊卑而有不同稱謂。

---

❼ 林素英：《喪服制度的文化意義——以《儀禮·喪服》為討論中心》（臺北：文津出版社，2000年10月），頁179。

(三) 賓禮

《說文》曰：「賓，所敬也。」（頁 283）《周禮》謂「以賓禮親邦國」，「賓禮」是諸侯覲見天子，天子敦睦邦國之禮。《儀禮》中〈覲禮〉、〈聘禮〉與〈士相見禮〉三篇屬於賓禮，《白虎通》討論賓禮部分，主要集中在〈瑞贄〉一篇。

「瑞」、「贄」乃是分屬兩種不同性質之器物之總稱。《白虎通》曰：

> 何謂五瑞？謂珪、璧、琮、璜、璋也。《禮》曰：「天子珪尺有二寸。」又曰：「博三寸，剡上，左右各寸半，厚半寸。半珪為璋。方中圓外曰璧，半璧曰璜，圓中牙外曰琮。」（卷八〈瑞贄〉412）

「瑞」是天子所執之玉器，有珪、璧、琮、璜、璋五種，合稱「五瑞」，又稱「五玉」。珪長尺有二寸，寬三寸，上尖，左右各寸半，厚半寸；珪之半為璋；璧方中圓外；璧之半為璜；琮圓中牙外。「五瑞」之尺寸不一，造型不同，用途亦殊。《白虎通》曰：

> 五玉者何施？蓋以為璜以徵召，璧以聘問，璋以發兵，珪以質信，琮以起土功之事也。（卷八〈瑞贄〉413）

就「五瑞」之用途而言：珪用以質信，璧用以聘問，琮以起土功之事，璜用以徵召，璋用以發兵，皆是天子與諸侯間之往來，與王者行使政令時所執之信物。《儀禮·覲禮》曰：

覲禮至于郊，王使人皮弁用璧勞。侯氏亦皮弁迎于帷門之
外，再拜。使者不答拜，遂執玉，三揖。至于階，使者不
讓，先升。侯氏升聽命，降，再拜稽首，遂升受玉。使者左
還而立，侯氏還璧，使者受。侯氏降，再拜稽首，使者乃
出。（卷二十六下，頁218-219）

此文敘述諸侯覲見天子之初，天子透過使者受玉於諸侯，諸侯還璧
於使者之大致儀式，鄭玄以為〈覲禮〉屬賓禮。《白虎通》雖然不
似《儀禮》般鉅細靡遺記載覲禮過程，不過仍然記錄諸侯執圭以覲
見天子之禮。《白虎通》曰：

合符信者，謂天子執瑁以朝，諸侯執圭以覲天子。瑁之為言
冒也，上有所覆，下有所冒也。故《覲禮》曰：「侯氏執圭
升堂。」《尚書大傳》：「天子執瑁以朝諸侯。」又曰：
「諸侯執所受珪與璧，朝于天子。無過者，復得其珪以歸其
邦，有過者，留其珪，能正行者，復還其珪。三年珪不復，
少絀以爵，六年珪不復，少絀以地，九年珪不復，而地畢
削。」（卷八〈瑞贄〉418-419）

諸侯覲見天子時，執天子所受之圭與璧，以圭與天子對質，天子以
圭之還留考核諸侯之政績，無過則還，有過則留。《白虎通》並引
《尚書大傳》之文，若三年珪不復，則少絀其爵，六年珪不復，則
少絀領地，九年珪不復，則其地畢削。因此，圭乃代表諸侯聽命於
天子，諸侯以圭為受命憑證，代天子以統治其邦國領地，諸侯執圭

覲見天子具有高度之政治意味。《白虎通》曰：

> 王者始立，諸侯皆見何？當受法，稟正教也。《尚書》「揖
> 五瑞」，「覲四岳」。謂舜始即位，見四方諸侯，合符信。
> 《詩》云：「元王桓撥，受小國是達，受大國是達。」言湯
> 王天下，大小國皆來見，湯能通達以禮義也。《周頌》曰：
> 「烈文辟公，錫茲祉福。」言武王伐紂，定天下，諸侯來
> 會，聚于京師，受法度也。遠近莫不至，受命之君，天之所
> 興，四方莫敢違，夷狄咸率服故也。（卷八〈瑞贄〉411－412）

受命之君即位之後，四方諸侯必聚於京師覲見天子，此乃諸侯覲見
天子之禮，而諸侯所以覲見天子，乃為服膺中央法制正教，表示輸
誠之意。《白虎通》並引《書》、《詩》之文，說明舜、湯、武王
即位，四方諸侯必聚京師聽命於天子之時，但有天子執五瑞與諸侯
合符信之儀式。《白虎通》曰：「五玉所施，非一不可，勝絛略舉
大者也。」（卷八〈瑞贄〉418）故所謂「瑞」，乃是天子行使政權命
令諸侯時所執之信物，缺一不可。

　　鄭玄以《儀禮・聘禮》屬賓禮，《白虎通》曰：「璧以聘問」
即是賓禮之一。諸侯出國入他邦之境之身份是「賓」，而「聘禮」
者，是「天子與諸侯之間，及諸侯與諸侯之間，遣使往來，以相通
好之禮」，**⓲**故諸侯與天子、諸侯與諸侯間之往來互動，皆稱賓

⓲ 謝德瑩：《儀禮聘禮儀節研究》（臺北：文史哲出版社，1983 年 7 月），頁
1。

禮。如《儀禮‧聘禮》曰：

> 若過邦，至于竟，使次介假道。束帛將命于朝，曰：請帥。
> 莫幣。（卷十九，頁230）

鄭玄注曰：「至竟而假道，諸侯以國為家，不敢直徑也。」《白虎
通》亦有類似規定：

> 諸侯家國，入人家，宜告主人，所以相尊敬，防并兼
> 也。⋯⋯將入人國，先使大夫執幣假道，主人亦遣大夫迎于
> 郊，為賓主設禮而待之，是其相尊敬也。（卷五〈誅伐〉266－
> 267）

諸侯入境他國，或假道過境，基於尊敬諸侯之領土主權，必先告知
主人，且將入他國，必先使大夫執幣假道；禮尚往來，主人亦遣大
夫迎于郊，為賓主設禮而待之，此乃賓禮也。

「瑞」是天子見諸侯貴族所執之器，「贄」則是貴族覲見天
子，或貴族間相見所執之禮物。《儀禮‧士相見禮》主要論述士推
至士以上之貴族相見時所行之禮儀，鄭玄歸之為賓禮，而《白虎
通》所論，則主要集中於臣見君推至貴族相見所執之「贄」。《白
虎通》曰：

> 臣見君有贄何？贄者，質也。質己之誠，致己之惘惘也。王
> 者緣臣子之心以為之制，差其尊卑以副其意也。（卷八〈瑞

贄〉420）

《白虎通》以「質」釋「贄」，以贄表現自我內心對尊者之至誠。
基本上，贄乃是臣見君，以卑見尊時，必有物以將其忠誠悃忱為
贄，表示不敢褻尊之義，故「贄」本身具有「差其尊卑以副其意」
之義。因贄具有尊卑之義，故臣見君之贄，亦因位階不同而異。
《白虎通》曰：

> 公侯以玉為贄者，玉取其燥不輕，濕不重，明公侯之德全
> 也。卿以羔為贄，羔者，取其群而不黨，卿職在盡忠率下，
> 不阿黨也。大夫以雁為贄者，取其飛成行，止成列也。大夫
> 職在奉命，適四方動作，當能自正以事君也。士以雉為贄
> 者，取其不可誘之以食，懼之以威，必死不可生畜。士行耿
> 介，守節死義，不當移轉也。《曲禮》曰：「卿羔，大夫以
> 雁，士以雉為贄，庶人之贄匹。童子委贄而退，野外軍中無
> 贄，以纓拾矢可也。」言必有贄也，匹謂鶩也。（卷八〈瑞
> 贄〉421－422）

相較於《儀禮·士相見禮》以士階級為對象，《白虎通》則著重在
臣見君之贄。公侯見君以玉為贄，以玉之質性表明公侯之德全；卿
見君以羔為贄，取羔之群而不黨，飛成行，止成列，明卿能自正以
事君；士見君以雉為贄，取雉之不可誘之以食，懼之以威，必死不
可生畜，表現士行耿介，守節死義。質言之，臣見君之贄，不僅隨
階級而異，更重要者，乃贄之象徵意義必須符合階級應盡之本份，

以示對君王之效忠，此乃謂「差其尊卑以副其意」之意義。至於大夫、士相見之禮，亦有贄。《白虎通》曰：

> 私相見亦有贄何？所以相尊敬，長和睦也。朋有之際，五常
> 之道，有通財之義，振窮救急之意，中心好之，欲飲食之，
> 故財幣者，所以副至意焉。《禮士相見經》曰：「上大夫相
> 見以雁，士冬以雉，夏以腒」也。（卷八〈瑞贄〉424）

〈士相見禮〉言「上大夫相見以雁，士冬以雉，夏以腒」，《白虎通》則言朋友有通財之義，振窮救急之意，故士相見以財幣為贄。至於「婦人無專制之義，御眾之任，交接辭讓之禮」，故「婦人之贄以棗栗腶脩」反映婦人之「職在供養饋食之間」（卷八〈瑞贄〉424）。

(四) 軍禮

　　《說文》曰：「軍，圜圍也。四千人為軍。」（頁734）《周禮》曰：「以軍禮同邦國：大師之禮用眾也，大均之禮恤眾也，大田之禮簡眾也，大役之禮任眾也，大封之禮合眾也。」就作用目的而言，「軍禮」是天子與諸侯和協邦國，使其不協僭差之禮：「大師之禮用眾也」，謂天子諸侯之軍用其義勇；「大均之禮恤眾也」，謂均其地政、地守、地職之賦，所以憂民；「大田之禮簡眾也」，謂親自田獵，閱其車徒之數；「大役之禮黛眾也」，謂築宮邑所以事民力強弱；「大封之禮合眾也」，謂封疆溝塗之固，所以合聚其民。前已述及，《儀禮》乃是「推士禮而致於天子之說」，以士階級為主要論述之對象，故《儀禮》獨缺軍禮。《白虎通》

曰：

> 三軍者何？法天、地、人也。以為五人為伍，五伍為兩，四
> 兩為卒，五卒為旅，五旅為師，五師為軍。萬二千五百人為
> 一軍，三軍三萬七千五百人也。（卷五〈三軍〉237－238）

「軍」乃是國家軍隊之編制名稱，以五人為伍，五伍為兩，四兩為
卒，五卒為旅，五旅為師，五師為軍，故一軍之人數為一萬二千五
百人。「三軍」乃為效法天地人之數，故三軍為三萬七千五百人。
《白虎通》曰：

> 國必三軍何？所以戒非常，伐無道，尊宗廟，重社稷，安不
> 忘危也。（卷五〈三軍〉237）

三軍乃是國家為維持安全之軍隊之總稱。所謂「天下雖安，忘戰必
危」，國家所以必有三軍之編制，其消極之目的，乃在防止動亂，
弭平無道；而積極之作用，乃在維護國家尊嚴，保衛國家安全。此
處所言之「國必三軍」，三軍係指軍隊之總稱，言諸侯國得有軍
隊，非謂諸侯國有三軍之編制。《白虎通》曰：

> 諸侯所以一軍者何？諸侯，蕃屏之臣也。任兵革之重，距一
> 方之難，故得有一軍也。（卷五〈三軍〉239）

三軍是天子之編制，諸侯國只有一軍。諸侯稱臣於天子，負有兵革

之重責，阻擋夷狄於一方之外，以為天子京師之屏障，故諸侯所以有一軍之編制。諸侯以上之王者，始能擁有軍隊，故軍禮專屬於王者之禮。

《白虎通》有關軍禮儀式部分，主要在論述王者率領軍隊出兵征伐異己前所舉行之儀式。《白虎通》曰：

> 王者征伐，所以必皮弁素幘何？伐者凶事，素服示有悽愴也。伐者質，故衣古服。《禮》曰：「三王共皮弁素幘。」服亦皮弁素幘。又招虞人亦皮弁，知伐亦皮弁。（卷五〈三軍〉240）

皮弁素幘之服，乃以鹿皮為冠，積素以為裳，具有悽愴哀戚之象徵。❼❷征伐戰爭必有傷亡，傷亡乃屬凶事，王者衣古服，表示對爭戰悲憫之意，故王者戰伐必著皮弁素幘以為軍旅之服。《白虎通》言王者之軍禮有三項：其一，是王者將出還歸辭告祖禰之禮。《白虎通》曰：

> 王者將出，辭於禰，還格於祖禰者，言子辭面之禮，尊親之

---

❼❷ 《白虎通》曰：「皮弁者，何謂也？所以法古至質，冠之名也。弁之為言攀也，所以攀持其髮也。」上古之時質，先加服皮以鹿皮者，取其文章也。《禮》曰：「三王共皮弁素積。」素積者，積素以為裳也。言腰中辟積，至質不易之服，反古不忘本也。戰伐、田獵，此皆服之。」（卷十〈紼冕〉587-588）又曰：「皮弁素積，聲味不可變，哀戚不可改，百王不易之道也。」（卷八〈三正〉432）

義也。《王制》曰：「王者將出，類于上帝，宜于社，造于
禰。」獨見禰何？辭從卑，不敢留尊者之命，至禰不嫌不至
祖也。《尚書》曰：「歸格于藝祖。」（卷五〈三軍〉241－
243）

王者出師遠征前，基於出由卑及尊，入由尊及卑之原則，必先辭於
禰，親告辭面之禮，歸還時格於祖。王者出歸辭告祖禰，皆以奠幣
告之，表示王者尊親之義。其二，是王者出師告天之禮。《白虎
通》曰：

出所以告天何？示不敢自專也。非出辭反面之道也。與宗廟
異義。還不復告天者，天道無外內，故不復告也。《尚書》
言：「歸格于祖禰。」不言告於天，知不告也。（卷五〈三
軍〉242－243）

因王者受命於天，故王者出師之前，必先告天，以示王者出師乃非
自專之事。且因天道無外內之分，告天止於出師，歸則不告，與宗
廟祖禰作法不同。其三，是天子遣將軍必於祖廟之禮。《白虎通》
曰：

天子遣將軍必於廟何？示不敢自專也。獨於祖廟何？制法度
者，祖也。《王制》曰：「受命于祖，受成于學。」言於祖
廟命遣之義也。（卷五〈三軍〉247）

天子遣將軍必於祖廟，表示天子遣將軍乃非自專之事，且於祖廟遣將軍，乃是祖先所制之法度也。

㈤ 嘉禮

《說文》曰：「嘉，美也。」（頁207）《周禮》曰「以嘉禮親萬民」，鄭玄注曰：「嘉，善也。所以因人心所善者而為之制。」（卷十八，頁277）《周禮》言嘉禮有六：「以飲食之禮親宗族兄弟，以昏冠之禮親成男女，以賓射之禮親故舊朋友，以饗燕之禮親四方之賓客，以脤膰之禮親兄弟之國，以賀慶之禮親異姓之國。」相較於前四項儀禮，嘉禮並無特定之目的與對象，嘉禮所涵蓋之範圍較大，對象遍及貴族各階層，故除前四項儀禮外，凡因人心所制作之一切美善之禮儀者，皆歸於嘉禮。

《白虎通》有關嘉禮部分，主要集中在〈鄉射〉、〈巡狩〉、**❼❸**〈嫁娶〉與〈紼冕〉等四篇。〈鄉射〉篇可分成兩部份，其一是射禮。《白虎通》曰：

> 射正何為乎？曰：射義非一也。夫射者，執弓堅固，心平體正，然後中也。二人爭勝，樂以德養也。勝負俱降，以宗禮讓，故可以選士。（卷五〈鄉射〉291－292）

射者持弓失審固，同時要能心平體正，然後能中正心。射箭能射中

---

❼❸ 〈巡狩〉篇主要討論王者巡狩之意義，並論及巡狩時之相關事宜，與巡狩之範圍。其中所涉及之儀禮，屬天子祭祀之吉禮，然秦蕙田《五禮通考》列「巡狩」一項於嘉禮，今得暫列於嘉禮類。

靶心，不僅展現射技高超，更表現出習射者必習於禮樂，是有德行者。故君子至於射，則有爭也，勝負皆降，以崇禮讓。由射之技能而言，不僅可以評比射技，更可以檢證德行，故「射」可以選士。《白虎通》曰：

> 因射習禮樂，射於堂上何？示從上制下也。《禮》曰：「賓主執弓請升，射於兩楹之間。」（卷五〈鄉射〉292－293）

習射者必習於禮樂，而射於堂上，乃是表現制度由上貫徹至下。《白虎通》曰：

> 《含文嘉》曰：「天子射熊，諸侯射麋，大夫射虎豹，士射鹿豕。」天子所以射熊何？示服猛，遠巧佞也。熊為獸猛。巧者，非但當服猛也。示當服天下巧佞之臣也。諸侯射麋何？示遠迷惑人也。麋之言迷也。大夫射虎豹何？示服猛也。士射鹿豕何？示除害也。各取德所能服也。（卷五〈鄉射〉288－290）

射擊之標的物稱「侯」，皆具有高度之象徵意義，故隨射者階級之尊卑而有所不同：天子射熊，諸侯射麋，大夫射虎豹，士射鹿豕，所謂「各取德所能服也」，以「侯」象徵射者之德。亦因射者之身分不同，其射程之距離亦有長短之分：天子射百二十步，諸侯九十步，大夫七十步，士五十步，彰顯尊者所服遠，而卑者所服近之政治意涵。在《白虎通》中之「侯」，僅以布紮成，畫獸而射之，而

不射獸之正身。

〈鄉射〉篇另一部份是鄉飲酒之禮。《白虎通》曰：

> 所以十月行鄉飲酒之禮何？所以復尊卑長幼之義。春夏事
> 急，浚井次牆，至有子使父兄，弟使兄，故以事閒暇，復長
> 幼之序也。（卷五〈鄉射〉293）

陳立言凡鄉飲酒禮有四，《白虎通》所云十月行鄉飲酒之禮，乃屬
家族黨正蜡祭飲酒之禮。❼❹黨正所以於十月行鄉飲酒禮之義，乃是
一年之中，春夏事急，未遑顧及孝弟倫理之道，時有子使父兄，弟
使兄，以下使上之事，故於農隙閒暇之餘，行鄉飲酒之禮，以恢復
尊卑長幼之序。

此外，〈鄉射〉篇亦論及王者養老之禮。

> 王者父事三老，兄事五更者何？欲陳孝弟之德，以示天下
> 也。故雖天子必有尊也，言有父也；必有先也，言有兄也。
> 天子臨辟雍，親袒割牲，尊三老，父象也。謁者奉几杖，授
> 安車軟輪，供綏執授，兄事五更，寵接禮交加，客謙敬順貌
> 也。《禮記祭義》云：「祀于明堂，所以教諸侯之孝也。享
> 三老、五更于太學，所以教諸侯之弟也。」不正言父兄，言

---

❼❹　《白虎通疏證》曰：「凡鄉飲酒禮有四：一則賓賢能，鄉飲酒禮是也；二則鄉
　　大夫飲國中賢者，〈鄉飲酒義〉所云是也；三則鄉射，州長春秋射于州序，
　　《周禮·州長職》所云是也；四則黨正蜡祭飲酒，〈鄉飲酒義〉所云『六十者
　　坐，五十者立侍』是已。十月行禮當為黨正飲酒事。」卷五，頁 293－294。

老、更者，老者，壽考也，欲言所令者多也。更者，更也，
所更歷者眾也。即如是，不但言老，言三何？欲其明於天地
人之道而老也。五更者，欲其明於五行之道而更事也。三
老、五更幾人乎？曰；各一人。曰：何以知之？既以父事，
父一而已，不宜有三。（卷五〈鄉射〉294－297）

「三老」者，以「三」合於天地人之道，「老」謂壽考之人；「五
更」者，以「五」合於五行之道，「更」謂更歷眾多之人。天子設
有三老五更各一人，事三老如父，事五更如兄，如遣使者安車迎三
老五更至辟雍，天子親袒而割牲，執醬而饋，執爵而醮，謙虛尊
敬，禮遇倍至。天子所以養三老五更，乃欲陳孝弟之德，以示天
下，以教諸侯。

《白虎通》言，人道所以設嫁娶之禮，重人倫廣繼嗣，乃是承
天地施化陰陽，陰陽相成之義。至若男娶女嫁，嫁娶必以春為期，
昏禮所以在昏時舉行，亦是配合陰陽之數，與陰陽交接之時也。
《白虎通》曰：

嫁娶者，何謂也？嫁者，家也，婦人外成，以出適人為家；
娶者，取也。男女者，何謂也？男者，任也，任功業也；女
者，如也，從如人也，在家從父母，既嫁從夫，夫歿從子
也。《傳》曰「婦人有三從之義」焉。夫婦者，何謂也？夫
者，扶也，扶以人道者也；婦者，服也，服於家事，事人者
也。妃者，匹也，妃匹者何？謂相與為偶也。婚姻者，何謂
也？婚者，昏時行禮，故曰婚；姻者，婦人因夫而成，故曰

姻。《詩》云「不惟舊因」，謂夫也；又曰「燕爾新婚」，
謂婦也。所以昏時行禮何？示陽下陰也，昏亦陰陽交時也。
（卷十〈嫁娶〉580－582）

女出適以夫為家，故曰嫁；男取女為妻，故曰娶。在婚姻制度之中，男以功業為任，扶以人道，故稱夫；女則服於家事，三從如人，故稱婦。又因婚禮在昏時舉行，故稱婚；婦人因夫而成，故稱姻。婚禮所以在昏時舉行，取其陰陽交替之時，陽往而陰來之義。從《白虎通》解釋嫁娶等諸名義，不難看出當時嫁娶之基本結構，及婚姻制度中男女之角色與地位。

〈嫁娶〉篇詳細記載士以上之貴族嫁娶時，及婚姻制度之相關之規定。就嫁娶之儀式過程而言，首先，男娶女嫁，必須透過父母之命與媒妁之言，不得擅自決定。❼至於男女之適婚年齡各有不同，此有兩說：一曰「男三十而娶，女二十而嫁」；❼一曰「男二

---

❼ 《白虎通》曰：「男不自專娶，女不自專嫁，必由父母，須媒妁何？遠恥防淫泆也。《詩》云：『娶妻如之何？必告父母。』又曰：『娶妻如之何？匪媒不得。』」卷十〈嫁娶〉，頁536。

❼ 《白虎通》曰：「男三十而娶，女二十而嫁何？陽數奇，陰數偶也。男長女幼者何？陽道舒，陰道促。男三十筋骨堅強，任為人父；女二十肌膚充盈，任為人母。合為五十，應大衍之數，生萬物也。故《禮內則》曰：『男三十壯有室，女二十壯而嫁。』七，歲之陽也；八，歲之陰也。七八十五，陰陽之數備，有相偶之志。故《禮記》曰：『女子十五許嫁，笄而字。』禮之稱字，陰繫于陽，所以專一之節也。陽尊，無所繫。陽舒而陰促，三十數三終奇，陽節也。二十再終偶，陰節也。陽小成於陰，大成於陽，故二十而冠，三十而娶；陰小成於陽，大成於陰，故十五而笄，二十而嫁也。」卷十〈嫁娶〉，頁537－540。

十五繫心，女十五許嫁」。**❼**所以如此，固然是著眼於男女雙方之生理發育已至成熟階段，利於繁衍後代；更重要者，兩說皆是為配合陰陽之數。此後，一旦決定嫁娶之對象，一切得行禮如儀。《白虎通》曰：

> 《禮》曰：女子十五許嫁，納采，問名，納吉，請期，親迎，以雁為贄。納徵用玄纁，不用雁也。（卷十〈嫁娶〉542）

女子年滿十五即可出嫁。婚禮之程序主要有六項：「納采」、「問名」、「納吉」、「請期」與「親迎」，此五禮皆以雁為贄。「納徵」則用玄纁為贄，不用雁。所以以雁為贄，其義有三：以雁象徵不奪女子之時、妻從夫之義與不相踰越之義；用玄纁為贄，則是明陽道之大也。

　　婚禮之六項儀式有其順序，亦各有其作用與意義。所謂「納采」，《儀禮·士昏禮》曰：「昏禮，下達納采用鴈。」（卷四，頁39）鄭玄注曰：「達，通也。將欲與彼合昏姻，必先使媒氏下通其言，女氏許之，乃後使人納其采擇之禮。用雁為贄者，取其順陰陽往來。」「納采」之禮，乃是男方遣使者至女方家，傳達男方欲與女方結婚之意。所謂「問名」，〈士昏禮〉曰：「賓執鴈，請問

---

❼　《白虎通》曰：「一說二十五繫者，就陰節也。《春秋穀梁傳》曰：『男二十五繫心，女十五許嫁，感陰陽也。』陽數七，陰數八，男八歲毀齒，女七歲毀齒。陽數奇，故三，三八二十四，加一為二十五，繫心也。陰數偶，故再成十四，加一為十五，故十五許嫁也。各加一者，明其專一繫心。所以繫心者何？防其淫泆也。」卷十〈嫁娶〉，頁540-541。

名。主人許賓入，授如初禮。」（卷四，頁 40）鄭玄注曰：「問名者，將歸卜其吉凶。」「問名」之禮，乃是在「納采」之後，男方使者至女方家中，問女方之姓名與生辰，以便預卜此婚姻之吉凶。所謂「納吉」，〈士昏禮〉曰：「納吉用鴈，如納采禮。」（卷四，頁 42）鄭玄注曰：「歸卜於廟，得吉兆，復使使者往告昏之事，於是定。」「納吉」之禮，乃是「問名」之後，男方於廟中卜得吉兆，遣使者將卜兆結果報告女方，並決定婚事。所謂「納徵」，〈士昏禮〉曰：「納徵，玄纁、束帛、儷皮，如納吉禮。」（卷四，頁 42）鄭玄注曰：「徵，成也。使使者納幣以成昏禮。」「納徵」之禮，乃是「納吉」之後，男方使者備禮至女方家中下聘。❼❽所謂「請期」，〈士昏禮〉曰：「請期用鴈，主人辭，賓許告期，如納徵禮。」（卷四，頁 42）鄭玄注曰：「主人辭者，陽倡陰和，期日宜由夫家來也。夫家必先卜之，得吉日，乃使使者往，辭即告之。」「請期」之禮，乃是「納徵」之後，男方使者至女方家中，告之以結婚日期，並徵求女方同意。所謂「親迎」，〈士昏禮〉曰：「主人升西面，賓升北面奠鴈，再拜，稽首降出。婦從降自西階，主人不降送。婿御婦車，授綏姆辭，不受。」（卷五，頁

---

❼❽ 《白虎通》曰：「納徵，玄纁、束帛、儷皮，玄三法天，纁二法地也。陽奇陰偶，明陽道之大也。離皮者，兩皮也。以為庭實，庭實偶也。《禮昏經》曰：『納采、問名、納吉、請期、親迎，皆用雁；納徵用元纁、束帛、離皮。』納徵詞曰：『吾子有嘉命，貺室某也。某有先人之禮，離皮、束帛，使某也請納徵。』上某者，婿名也。下某者，婿父名也。下次某者，使人名也。女之父曰：『吾子順先典，貺某重禮，某不敢辭，敢不承命。』納采詞曰：『吾子有惠，貺室某也。某有先人之禮，使某也請納采。』對曰：『某之子蠢愚，又不能教，吾子命之，某不敢辭。』」卷十〈嫁娶〉，頁 543－544。

50) 釋曰：「主人、婿也者，以其親迎向女家，女父稱主人，男稱
婿。」（卷四，頁44）「親迎」之禮，乃是「請期」之後，婿依請期
之日，親自至女方家中迎娶新娘之禮。**⑲**〈嫁娶〉篇中有關嫁娶之
儀禮，大致如上。至於因身份不同而有不同嫁娶方式之相關規定，
與夫婦對待之道，則不贅述。

〈紼冕〉篇主要在討論天子之紼冕，並推及諸侯以下貴族之
制。所謂「紼冕」，分指兩物，合指統稱貴族依其階級而有不同之
服飾。《白虎通》曰：

> 紼者，何謂也？紼者，蔽也，行以蔽前者爾，有事因以別尊
> 卑，彰有德也。（卷十〈紼冕〉583）

> 紼以韋為之者，反古不忘本也。上廣一尺，下廣二尺，法天
> 一地二也；長三尺，法天地人也。（卷十〈紼冕〉585－586）

所謂「紼」，與韍、韠、紱、市之通用，係指用粗麻繩所編織以遮

---

⑲ 《白虎通》曰：「天子下至士，必親迎授綏者何？以陽下陰也。欲得其歡心，
示親之心也。必親迎，御輪三周，下車曲顧者，防淫洪也。《詩》云：『文定
厥祥，親迎於渭，造舟為梁，不顯其光。』《禮昏經》曰：『賓升北面莫雁，
再拜，稽首降出。婦從房中降自西階，婿御婦車，授綏。』」卷十〈嫁娶〉，
頁544－546。又曰：「授綏，姆辭曰：『未教，不足與為禮也。』始親迎，
擯者請詞曰：『吾子命某以茲初昏，使某將請承命。』主人曰：『某故敬具以
須。』父醮子遣 迎，命曰：『往迎爾相，承我宗事，（助）率以敬先妣之
嗣，若則有常。』子曰：『諾，惟恐不堪，不敢忘命。』」卷十〈嫁娶〉，頁
549－550。

蔽前面之衣服，其規格是上廣一尺，下廣二尺，長三尺。因紱具有階級地位之象徵，故天子、諸侯之王者服得稱之「紱」，其餘則有不同稱謂；稱謂不同，其樣式亦隨之而異。⑧《白虎通》曰：

> 麻冕者何？周宗廟之冠也。《禮》曰：「周冕而祭。」又曰：「殷冔、夏收而祭。」此三代宗廟之冠也。（卷十〈紱冕〉589）

所謂「冕」，是以麻繩編織而成，⑧天子祭祀宗廟時所戴之首飾，殷時稱「冔」，夏后氏稱「收」，周稱「冕」。⑧「冕」是「冠」之一種，「冠」是總名，是天子以下貴族之首飾，隨階級不同，造

---

⑧ 《白虎通》曰：「天子朱紱，諸侯赤紱。《詩》曰：『朱紱斯皇，室家君王。』又云：『赤紱金舄，會同有繹。』又云：『赤紱在股。』皆謂諸侯也。《書》曰：『黼黻衣黃朱紱。』亦謂諸侯也。並見衣服之制，故遠別之謂黃朱亦赤矣。大夫蔥衡，別於君矣。天子大大赤紱蔥衡，士韎韐。朱赤者，盛色也。是以聖人法之用為紱服，為百王不易也。」卷十〈紱冕〉，頁 584－585。

⑧ 《白虎通》曰：「冕所以用麻為之者，女功之始，示不忘本也。即不忘本，不用皮何？皮乃太古未有禮文之服。故《論語》曰：『麻冕，禮也。』《尚書》曰：『王麻冕。』」卷十〈紱冕〉，頁 590－591。

⑧ 《白虎通》曰：「十一月之時，陽氣俛仰黃泉之下，萬物被施如冕，前俯而後仰，故謂之冕也。謂之冔者，十二月之時，陽氣受化詡張，後得牙，故謂之冔。謂之收者，十三月之時，陽氣收本，舉生萬物而達出之，故謂之收。」卷十〈紱冕〉，頁 590。

型亦殊。**⑧**

〈紼冕〉篇與嘉禮有關者，即在論士之冠禮。《白虎通》曰：

> 所以有冠者何？冠者，卷也，所以卷持其髮者也。人懷五
> 常，莫不貴德，示成禮有修飾文章，故制冠以飾首，別成人
> 也。《士冠經》曰：「冠而字之，敬其名也。」《論語》
> 曰：「冠者五六人，童子六七人。」（卷十〈紼冕〉586）

《說文》曰：「冠，絭也，所以絭髮。弁冕之總名也。……冠有法
制，故從寸。」（頁356）「冠」乃弁冕之總名，男子制冠以飾首，
用以整裝頭髮，表示成禮有修飾文章，故二十歲有加冠之禮，象徵
男子已脫離童子時期而進入成年社會，冠禮表示男子已成年，始得
戴冠。《白虎通》曰：

> 禮所以十九見正而冠者何？漸（二）十之人耳。男子陽也，
> 成于陰，故二十而冠。《曲禮》曰「二十弱冠」，言見正。
> 何以知不謂正月也？以《禮士冠經》曰「夏葛屨」，「冬皮
> 屨」，明非歲之正月也。（卷十〈紼冕〉587）

男子屆滿二十歲之前，即是在十九歲時舉行加冠禮。《白虎通》引

---

⑧ 《白虎通》曰：「故《禮》云：『天子玉藻十有二旒，前後邃延。』」《禮器》
云：『天子麻冕朱綠藻，垂十有二旒者，法四時十二月也。諸侯九旒，大夫七
旒，士爵弁無旒。』」卷十〈紼冕〉，頁591。

《禮器》云：「天子麻冕朱綠藻，垂十有二旒者，法四時十二月也。諸侯九旒，大夫七旒，士爵弁無旒。」即是表示士之冠稱「爵弁」，而「爵弁無旒」，其造型與大夫以上者迥異，所謂「尊者用冕，卑者用弁」，故《白虎通》曰：「爵弁者何謂也？其色如爵頭，周人宗廟士之冠也。」可知，士之冠稱「爵弁」。[84]

　　此外，《白虎通》引〈士冠禮〉「記冠義」曰：「冠而字之，敬其名也。」（卷三，頁33）鄭玄注曰：「名者，質所受於父母。冠成人益文，故敬之。」可知，男子在加冠典禮之上，同時附有命「字」之儀式。[85]〈士冠禮〉記曰：

> 冠而字之，敬其名也。委貌，周道也；章甫，殷道也；毋追，夏后氏之道也。周弁，殷冔，夏收。[86]

鄭玄注曰：「委猶安也，言所以安正容貌。章，明也，殷質言以表明丈夫也；甫或為父，今文為斧。毋發聲也，追猶堆也，夏后氏質以其形名之。三冠皆所服以行道也。」鄭玄從字面意義解釋三代之冠名，《白虎通》則從三統之說言三代冠名之由來。《白虎通》

---

[84] 《白虎通》曰：「爵何以知指謂其色，又乍言爵弁，乍但言弁，周之冠色所以爵何？為周尚赤，所以不純赤，但如爵頭何？以本制冠者法天，天色元者不失其質，故周加赤，殷加白，夏之冠色純元。何以知殷加白也？周加赤，知殷加白也。夏殷士冠不異何？古質也。以《士冠禮》知之。」卷十〈紼冕〉，頁595。

[85] 《儀禮·士冠禮》曰：「冠者立於西階，東南面，賓字之，冠者對。」卷二，頁21。

[86] 《儀禮》，卷三，頁33。

曰：

> 委貌者，何謂也？周朝廷理政事，行道德之冠名。《士冠
> 經》曰：「委貌周道，章甫殷道，毋追夏后氏之道。」所以
> 謂之委貌何？周統十一月為正，萬物始萌小，故為冠飾最
> 小，故曰委貌。委貌者，言委曲有貌也。殷統十二月為正，
> 其飾微大，故曰章甫。章甫者，尚未與極其本相當也。夏統
> 十三月為正，其飾最大，故曰毋追。毋追者，言其追大也。
>
> （卷十〈紼冕〉592－593）

鄭玄從三代之冠名，言冠所象徵之意義，且言「其制之異同未之
聞」，三者異名而同實。然《白虎通》不僅由三統之說，言三代之
冠名，且由三統說之月份說明三冠之造型大小，進而言三代之冠名
乃是區分型式之大小不同。

三、《白虎通》之禮制

此處所言之「禮制」，乃是合「禮儀」與「制度」，專指具有
節制約束之實質作用，且以建立制度為主之成文法典者。《白虎
通》全書主要是在「正名」禮樂儀法與政治制度及名物制度與其名
實義理之相應性，其書兼含「禮儀」與「制度」雙重性質，故《白
虎通》之內容性質乃是「禮樂制度之書」，稱其為「禮書」亦無不
可。因此，目前學界大致肯定，《白虎通》文本「是一部粗具規模
的組織法，也是自天子以至於庶人，立身行世的根本」，「它的內
容規定了國家制度和社會制度的基本原則，確立了各種行為準則，

直接為鞏固統治階級的專政服務，所以它是一種制度化了的思想，起著法典的作用」，甚至「就是賦予這樣的『國憲』以神學的理論根據的讖緯國教化的法典」。

　　《白虎通》主要論述之對象，乃是以王者（天子、諸侯）為核心之政治組織，以及環繞自王者以下至士、大夫之貴族之禮法制度；而所論述之範圍，上起爵、號，終於嫁娶、喪服之禮儀秩序，內容呈現出縝密且具體之組織結構。現代學者論述與詮釋《白虎通》文本，已由粗具規模之組織法，提升為具有國教法典性質之「國憲」，充分說明《白虎通》所論述之重點，亦是《白虎通》文本之本質所在。論《白虎通》之禮制，可從政治制度與人倫秩序兩方面加以說明。

(一) 禮制與政治制度

　　從現代政治理論觀點而言，所謂政治制度可從兩方面分析：一是論「國家的形式與主權之所在」，此即所謂「國體」；❽一是論國家之「統治權行使之方式」，此即所謂「政體」；❽前者是指國家政權之分配形態，而後者是指國家治權之行使方式。主權之所在決定治權之行使，反之，治權之行使必受制於政權之分配，意即：「在某種形態的國家中必然產生某種體式的政府」，兩者具有從屬

---

❽ 張金鑑：《中國政治制度史》（臺北：三民書局，1978 年 7 月初版），頁 37。

❽ 《中國政治制度史》言：「國家體態者簡稱曰國體，乃一政治社會結構的外形或輪廓。至於政府的體式則簡稱曰政體，乃統治權行使之方式，亦即政治社會的支持柱壁或間架。但這間架則強度受於國體的限制與決定。易言之，在某種形態的國家中必然產生某種體式的政府。」頁 55。

之關係。除上述二種制度之外，中國古代之宗法制度，是政治制度中最具特殊性之設計。

1.國體制度

在國體制度方面，自秦始皇二十六年（B.C.221）統一天下，自稱「始皇帝」，並從廷尉李斯之議，廢周代封建制度，改採行郡縣制，分天下為三十六郡，❽確立中央集權、君主專制之統治規模。時至漢初，兼採封建與郡縣兩制，然而漢廷僅有十五郡，且「公主列侯頗食邑其中」，其餘皆屬藩國封地，侯國宮觀排場猶凌駕天子之上。❾故文、景之後，漢廷計劃「削藩」，❿不僅削其封地，亦

---

❽　《史記·秦始皇本紀》曰：「二十六年，……秦初并天下，……丞相綰等言：『諸侯初破，燕、齊、荊地遠，不為置王，毋以鎮之，請立諸子，唯上幸許。』始皇下其議於群臣，群臣皆以為便。廷尉李斯議曰：『周文武所封子弟同姓甚眾，然後屬疏遠，相攻擊如仇讎，諸侯更相誅伐，周天子弗能禁止。今海內賴陛下神靈一統，皆為郡縣，諸子功臣以公賦稅重賞賜之，甚足易制。天下無異意，則安寧之術也。置諸侯不便。』始皇曰：『天下共苦戰鬥不休，以有侯王。賴宗廟，天下初定，又復立國，是樹兵也，而求其寧息，豈不難哉！廷尉議是。』分天下以為三十六郡，郡置守、尉、監。」卷六，頁238－239。

❾　漢初高祖末年，文、景之前，《史記·漢興以來諸侯年表第五》曰：「高祖末年，非劉氏而王者，若無功，上所不置。而侯者天下共誅之，高祖子弟同姓為王者九國。唯獨長沙異姓。……而內地北距山以東盡諸侯，地大者或五、六郡，連城數十，置百官宮觀，僭於天子。漢獨有三河、東郡、潁川、南陽，自江陵以西至蜀，北自雲中至隴西，與內史，凡十五郡，而公主列侯頗食邑其中。」卷十七，頁801－802。

❿　《漢書·諸侯王表第二》曰：「然諸侯原本以大，末流濫以致溢，小者淫荒越法，大者睽孤橫逆，以害身喪國。故文帝采賈生之議分齊、趙，景帝用晁錯之計削吳、楚。武帝施主父之冊，下推恩之令，使諸侯王得分戶邑以封子弟，不行黜陟，而藩國自析。」卷十四，頁395。

削其權力。至東漢時期，則純粹以郡縣制為主，地權歸中央；諸侯
雖享有領地租稅，但已無藩國實質，國家主權悉數回歸天子，國家
權力集中於天子一人。《白虎通》曰：

> 天子者，爵稱也。爵所以稱天子何？王者父天母地，為天之
> 子也。故〈援神契〉曰：「天覆地載，謂之天子，上法斗
> 極。」〈鉤命決〉曰：「天子，爵稱也。」帝王之德有優
> 劣，所以俱稱天子者何？以其俱命于天，而王治五千里內
> 也。《尚書》曰：「天子作民父母，以為天下王。」何以知
> 帝亦稱天子？以法天下也。《中侯》曰：「天子臣放勛。」
> 《書亡逸篇》曰：「厥兆天子爵。」何以皇亦稱天子也？以
> 其言天覆地載，俱王天下也。故《易》曰：「伏羲氏之王天
> 下也。」（卷一〈爵〉1-10）

「帝」、「皇」乃是「天子」之別稱。《白虎通》開宗明義宣示，
「天子」之名義，乃為彰顯天子承天命而有，以天為父，以地為
母，為天之子，故曰「天子」。「天子」之名所以是一種爵稱，乃
是以「天子」之稱號，執行天命所賜統治天下之任務。因此，「天
子」之名義具有雙重性質，《白虎通》曰：

> 或稱天子，或稱帝王何？以為接上稱天子，天子者，明以爵
> 事天也。接下稱帝王者，明位號天下，至尊之稱，以號令臣
> 下也。（卷二〈號〉57）

對天而言，「天子」之名義，即是彰顯天子之位乃是奉天命而有，「天子」之所以是一種爵稱，其目的在事天，表示對天負責。對天下而言，「帝王」之名義，乃天下之至尊，足以號令群臣，統治天下。「天子」與「帝王」異名而同實。因此，「天子」之爵稱，是受之於天，而非受爵於人；且《白虎通》將人主類比於五行中之土，「土無位而道在，故大一不與化，人主不任部職」，土既無位且不與四時相配，故「天子」雖在制度上是一種爵稱，但不專屬於某一部職，不在制度之內，更不受其他外力制約，成為政治制度上之絕對體。

《白虎通》言「天子以天下為家」，天子既是處於政治制度上之絕對地位，故對於天下之人民及土地之主權具有絕對之支配權力。首先，天子將天下分為若干區域，並擇其中之一以為「京師」，其餘則分封諸侯。《白虎通》曰：

> 京師者，何謂也？千里之邑號也。京，大也；師，眾也；天子所居，故以大眾言之。明什倍諸侯，法日月之經千里。《春秋傳》曰：「京師，天子之居也。」《王制》曰：「天子之田方千里。」（卷四〈京師〉191）

所謂「京師」，乃天子所居之處，亦是天子直接管轄之地，其領土必在千里以上，故以「京師」之名，明京師乃千里之邑號，其大十倍於諸侯百里之上。天子既統攝天下主權，則京師所在之處必須考量政治因素。《白虎通》曰：

天子所治方千里，此平土三千，并數邑居、山川至五十里。
名山大澤不以封者，與百姓共之，不使一國獨專也。山水之
饒，水泉之利，千里相通，所以均有無，贍其不足。（卷四
〈封公侯〉168）

王者京師必擇土中何？所以均教道，平往來，使善易以聞，
為惡易以聞，明當懼慎，損於善惡。《尚書》曰：「王來紹
上帝，自服於土中。」又曰：「公不敢不敬天之休，來相
宅。」（卷四〈京師〉188－189）

天子既是中央集權之中心，其京師乃具有宣導中央政令之作用，其
所在必須選擇天下之中央，以利四方文化之交流，以便各地往來之
交通，使天子之政權能充分平均貫徹於天下。

　　天子將行使政治之權力，以「爵」之名義賜予臣下。天子分封
之爵位有二大體系：一是地方諸侯體系。《白虎通》曰：

爵有五等，以法五行也。或三等者，法三光也。或法三光，
或法五行何？質家者據天，故法三光。文家者據地，故法五
行。《含文嘉》曰：「殷爵三等，周爵五等。」各有宜也。
《王制》曰：「王者之制祿爵，凡五等。」謂公侯伯子男
也。此據周制也。《春秋傳》曰：「天子三公稱公，王者之
後稱公，其餘大國稱侯，小者伯子男也。」《王制》曰：
「公侯田方百里，伯七十里，子男五十里。」所以名之為公
侯者何？公者，通也。公正無私之意也。侯者，候也。候逆

順也。人皆千乘，象雷震百里所潤同。伯者，白也。子者，孳也。孳孳無已也。男者，任也。人皆五十里。差次功德。小者不為附庸。附庸者，附大國以名通也。百里兩爵，公侯共之。七十里一爵。五十里復兩爵何？公者，加尊二王之後；侯者，百里之正爵。上有可次，下有可第，中央故無二。五十里有兩爵者，所以加勉進人也。小國下爵，猶有尊卑，亦以勸人也。殷爵三等，謂公侯伯也。所以合子男從伯者何？王者受命，改文從質，無虛退人之義，故上就伯也。《尚書》曰「侯甸任衛作國伯」，謂殷也。《春秋傳》曰：「合伯子男為一爵。」或曰：合從子，貴中也。以《春秋》名鄭忽，忽者，鄭伯也。此未踰年之君，當稱子，嫌為改伯從子，故名之也。（卷一〈爵〉10-22）

天子分封爵位有「三等」、「五等」之說。所謂「三等」，係指殷制分公、侯、伯子男三等爵；而所謂「五等」，則指周制分公、侯、伯、子、男五等爵。殷周制爵雖有三等、五等之別，然而其差異不在爵稱之名號，而在於爵稱所分封之土地大小有別。《白虎通》謂「殷爵三等，謂公、侯、伯也。所以合子男從伯」，殷爵封公居百里，而侯居不過七十里，❷伯、子、男則分封五十里。因

---

❷ 《白虎通》曰：「殷家所以令公居百里，侯居七十里，何也？封賢極于百里，其改也，不可空退人，示優賢之意，欲襃尊而上之。何以知殷家侯不過七十里？曰：士有三等，有百里，七十里，有五十里。其地半者其數倍，制地之理體也，多少不相配。」卷一〈爵〉，頁21-22。陳立考證「士」為「土」之誤。

此，《白虎通》中所謂「五等」，乃是指周制公、侯、伯、子、男
五種不同之爵稱；而所謂「三等」，則是指殷制公、侯、伯子男所
分封之土地有三等之別。《白虎通》所載天子分封之土地大小，乃
依殷制，分有百里、七十里、五十里三種，❽但在爵位之分配上則
與殷制稍有不同，謂「公、侯田方百里，伯七十里，子、男五十
里」，即百里兩爵，公、侯共之，七十里獨伯一爵，五十里兩爵，
子、男共。《白虎通》曰：

> 地有三等不變，至爵獨變者何？地比爵為質，故不變。王者
> 有改道之文，無改道之實。（卷一〈爵〉19-21）

天子分封土地有三等，此乃不變之原則，而爵有三等、五等之別，
則隨時代而異。因此，三等、五等之爵，分別是指公、侯、伯、
子、男五種不同之爵稱，同時亦是指五爵所分封之三等大小不同之
土地。此亦是諸侯體系行使政治權力之分配方式。

《白虎通》曰：

> 王者立三公、……必復封諸侯何？重民之至也。善惡比而易
> 知，故擇賢而封之，以著其德，極其才。上以尊天子，備藩
> 輔，下以子養百姓，施行其道。開賢者之路，謙不自專。故

---

❽　《白虎通》曰：「諸侯封不過百里，象雷震百里，所潤雲雨同也。……七十
　里、五十里，差德功也。……制土三等何？因土地有高、下、中三等。」卷四
　〈封公侯〉，頁167-169。

列土封賢，因而象之，象賢重民也。（卷四〈封公侯〉159－
160）

天子所以分封土地予諸侯，乃是表彰諸侯之賢德，並藉重其才治理
地方。諸侯對上以為天子京師之蕃輔，對下以養地方之百姓，並使
中央法令貫徹於地方，故天子列土擇賢而封，一方面表現天子之謙
虛，不以天下為己有，另一方面則象徵天子之求賢用才，為天下萬
民謀福。〈瑞贄〉曰：「王者始立，諸侯皆見何？當受法，稟正教
也。」（頁411）天子將治權轉移至諸侯之手，使諸侯成為執行中央
法令之地方政府，並且負起養民、蕃輔京師之責任，故封公侯乃是
天子充分展現對於領土、人民之絕對支配權力。然而，封公侯只是
天子下放地方治權予諸侯，並非移轉政權，割裂天下。《白虎通》
曰：

> 王者即位，先封賢者，憂民之急也。故列土為疆，非為諸
> 侯；張官設府，非為卿大夫，皆為民也。……天下太平，乃
> 封親屬者，示不私也。即不私封之何？「普天之下，莫非王
> 土；率土之賓，莫非王臣」。海內之眾已盡得使之，不忍使
> 親屬無短足之居，一人使封之，親親之義也。以《尚書》封
> 康叔，據平安也。王者始起，封諸父昆弟，示與己共財之
> 義，故可以共土也。（卷四〈封公侯〉169－171）

天子一旦掌握政治實權，擁有支配天下之絕對權力之後，便將國土
劃分為若干地方，授予賢能之諸侯權代管理；同時，為表現天子之

不私，亦封諸父昆弟之親屬為諸侯，成為天子之國土疆界。雖然諸侯擁有執行中央法令之治權，代天子牧養萬民，但是，「普天之下，莫非王土；率土之賓，莫非王臣」，天下終究是天子之天下，萬民畢竟是天子之萬民，一切政權仍屬於天子所有。至於天子為天下萬民而張官設府，立公卿大夫之職，則是屬於中央官僚體系。

　　爵位之另一體系，即是中央官僚體系，亦稱「內爵」。《白虎通》曰：

> 公卿大夫何謂也？內爵稱也。內爵稱公卿大夫何？爵者，盡也。各量其職，盡其才也。公之為言公正無私也。卿之為言章也，善明理也。大夫之為言大扶，扶進人者也。故《傳》曰：「進賢達能，謂之卿大夫。」《王制》曰：「上大夫卿。」士者，事也，任事之稱也。故《傳》曰：「通古今，辯然否，謂之士。」（卷一〈爵〉22-24）

公、卿、大夫與士皆屬官僚系統，直屬天子中央政府，所謂：「聖人雖有萬人之德，必須俊賢，三公、九卿、二十七大夫、八十一元士，以順天成其道」（〈封公侯〉155），除士之外，公、卿、大夫三等亦是爵稱。❹雖然中央官僚之公、卿、大夫亦是爵稱，但是其功

---

❹ 《白虎通》曰：「何以知士非爵？《禮》曰『四十強而仕』，『不言爵為士』。」卷一〈爵〉，頁 22-24。《白虎通》曰：「何以知卿為爵也？以大夫知卿亦爵也。何以知公為爵也？《春秋傳》曰：『諸侯四佾，諸公六佾。』合而言之，以是知公卿為爵。內爵所以三等何？亦法三光也。所以不變質文何？內者為本，故不改內也。」卷一〈爵〉，頁 25。

能與職權,甚至封地受祿之內容,與諸侯之爵稱迥然有別,故其爵
又稱「內爵」。天子以此官僚系統治理京師及其諸侯國家,三者所
以封爵,乃是以爵授予職位,依職權盡其所能。

　　所謂「天子作民父母,以為天下王」,「天子以天下為家」,
天下乃天子一家之天下。為有效治天下,天子利用頒賜「爵」之名
義,將其對人民、土地之支配主權,分散至中央官僚與地方諸侯等
兩大體系。《白虎通》曰:

　　　　王者立三公、九卿、二十七大夫,足以教道照幽隱,必復封
　　　　諸侯何?重民之至也。（卷四〈封公侯〉159－160）

中央官僚「受君之法,施之于民」（卷一〈爵〉26）,直接聽命於天
子;而諸侯只能依法令行使治權,尤不得踐越中央。官僚與諸侯之
爵位皆來自天子,亦授權於天子,其爵位之得失,皆取決於天子。
天子乃成天下主權之中心,形成以天子一人專制天下之國體制度。

　　《白虎通》以為,統一之天下,政權當歸天子一人所有,此即
中央集權、君主專制之主張。天子且通過頒賜爵位之名義,將治權
轉移至貴族手中,因權責功能各自不同,貴族之不同爵稱,即代表
政治地位之高低;且因治權所及有地域之別,故有「內爵」之稱以
區別諸侯之爵。《白虎通》之國體制度如此,其政體制度,亦相應
於國體制度而規劃;而上述封爵之二大系統,正反映出其政體制度
之二大系統。

2.政體制度

　　天子封爵系統之一,即公、卿、大夫所以稱「內爵」者,此乃

政體制度之一，亦即中央之官僚制度。所以稱「內爵」，乃在其權責直屬於天子，其政治權利與義務，有別於諸侯。《白虎通》曰：

> 王者所以立三公九卿何？曰：天雖至神，必因日月之光；地雖至靈，必有山川之化；聖人雖有萬人之德，必須俊賢。三公、九卿、二十七大夫、八十一元士，以順天成其道。（卷四〈封公侯〉155）

天子雖有天下主權，但仍需藉重各種人才之協助，故設爵位各量其職，以盡其才，達到順天成道、治理天下之目的。因此，天子置三公、九卿、二十七大夫、八十一元士為中央官制，以協助執行、貫徹其政治目的。所謂「三公」，《白虎通》曰：

> 司馬主兵，司徒主人，司空主地。王者受命，為天地人之職，故分職以置三公，各主其一，以效其功。（卷四〈封公侯〉157）

「三公」乃類似丞相之職稱。秦時置左、右兩丞相，漢初高祖承秦之制，置一丞相，掌丞天子助理萬機。至成帝綏和元年（B.C.8）從御史大夫何武建言，罷票騎將軍官，置大司馬官屬，並改御史大夫為大司空，皆增奉如丞相；❾❺而丞相一職，至哀帝元壽二年則更名

---

❾❺ 《漢書・薛宣朱博傳》曰：「初，漢興襲秦官，置丞相、御史大夫、太尉。……及成帝時，何武為九卿，建言『古者民樸事約，國之輔佐必得賢聖，

為大司徒；❻至此確立以大司徒、大司馬、大司空三公並相之制。至東漢光武帝建武二十七年 (51) 去三公「大」名，又改大司馬為太尉。❼《白虎通》言王者受命，代天統治天下，而天下之事物可概分兵、人、地三類，故分職以置三公，「司馬主兵，司徒主人，司空主地」，各主其一，以期達到統治天下之目的。

「司馬」者，光武帝改大司馬為太尉，《後漢書・百官志》曰：「太尉，公一人。本注曰：掌四方兵事功課，歲盡即奏其殿最而行賞罰。」（卷二十四，頁 3557）司馬即太尉，主掌全國之軍政兵符，並於歲末依四方之軍事功課，奏請天子以行賞善罰惡。《白虎通》曰：

> 天者施生，所以主兵何？兵者為謀除害也，所以全其生，衛其養也，故兵稱天。寇賊猛獸，皆為除害者所主也。《論

然猶則天二光，備二公官，各有分職。今末俗弊，政事煩多，宰相之材不能及古，而丞相獨兼三公之事，所以久廢而不治也。宜建三公官，定卿大夫之任，分職授政，以考功效。」其後上以問師安昌侯張禹，禹以為然。時曲陽侯王根為大司馬票騎將軍，而何武為御史大夫。於是上賜曲陽侯根大司馬印綬，置官屬，罷票騎將軍官，以御史大夫何武為大司空，封列侯，皆增奉如丞相，以備三公官焉。」卷八十三，頁 3404－3405。

❻ 《漢書・百官公卿表》曰：「相國、丞相，皆秦官，金印紫綬，掌丞天子助理萬機。秦有左右，高帝即位，置一丞相，十一年更名相國，綠綬。孝惠、高后置左右丞相，文帝二年復置一丞相。有兩長史，秩千石。哀帝元壽二年更名大司徒。」卷十九上，頁 724－725。

❼ 《後漢書・光武帝紀》建武二十七年，曰：「詔曰：『昔契作司徒，禹作司空，皆無「大」名，其令二府去「大」。』又改大司馬為太尉。」卷一下，頁 79。

語》曰：「天下有道，則禮樂征伐自天子出。」司馬主兵。不言兵言馬者，馬陽物，乾之所為，行兵用也。不以傷害為文，故言馬也。（卷四〈封公侯〉158－159）

天子所以立司馬主兵，乃為除寇賊猛獸之害，保養天下百姓之性命，對內監守諸侯之軍事行動，對外穩定國際局勢，確保國防安全無虞。尤其是禮樂征伐乃天子治天下之具，唯有天子始有用兵伐無道之正當理由，故天子立司馬，「馬」即「兵」之代稱，以「馬」代表天下之軍事，司馬專司主掌全國之軍事，宣示天下之兵事軍權在天子。

「司徒」者，《後漢書・百官志》曰：「司徒，公一人。本注曰：掌人民事。凡教民孝悌、遜順、謙儉，養生送死之事，則議其制，建其度。凡四方民事功課，歲盡則奏其殿最而行賞罰。」（卷二十四，頁 3560）司徒主掌全國之人事制度，不僅負起教育民眾之責任，更要建立養生送死之立法制度。《白虎通》曰：

司徒主人。不言人言徒者，徒，眾也。重民眾。（卷四〈封公侯〉159）

「徒」即「人」之代稱，以「徒」代表天下之民眾，司徒專司主掌全國人事制度，其義與《後漢書》同。故天子立司馬，宣示天下之人事制度之主權在天子。

「司空」者，《後漢書・百官志》曰：「司空，公一人。本注曰：掌水土事。凡營城起邑、浚溝洫、修墳防之事，則議其利，建

其功。凡四方水土功課，歲盡則奏其殿最而行賞罰。」（卷二十四，頁 3561－3562）司空主掌全國之水土工程與營城建設。《白虎通》曰：

> 司空主土。不言土言空者，空尚主之，何況於實，以微見著。（卷四〈封公侯〉159）

「空」即「土」之代稱，以「空」代表天下之工程建設，司空專司主掌全國之工程建設，其義與《後漢書》同。故天子立司空，宣示天下之土地支配之主權在天子。

三公不僅各司一職，郊祀之事亦各有所職，其於凡國有大造大疑，三公「通而論之」，國有過事，三公「通諫爭之」；因此，三公不僅是天子之內閣，亦是天子之幕僚、參謀，其位之尊一如丞相。因三公擔負輔弼天子之重責大任，決定國家之重大政策，故置「九卿」以協助三公，分理國事。《白虎通》曰：

> 一公置三卿，故九卿也。天道莫不成三，天有三光，日、月、星；地有三形，高、下、平；人有三等，君、父、師。故一公三卿佐之，一卿三大夫佐之，一大夫三元士佐之，天有三光，然後能遍照，各自有三法，物成於三，有始、有中、有終，明天道而終之也。（卷四〈封公侯〉157）

天子立三公統攝天下萬事，三公各司兵、人、地一職，位居丞相之尊，故置三卿佐一公，三公九卿佐之。所謂「九卿」，係指輔佐三

公之九種職稱之總名。考之《後漢書‧百官》載：太常、光祿勳、
衛尉、太僕、廷尉、大鴻臚、宗正、大司農、少府等九職，皆「卿
一人，中二千石」（志二十五～二十六，頁 3571－3601），《史記‧文帝
本紀》張守節「正義」曰：「漢置九卿，一曰太常，二曰光祿，三
曰衛尉，四曰太僕，五曰廷尉，六曰大鴻臚，七曰宗正，八曰大司
農，九曰少府，是為九卿也。」（卷十，頁 421）依《後漢書》所記
九卿之職掌：

> 太常，……掌禮儀祭祀。每祭祀，先奏其禮儀；及行事，常
> 贊天子。每選試博士，奏其能否。大射、養老、大喪，皆奏
> 其禮儀。每月前晦，察行陵廟。（志二十五，頁 3571）

> 光祿勳，……掌宿衛宮殿門戶，典謁署郎更直執戟，宿衛門
> 戶，考其德行而進退之。郊祀之事，掌三獻。（志二十五，頁
> 3574）

> 衛尉，……掌宮門衛士，宮中徼循事。（志二十五，頁 3579）

> 太僕，……掌車馬。天子每出，奏駕上鹵簿用；大駕則執
> 馭。（志二十五，頁 3581）

> 廷尉，……掌平獄，奏當所應。凡郡國讞疑罪，皆處當以
> 報。（志二十五，頁 3582）

大鴻臚，……掌諸侯及四方歸義蠻夷。其郊廟行禮，贊導，
請行事，既可，以命群司。諸王入朝，當郊迎，典其禮儀。
及郡國上計，匠四方來，亦屬焉。皇子拜王，贊授印綬。及
拜諸侯、諸侯嗣子及四方夷狄封者，臺下鴻臚召拜之。王薨
則使弔之，及拜王嗣。（志二十五，頁3583）

宗正，……掌序錄王國嫡庶之次，及諸宗室親屬遠近，郡國
歲因計上宗室名籍。若有犯法當髡以上，先上諸宗正，宗正
以聞，乃報決。（志二十六，頁3589）

大司農，……掌諸錢穀金帛諸貨幣。郡國四時上月旦見錢穀
簿，其逋未畢，各具別之。邊郡諸官請調度者，皆為報給，
損多益寡，取相給足。（志二十六，頁3590）

少府，……掌中服御諸物，衣服寶貨珍膳之屬。（志二十六，
頁3592）

依「一公置三卿」之建制，則司馬一公置太常、光祿勳、衛尉三
卿；司徒一公置太僕、廷尉、大鴻臚三卿；司空一公置宗正、大司
農、少府三卿。然而，《後漢書》未載「一公置三卿」之實際編
制，而《白虎通》亦僅言「九卿」，至於九卿之名，九卿之職，一
公配何三卿等細節，則付之闕如；其餘「二十七大夫」、「八十一
元士」亦復如此。總之，《白虎通》以為，天地萬物之差別與變化
之規律是「三」，故天有日、月、星三光，地有高、下、平三形，

人有君、父、師三等。故中央官制亦以「三」為基數，天子立三
公，一公三卿佐之，一卿三大夫佐之，一大夫三元士佐之；由三公
率九卿以下之群臣，依各別之才能，職掌有限之治權，形成一套以
專業分工之技術官僚體系。三公九卿二十七大夫八十一元士，凡百
二十官，即是政體制度之中央官僚制度之基本編制。

　　中央官僚異於諸侯之另一政治權利，即是兩者之俸祿所得不
同。《白虎通》曰：

> 祿者，錄也。上以收錄接下，下以名錄謹以事上。《王制》
> 曰：「天子三公之田視公侯，卿視伯，大夫視子男，士視附
> 庸。上農夫食九人，其次食八人，其次食七人，其次食六
> 人。下農夫食五人。庶人在官者，以是為差也。……」（卷
> 四〈京師〉192－193）

中央官僚服務天子之所得稱「祿」，天子以「祿」酬庸官僚。官僚
既直屬於天子，其俸祿來源則在天子，天子依官僚等級酬庸不同之
俸祿。依據《王制》所載，中央官僚之俸祿比照諸侯等級：三公之
田與公、侯同；卿與伯同，大夫與子、男同；而士與不滿五十里之
附庸同。此亦是中央官僚之公、卿、大夫所以稱「內爵」之另一原
因。

　　天子另一封爵系統，即公、侯、伯、子、男者，此乃政體制度
中之地方制度。如前所述，天子立中央官僚，以輔助天子治理天下
大事，此外又封諸侯，其目的，乃以諸侯「上以尊天子，備蕃輔，
下以子養百姓」，代行天子之中央法令貫徹於地方；並藉此表現天

子不以天下為己有，以封土求賢用才，為人民謀福。諸侯既有如此作用，則諸侯以下亦有制度內之員額編制。《白虎通》曰：

> 諸侯有三卿者，分三事也，五大夫，下天子。《王制》曰：「大國三卿，皆命於天子，下大夫五人，上士二十七人。次國三卿，二卿命於天子，一卿命於其君。」「小國二卿，皆命於其君」。大夫悉同。《禮王度記》曰：「子男三卿，一卿命於天子。」（卷四〈封公侯〉166）

天子雖象賢封諸侯，諸侯稱臣於天子，然而諸侯有不能盡賢者，故有三卿、五大夫以輔佐之。依《王制》之言，大國之三卿，皆直接受命於天子；次國亦有三卿，但有二卿受命於天子，一卿則諸侯自命；小國只有二卿，二卿皆諸侯自命；大夫之制亦悉同於命卿之制。天子雖授權諸侯管理地方，但諸侯仍受制於天子，而天子掌握諸侯行為最直接之方法，即是命卿以輔助諸侯之名，而行監督之實。此外，就天下分區而言，天子居於京師，諸侯在其國內，兩者之職權相當，天子與公、侯、伯、子、男等皆是爵稱，故兩者皆可稱「王者」；但是天子之爵稱係受命於天，而諸侯之爵位終是天子所頒授，故天子是唯一有賜爵之權利者。亦因諸侯非賜爵者，故無賜爵之權。《白虎通》曰：

> 諸侯所以無公爵者，下天子也。故《王制》曰：「上大夫、下大夫、上士、中士、下士，凡五等。」此謂諸侯臣也。（卷一〈爵〉25—26）

諸侯之爵位係天子所頒授，故其政治權利源自於天子，諸侯之職責亦在中央法令之規範內行使其權責，並直接聽命於天子，故諸侯乃天子之下屬，亦得稱臣於天子。雖然諸侯國內亦有官員編制，但是諸侯所統轄之臣下，如卿、大夫以至於士，只是「諸侯臣」，而不屬於「公爵」，可知諸侯本身只有治權而無政權。

　　諸侯既受爵於天子管理地方事務，對地方只有治權而無政權，而諸侯之俸祿，亦來自地方之稅收。《白虎通》曰：

> 祿者，錄也。上以收錄接下，下以名錄謹以事上。《王制》曰：「……諸侯之下士視上農夫，祿足以代其耕也。中士倍下士，上士倍中士，下大夫倍上士。卿四大夫祿，君十卿祿。次國之卿三大夫祿，君十卿祿。小國之卿倍上大夫祿，君十卿祿。」（卷四〈京師〉192－193）

公、侯田方百里為大國，伯七十里次之，子、男五十里為小國，不滿五十里者為附庸。依《王制》所載之規定，大國諸侯之下士視上農夫，上農夫肥田食九人；中士倍於下士，上士倍於中士，下大夫倍於上士。而卿四倍於大夫之祿，公、侯十倍於卿之祿。次國之卿三倍於大夫之祿，伯十倍次卿之祿。小國之卿倍於上大夫之祿，子、男十倍於卿之祿。換言之，諸侯及其諸侯臣之俸祿，皆來自於諸侯國之稅賦所得，俸祿與國土人民成正比。

　　諸侯之爵位來自天子，其政治權利僅限於所封之土地，故諸侯對中央負有政治責任，亦受中央之監督。《白虎通》制訂一套天子對諸侯及其所屬之中央官僚之賞罰制度。《白虎通》曰：

> 諸侯所以攷黜何？王者所以勉賢抑惡，重民之至也。《尚
> 書》曰：「三載考績，三考黜陟。」（卷七〈攷黜〉357）

> 所以三歲一攷績何？三年有成，故于是賞有功，黜不肖。
> 《尚書》曰：「三載考績，三攷黜陟。」何以知始攷輒黜
> 之？《尚書》曰：「三年一攷，少黜以地。」《書》所以言
> 「三考黜陟」者，謂爵土異也。小國攷之有功，增土進爵，
> 後攷無功削黜，後攷有功，上而賜之矣。（卷七〈攷黜〉366）

對諸侯而言，天子每三年考核諸侯之表現，善則賞，惡則罰，以達
到勉賢抑惡之效，促進人民福祉。而天子所以每三年攷績一次，乃
因三年期間建設應有成果可見，以其成果賞有功，黜不肖。若考核
地方建設有功，則賞賜之方式概分兩類。其一謂：車馬、衣服、樂
則、朱戶、納陛、虎賁、鈇鉞、弓矢、秬鬯等「九錫」，此賜之象
徵意義大於實質，天子依諸侯不同之功績，賜予對應之禮物❾❽。其
二謂「增土進爵」，天子依諸侯功績之大小論賞賜之厚薄。此兩類
賞賜內容相互配合而行。❾❾《白虎通》曰：

---

❾❽ 《白虎通》曰：「能安民者賜車馬，能富民者賜衣服，能和民者賜樂則，民眾
多者賜朱戶，能進善者賜納陛，能退惡者賜虎賁，能誅有罪者賜鈇鉞，能征不
義者賜弓矢，孝道備者賜秬鬯。」卷七〈攷黜〉，頁358。

❾❾ 《白虎通》曰：「五十里不過五賜而進爵土，七十里不過七賜而進爵土。能有
小大，行有進退也。一說盛德始封百里者，賜三等，得征伐，專殺，斷獄。七
十里伯始封，賜二等，至虎賁百人。後有功，賜弓矢。後有功，賜秬鬯，增爵
為侯，益土百里。復有功，入為三公。五十里子男始封，賜一等，至樂則。復
有功，稍賜至虎賁，增爵為伯。復有功，稍賜至秬鬯，增爵為侯。未賜鈇鉞

　　諸侯始封爵，土相隨者何？君子重德薄刑，賞疑從重。
　　《詩》云：「王曰叔父，建爾元子，俾侯于魯。」（卷七
　　〈玫黜〉371－372）

基於君子重德輕刑，賞善宜從厚重之原則，天子以九錫之象徵形
式，並配合增土進爵之實質政治權利以犒賞諸侯。至於中央官僚亦
有一套賞賜制度。《白虎通》曰：

　　受命之王，致太平之主，美群臣上下之功，故盡封之。及中
　　興征伐，大功皆封，所以襃大功也。（卷七〈玫黜〉368）

天子雖受命而王，但仍需依靠眾人始能獲得政權，故王者即位，盡
封有功之群臣；至於有中興或征伐之功者，亦皆封之襃其大功。總
之，「爵主有德，封主有功」，進爵意味功臣有德，爵所以封賢
者，而封土則獎勵功臣有功。⑩天子不僅對地方諸侯具有制約之權
利，並通過考績之方式，以增土進爵獎勵有功者；同時，亦以此獎
勵中央官僚，提供官僚體系升遷之管道。
　　有功則賞，有過則罰，賞功罰過乃是天子有效統治天下之手

者，從大國連率方伯而斷獄。」卷七〈玫黜〉，頁367－368。

⑩　《白虎通》曰：「盛德之士亦封之，所以尊有德也。以德封者，必試之為附
　　庸，三年有功，因而封之五十里。元士有功者，亦為附庸，世其位。大夫有功
　　成封五十里，卿功成封七十里，公功成封百里。士有功德，遷為大夫；大夫有
　　功德，遷為卿；卿有功德，遷為公。故爵主有德，封主有功也。」卷七〈玫
　　黜〉，頁368－369。

段。天子象賢重德，故賜諸侯之爵位與封地；反之，諸侯失德不肖，則天子奪其所賜。天子懲處諸侯有「三削」之制，⑩依諸侯之爵位等級與封土大小各分三級，若諸侯每三年之考核成績不佳，則天子以「削地絀爵」之方式處罰，逐次削絀，至地盡為止。《白虎通》曰：

> 先削地後絀爵者何？爵者，尊號也；地者，人所任也。今不
> 能治廣土眾民，故先削其土地也。故《王制》曰：「宗廟有
> 不順者，君絀以爵。」「山川神祇有不舉者，君削以地。」
> 明爵土不相隨也。或曰：惡人貪狠重土，故先削其所重者，
> 以懼之也。（卷七〈攷黜〉371）

天子賜諸侯爵號土地，諸侯代天子管理地方，故諸侯之爵號高下與封土大小相符。然而爵號與封地不必相對，一旦諸侯不能善治廣土眾民，則天子先削封地，後絀爵號。所以先削後絀，乃是土地具有實質利益，為諸侯所重視，先削封地以示懲戒諸侯。總之，天子擁有天下之政權，天子以授權之方式，將治權授予中央官僚與地方諸侯，使其代行管理京師與地方，並透過一套完整之獎懲制度，以期有效達到制約諸侯群臣之目的。

---

⑩ 《白虎通》曰：「百里之侯，一削為七十里侯，再削為七十里伯，三削為寄
公。七十里伯，一削為五十里伯，二削為五十里子，三削地盡。五十里子，一
削為三十里子，再削為三十里男，三削地盡。五十里男，一削為三十里男，再
削為三十里附庸，三削地盡。所以至三削何？體成於三，三而不改，雖反無益
矣。《尚書》曰：『三考黜陟。』」卷七〈攷黜〉，頁370－371。

　　依《白虎通》之構想，諸侯國負有兵革之重責，阻擋夷狄於國土邊境之外，故諸侯得有一軍之編制，以為天子京師之屏障。亦因諸侯有天子合法授權之軍隊，易生擁兵自重，強取豪奪，傾覆國政，分裂國土之虞，因此，基於維護國家尊嚴與安全，防止諸侯動亂無道，「三軍」乃是天子為確保中央集權與國土完整最直接有效，且是最後一道防衛機制。《白虎通》曰：

> 誅者何謂也？誅猶責也。誅其人，責其罪，極其過惡。……討者何謂也？討猶除也。欲言臣當掃除弒君之賊也。……伐者何謂也？伐者，擊也，欲言伐擊之也。……征者何謂也？征猶正也。欲其正也，輕重從辭也。戰者何謂也？《尚書大傳》曰：「戰者，憚警之也。」《春秋讖》曰：「戰者，延改也。」弒者何謂也？弒者，試也。欲言臣子殺其君父，不敢卒，候閒司事，可稍稍弒之。……篡者何謂也？篡猶奪也，取也。欲言庶奪嫡，孽奪宗，引奪取其位。……襲者何謂也？行不假途，掩人不備也。（卷五〈誅伐〉263－266）

天子出兵征伐之名義眾多，如：以「誅」責其罪，極其過惡之人，以「討」掃除弒君之賊；或有「臣子殺其君父」之「弒者」，「庶奪嫡，孽奪宗，引奪取其位」之「篡者」，「行不假途，掩人不備」之「襲者」等，歸結天子征伐之因素，主要來自於諸侯國之內亂，與諸侯國際間之糾紛兩項。對於諸侯種種不合禮法之犯罪行為，足以影響地方治安與國際和平，甚至挑戰中央政權之權威性時，天子為維持國家之統一，並伸張政權及於普天之下，最終得以

用三軍解決政治之紛爭。

諸侯一軍之編制，乃為藩輔中央之用，不得私用，其用亦得聽命於天子。《白虎通》曰：

> 諸侯之義，非天子之命，不得動眾起兵誅不義者，所以強幹弱枝，尊天子，卑諸侯也。《論語》曰：「天下有道，則禮樂征伐自天子出；天下無道，則禮樂征伐自諸侯出。」（卷五〈誅伐〉253－254）

諸侯之權位乃天子所賜，諸侯得聽命於天子，即使是諸侯用兵誅不義者，亦得經過天子之同意，諸侯之義，非天子之命，不得動眾起兵。軍權乃維繫政權之最大支柱，亦唯有天子始有指揮軍隊之權力，天子尊而諸侯卑，上下主從之制度鮮明，「強幹弱枝」乃是《白虎通》所主張之政治結構與原則。然而，諸侯國盡是天子之諸父昆弟親屬者，若遇有中央與地方之政治紛爭時，即政治權利與血緣親屬關係產生衝突時，「強幹弱枝」依然是天子處理政治問題最高之原則。《白虎通》曰：

> 誅不避親戚何？所以尊君卑臣，強幹弱枝，明善善惡惡之義也。《春秋傳》曰：「季子煞其母兄，何善爾？不避母兄，君臣之義也。」《尚書》曰：「肆朕誕以爾東征」，誅弟也。（卷五〈誅伐〉251－252）

君尊臣卑，主從之分確定，「強幹弱枝」乃是在政治上以鞏固領導

中心為前提；因此，當諸侯作亂於下，天子必出兵征伐無道之君，以維護國家主權與領土之完整。然而，若天子征伐之諸侯為諸父昆弟之親屬者，在「強幹弱枝」之原則下，延伸出「誅不避親戚」之結論，表現天子「明善善惡惡之義」之政治立場，可知，政治權利猶凌駕血緣親屬關係。

依中央專制之政體，一切政治權利集中於天子一人，天子則將政治權利分散賦予有才德賢能與有血緣關係者，落實為民造福之目的。天子封親屬為諸侯，表現血緣「親親」之義，而天子與諸侯之政治權利，亦是透過血緣關係繼承；即使是與天子無血緣關係之專業官僚，其政治權利亦循血緣關係而轉移。質言之，《白虎通》之政治制度，實與由血緣關係所建立之宗法制度密不可分。

3.宗法制度

基本上，中國之婚姻制度行一夫一妻制，但是貴族之一夫於一妻之外，亦可納妾。《白虎通》曰：「妻妾者何謂也？妻者，齊也，與夫齊體，自天子下至庶人，其義一也。妾者，接也，以時接見也。」（卷十〈嫁娶〉，頁 580）天子以至庶人之配偶只一妻，而士以上之貴族得可納妾；如：「天子諸侯一娶九女」（頁 555），「國君之妻稱之曰夫人何？明當扶進八人，謂八妾也」（頁 579），王者一妻八妾；「卿大夫一妻二妾」（頁 568）卿與大夫一妻二妾；「士一妻一妾」（頁 569）。妻尊而妾賤，妾亡可再納，妻死，則夫不得再娶女以為妻，且妻在法律上具有實質之權利，而妾則否。依宗法制度規定，妻之子稱嫡，妾之子稱庶，即便是「妾雖賢，不得為嫡」（頁 558），嫡庶身份涇渭分明。亦唯有妻之嫡長子始有繼承正統之權，稱為「大宗」。《白虎通》曰：

> 宗者，何謂也？宗者，尊也，為先祖主者，宗人之所尊也。
> 《禮》曰：「宗人將有事，族人皆侍。」古者所以必有宗，
> 何也？所以長和睦也。大宗能率小宗，小宗能率群弟，通其
> 有無，所以紀理族人者也。宗其為始祖後者為大宗，此百世
> 之所宗也。（卷八〈宗族〉466－467）

「宗」乃是以血緣關係而言，以先祖為宗，後世之子孫宗之以為
先，故謂之「宗」。古人立宗之用意，乃是以宗為正統，依血緣之
遠近定其親疏，立大宗以統率小宗與群弟，以此規範宗族之倫理秩
序，並為後世子孫百世之所宗。因此，古人乃是以血緣之親疏定親
屬之遠近，從而確立宗族間之人際關係。《白虎通》曰：

> 別子者，自為其子孫祖，繼別者各自為宗，所謂小宗有四，
> 大宗有一，凡有五宗，人之親所以備矣。（卷八〈宗族〉467－
> 468）

妻之嫡長子繼承正統為「大宗」，其餘嫡子稱別子，別子各別自立
為其子孫之祖，繼別為宗；別宗亦以其嫡長子繼承之，依此類推。
嫡長子不僅繼承政治權利，並附帶具有祭祀宗廟之權利義務。「大
宗」為始祖，高祖、曾祖、祖、父為「小宗」，大宗有一，小宗有
四，此五宗唯嫡長子始有祭祀之權，凡有五宗以維繫、整齊血緣關
係，並且由此確立政治關係及其權利。❿

---

❿ 《白虎通》曰：「宗其為高祖後者，五世而遷者也。故曰：祖遷于上，宗易于

《白虎通》曰：

> 或曰：嫡死不更立，明嫡無二，防篡煞也。祭宗廟，攝而
> 已。以禮不聘為妾，明不升。　（卷十〈嫁娶〉571）

在宗法制度中，一夫娶一妻多妾，於禮妻死不得更立。相對而言，妻尊而妾卑，且妻具有合法之名份，由妻所生之長男始有繼承權，至於庶子則在無嫡子繼承之情況下，始有繼承之可能。立嫡長子繼世之目的，在積極方面，乃為鞏固政治權利之和平移轉；在消極方面，則在防止妻妾間、或是嫡庶間之權利鬥爭。《白虎通》曰：

> 篡者何謂也？篡猶奪也，取也。欲言庶奪嫡，孽奪宗，引奪
> 取其位。《春秋傳》曰：「其言入何？篡詞也。」（卷五
> 〈誅伐〉265-266）

天子征伐諸侯與宗族有關之政治問題，其中一項罪名為「篡」。所謂「篡」，係指庶子以非法手段奪取嫡子之合法繼承權位，庶子於法、於禮皆不得篡奪嫡子之位，若有篡事發生，則天子當出兵以征伐無道之人。

　　《白虎通》政治制度之尊卑秩序，乃是以血緣倫理所建構之宗

下。宗其為曾祖後者為曾祖宗，宗其為祖後者為祖宗，宗其為父後者為父宗，父宗以上至高祖，皆為小宗，以其轉遷，別于大宗也。」卷八〈宗族〉，頁467-468。

法制度為模擬對象，而政治制度之建立與運作，亦是以宗法制度為基礎。因此，由血緣親屬關係所建構之宗法制度，乃是維繫人倫秩序與鞏固政治制度之橋樑。質言之，宗法制度乃是政治制度之基礎，亦是人倫秩序之原則，宗法制度使政治制度覆上一層血緣關係，透過血緣倫理深化政治結構關係，使政治制度成為人倫秩序之延伸。

(二) 禮制與人倫秩序

透過宗法制度之運作，使宗族倫理成為政治制度之基礎，政治制度成為血緣關係之延伸。然而，政治制度與血緣關係畢竟分屬不同領域，如何使代表血緣宗法之父權與政治制度上之君權兩者之異質性合而為一，乃是《白虎通》所必須面臨與解決之問題。事實上，《白虎通》為化解政治與血緣之異質性，甚且為健全社會上每一份子之群己關係，乃倡導所謂「三綱六紀」之說，使繁複多樣之人際關係，化繁為簡，成為一切人倫秩序之綱紀，達到以簡御繁、綱舉目張之效。

1.三綱六紀

《白虎通》曰：

> 何謂綱紀？綱者，張也；紀者，理也。大者為綱，小者為紀，所以張理上下，整齊人道也。人皆懷五常之性，有親愛之心，是以綱紀為化，若羅網之有紀綱而萬目張也。《詩》云：「亹亹文王，綱紀四方。」（卷八〈三綱六紀〉442-443）

《白虎通》將人際關係之脈絡類比為羅網之綱紀，人倫之綱紀若羅

網之經緯線索,以大者為綱,小者為紀,人際脈絡如羅網之有組織條理,若能將複雜之人際脈絡約化為羅網之綱紀,則必能收綱舉目張,簡易之效。而人際脈絡以綱紀為化,如羅網之網羅一切人際脈絡,則綱紀必能普遍涵蓋一切群己關係;且因人皆懷有仁、義、禮、智、信等五常之性,有親愛之心,故以綱紀規範人倫秩序,必然能達到張理上下,整齊人道之目的。《白虎通》曰:

> 三綱者,何謂也?謂君臣、父子、夫婦也。六紀者,謂諸父、兄弟、族人、諸舅、師長、朋友也。故《含文嘉》曰:「君為臣綱,父為子綱,夫為妻綱。」又曰:「敬諸父兄,六紀道行,諸舅有義,族人有序,昆弟有親,師長有尊,朋友有舊。」(卷八〈三綱六紀〉442)

所謂「三綱」,係指君臣、父子、夫婦三種人際關係;「六紀」則是指諸父、兄弟、族人、諸舅、師長、朋友六種人際關係。「三綱」與「六紀」兩者屬性不同,亦不對等。首先,「三綱」是三種相對關係,每一種關係之雙方相互依存,彼此共生,缺一不可;而「六紀」則是以己為中心,向外推擴之六種不同對象之群己關係之總稱,故兩者屬性不同。其次,大者為綱,小者為紀,綱紀有大小、主從之分,綱是本,紀是末,綱是原則綱領,紀則是三綱原則下所引伸之細目,故兩者不對等。《白虎通》曰:

> 君臣、父子、夫婦,六人也,所以稱三綱何?一陰一陽謂之道,陽得陰而成,陰得陽而序,剛柔相配,故六人為三綱。

（卷八〈三綱六紀〉443）

　　陰陽是天道運行變化之主因與動力，陰陽雖然是相反而相成之兩種抽象之概念，但兩者仍是一體之兩面，兩者不僅不能獨立存在，並且必須交互配合，始能產生作用，所謂「陽得陰而成，陰得陽而序」。三綱是由君、臣、父、子、夫、婦六種身份所組構而成，君臣、父子、夫婦構成三組，每一組相對之角色分屬陰陽，陰陽相成，剛柔並濟，乃能成就人道之秩序。因此，六人兩兩成三綱，是人道之倫常規範。然而，《白虎通》又引《含文嘉》曰「君為臣綱，父為子綱，夫為妻綱」，則三綱中之兩造有主從之分，似乎與「六人為三綱」之宗旨不同。究其實，《含文嘉》乃是針對實際之君臣、父子、夫婦關係而言，故三項關係之兩兩雙方有主從之分；而《白虎通》則是將君臣、父子、夫婦六人相互對待之道，轉化成三種原則，並以此三原則涵攝一切人際關係，使三綱成為人際脈絡之最高指導原則。事實上，三綱之中有主從之分，亦是《白虎通》論述人倫秩序之重點。而六紀之說，即是在三綱之原則下所衍生出之必然結果。

　　《白虎通》曰：

　　　　三綱法天地人，六紀法六合。君臣法天，取象日月，屈信歸
　　　　功天也；父子法地，取象五行，轉相生也；夫婦法人，取象
　　　　人合陰陽，有施化端也。六紀者，為三綱之紀者也。師長，
　　　　君臣之紀也，以其皆成己也。諸父、兄弟，父子之紀也，以
　　　　其有親恩連也。諸舅、朋友，夫婦之紀也，以其皆有同志為

己助也。（卷八〈三綱六紀〉444）

天道有三，故天地萬物之生成變化及其規律莫不以三為準，人道既是天道之一，亦以三為其準則。人道之三綱，法天道之三：君臣法天，取象日月；父子法地，取象五行；夫婦法人，取象陰陽。歸納而言，人道之三綱，即是效法天地陰陽五行生成變化之規律，而六紀則是在三綱之下所衍生之群己關係，並以三綱做為群己關係之典範：「師長」，君臣之紀也；「諸父」、「兄弟」，父子之紀也；「諸舅」、「朋友」，夫婦之紀也。至於「族人」一紀，《白虎通》未明言繫屬於何綱，然而從三綱之屬性分析，君臣是政治關係，父子是血緣關係，而夫婦則是包含姻親、性別等之非政治、血緣所產生之人際脈絡。至於「族人」，乃是宗族之總稱，[103]既含有父族之血緣關係，又含母族與妻族之姻親關係，若將其關係繫之於父子，或歸於夫婦，皆有可說。究其實，「六紀」是群己關係之總稱，人際脈絡當不止於六項，故《白虎通》倡「三綱六紀」之說，重點在於確立「三綱」之原則。《白虎通》將複雜之人際關係歸納為三大領域：君為臣綱乃政治倫理、父為子綱乃血緣倫理、夫為妻綱乃性別倫理，並此三綱做為一切人倫秩序之最高指導原則。

2.君臣──政治倫理

---

[103]　《白虎通》曰「族者，何也？族者，湊也，聚也，謂恩愛相流湊也。上湊高祖，下至元孫，一家有吉，百家聚之，合而為親，生相親愛，死相哀痛，有會聚之道。故謂之族。……父族四，母族三，妻族二。四者謂父之姓為一族也。……一說合言九族者，欲明堯時俱三也。……或言九者，據有交接之恩也。」卷八〈宗族〉，頁472─475。

　　「君臣」乃是相對之稱謂，就天下而言，「君」指天子，而公、卿、大夫及士等中央官僚體系，與公、侯、伯、子、男之地方諸侯，皆得稱「臣」；就地方諸侯國而言，「君」則是指諸侯，諸侯國內之卿、大夫稱「臣」。《白虎通》論君臣之政治倫理，主要指天子與中央官僚、地方諸侯之互動關係。君臣既為三綱之首，則政治倫理無疑是人倫秩序中首要之課題。

　　《白虎通》曰：

> 君臣者，何謂也？君，群也，群下之所歸心也；臣者，繵堅也，屬志自堅固也。《春秋傳》曰：「君處此，臣請歸也。」（卷八〈三綱六紀〉445）

「君」與「群」，「臣」與「堅」，皆疊韻為訓。「君之為言群也」（卷二〈號〉59），群臣誓死效忠之對象，故曰君；堅定意志，量職盡才以效忠君王乃其本分，故曰臣。天子受命代天治理天下，為有效治理天下，透過專業分工方式，將治權有限度轉移至群臣之手；同時為鞏固中央集權之政治體制，「強幹弱枝」乃是天子治天下之原則。群臣既授權於君，則應殫精竭慮，誓死效忠其君。因此，君之於臣具有絕對支配之權力，而臣之於君，唯有絕對服從之義務，君尊臣卑之職權鮮明。質言之，君臣關係乃因政治而結合，政治上之位階決定雙方之權利與義務。決定君臣間之權利與義務，乃是政治制度使然，而《白虎通》以陰陽五行學說解釋君臣在政治制度中之角色，使君臣之政治倫理合理化，強化君臣關係之正當性與必然性。

　　《白虎通》以陰陽觀念分析事物之差異，從事物之生成變化而言，陰陽是相反而相成之概念，兩者不分軒輊；但若論事物之等級差異時，則陽尊陰卑之觀念統攝一切倫理秩序，君臣、父子、夫婦之三綱皆一體適用。《白虎通》曰：「火陽君之象也，水陰臣之義也」（卷四〈五行〉225），乃取陽之屬性言君，陰之屬性言臣，君陽而尊，臣陰而卑，君臣上下之分立判。《白虎通》曰：

> 帝王者何？號也。號者，功之表也。所以表功明德，號令臣下也。（卷二〈號〉53）

「帝王」乃天子另一稱號，天子所以又稱帝王，乃在表彰天子之功德，並具有號令臣下之權能。且從五行之觀念釋君臣之關係，《白虎通》曰：

> 帝者，天號；王者，五行之稱也。（卷二〈號〉，頁 54）

> 土所以不名時者，地，土之別名也。比於五行最尊，故不自居部職也。《元命苞》曰：「土無位而道在，故大一不與化，人主不任部職。」（卷四〈五行〉201）

就五行之相生相勝變化之理，彼此互動不論高下；然而，「土」於五行之中，居中央，有中和之性，「土者最大，苞含物將生者出，將歸者入，不嫌清濁為萬物」（卷四〈五行〉202），五行之中莫貴於土，尊者配天，而金、木、水、火分屬四時四方，唯有土行不以時

名，不分方位，於五行之中地位最尊。天子掌天下之政權，治權則分派臣下，猶如土行居中央之位，不任部職，唯有天子一人獨具「土」之屬性。《白虎通》曰：

> 五行常在，火乍亡何？水太陰也，刑者，故常在。金少陰，木少陽，微氣無變，故亦常在。火太陽精微，人君之象，象尊常藏，猶天子居九重之內，臣下衛之也。藏於木者，依於仁也。（卷四〈五行〉229）

君雖有土行之屬性，然而就陰陽而言，則君之象是太陽，而臣之象是太陰。陽主德而陰主刑，故德歸於君，而臣常在行刑；天子象火之太陽，深居京師之內，臣下象水之太陰，執行刑法以保衛京師之安全。《白虎通》曰：

> 地之承天，猶妻之事夫，臣之事君也。其位卑，卑者親視事，故自同於一行，尊於天也。（卷四〈五行〉198）

天子列土為疆，張官設府，名為為民；中央官僚與地方諸侯，管理中央與地方之庶務，實乃是為君服務。統治者尊，聽令者卑，臣之事君猶地之於天、妻之於夫，地、妻、臣三者同義，皆尊天、夫、君。

　　由陰陽五行觀念說明君臣之政治倫理，確立君尊臣卑之原則，故君臣對待之道，亦可以陰陽變化之理與天道運行之法則說明之，且君臣既是一種相對關係，則其取象類比之方式，亦是運用相對之

比例原則。《白虎通》曰：

> 君舒臣疾，卑者宜勞，天所以反常行何？以為陽不動無以行
> 其教，陰不靜無以成其化，雖終日乾乾，亦不離其處也。故
> 《易》曰「終日乾乾」，反覆道也。（卷九〈天地〉502－503）

尊者宜逸而卑者宜勞，君舒臣疾之原則乃是制度使然，然而，陽主
動而陰主靜，君既取象陽，臣取陰義，則現實之政治制度豈不與理
想之天道悖逆？《白虎通》為化解此一矛盾衝突，乃將陽之動理解
為君之行其教，陰之靜為臣之受君之化，且君子終日乾乾，乃是反
覆其道而不離其處，如此，不僅維持陰陽五行理論之完整性，更能
確保君臣政治倫理之正當性。又如：

> 天左旋，日月五星右行何？日月五星，比天為陰，故右行。
> 右行者，猶臣對君也。《含文嘉》曰：「計日月右行也。」
> 《刑德放》曰：「日月東行。」（卷九〈日月〉503）

君臣之互動關係，可類比天道之運行，君類比為天，群臣為日月五
星，天與日月五星之運行相反而不離，猶如君為天，大一不與化，
不任部職，而群臣是日月五星，比天為陰，臣以君為中心，環繞於
四週。又如：

> 日行遲，月行疾何？君舒臣勞也。日日行一度，月日行十三
> 度十九分度之七。《感精符》曰：「三綱之義，日為君，月

　　為臣也。」（卷九〈日月〉504）

　　若取象日月類比君臣關係，則君為日，而臣為月。日緩月疾，日月運行之速度不一，故在政治倫理上，強調君舒臣疾之原則，亦符合自然法則。總之，《白虎通》論證君臣之政治倫理，時而援引陰陽五行與天人感應之學說，目的乃在證成君臣之政治倫理之正當性。

　　中央集權之政治體制，促使天子成為一個至高無上之絕對體，形成一種以政治權利劃分階級之制度，君尊臣卑，紀律嚴謹。然而，君臣之間並非只是上對下單向之指揮系統，所謂「君使臣以禮，臣事君以忠」（卷三〈禮樂〉114），基於尊重群臣之專業與權利，君王仍須以禮待臣，而臣則量職盡才，對君效忠；況且，君臣之間仍然存在著一道由下對上之溝通途徑。《白虎通》曰：

　　諫者何？諫者，閒也，更也。是非相閒，革更其行也。（卷五〈諫諍〉278）

　　諫之為言閒也，更也，諫與諍同義。臣子以下犯上，直言規勸君王之過失，從而革更其行，謂之「諫」，或謂之「諍」。臣子依諫言內容與諫言方式有「五諫」：「知禍患之萌，深睹其事，未彰而諷告焉」，曰諷諫；「出詞遜順，不逆君心」，曰順諫；「視君顏色不悅，且郤，悅則復前，以禮進退」，曰闚諫；「指者，質也，質相其事而諫」，曰指諫；「惻隱發於中，直言國之害，勵志忘生，為君不避喪身」，曰陷諫（卷五〈諫諍〉279－280）。諷諫與指諫，乃是臣子針對弊端事件提出諫言；順諫與闚諫，乃是臣子直言規勸之

方式與態度；而陷諫則是臣子基於道德責任，不顧喪身之虞，直指弊端事件。《白虎通》曰：

> 臣所以有諫君之義何？盡忠納誠也。《論語》曰：「愛之能勿勞乎？忠焉能勿誨乎？」（卷五〈諫諍〉268）

臣子雖唯君之命是從，但若遇君有過失，則必直言規勸，此乃為人臣子對君王應盡之責任與義務，亦是對君王效忠之表現。《白虎通》引《孝經》之文，說明大夫以上有諍臣之制，⑩④且置左輔、右弼、前疑、後承之諫官，以糾正天子之言行舉止。⑩⑤《白虎通》曰：

> 明王所以立諫諍者，皆為重民而求己失也。《禮保傳》曰：「于是立進善之旌，懸誹謗之木，建招諫之鼓。」（卷五〈諫諍〉281）

君王提供群臣下對上諫諍之管道，乃是希望透過群臣之諫言，了解

---

⑩④ 《白虎通》曰：「《孝經》曰：『天子有諍臣七人，雖無道不失其天下；諸侯有諍臣五人，雖無道不失其國？大夫有諍臣三人，雖無道不失其家？士有諍友，則身不離於令名？父有諍子，則身不陷於不義。』」卷五〈諫諍〉，頁268－269。

⑩⑤ 《白虎通》曰：「天子置左輔、右弼、前疑、後承，以順。左輔主脩政，剌不法。右弼主糾，糾周言失傾。前疑主糾度定德經。後承主匡正常，考變失，四弼興道，率主行仁。」卷五〈諫諍〉，頁269－270。

行政之得失，進而達到為民謀福之目的。群臣既負有諫諍之責任，則君王若有過失，群臣當難辭其咎。《白虎通》曰：

> 所以為君隱惡何？君至尊，故設輔弼，置諫官，本不當有遺失。《論語》曰：「陳司敗問：『昭公知禮乎？』孔子曰：『知禮。』」此為君隱也。（卷五〈諫諍〉284）

君王貴為至尊，既已「立進善之旌，懸誹謗之木，建招諫之鼓」，廣開諫諍之門，且設輔弼，置諫官，以納諫諍之言，理應不當有任何過失；若君王仍有遺失，則為人臣者亦須分擔君王過失之責任，做法之一，便是為君隱惡。《白虎通》曰：

> 人臣之義，當掩惡揚美，所以記君過何？各有所緣也。掩惡者，謂廣德宣禮之臣。（卷五〈諫諍〉284）

人臣既有諫諍之責，亦必有為君掩惡揚美之義務，意即：為人臣者，當廣播其君之德政，宣揚禮樂教化，弘揚君王之美名，此亦是臣對君之義務。

雖然君臣之政治倫理關係非常明確，即使是由下對上之諫諍，亦不過是提供君王參考之用，對君王並不構成制約作用。然而，《白虎通》以陰陽屬性而言君臣之取象時，以火之陽象君，以水之陰象臣，但是就五行生勝而言，水勝火，則臣豈不勝君？《白虎通》曰：

> 火陽，君之象也；水陰，臣之義也。臣所以勝其君何？此謂
> 無道之君，故為眾陰所害，猶紂王也。（卷四〈五行〉225）

基本上，《白虎通》言君象火，臣象水，乃是就火、水之陰陽屬性
而論，並非言君屬五行中之火行；甚至已明言天子屬土行，居中
央，不任部職。《白虎通》並未澄清此一問題，反而順此一取象，
說明臣所以勝其君之理，使君臣間牢不可破之藩籬，留下一道裂
痕。臣所以勝其君之前提，乃在於當無道之君出現時，猶如紂王為
眾陰所害；在此，《白虎通》似乎有意藉此告誡君王，隨時「覺悟
其行，欲令悔過，修德深思慮」。

　　至於「師長」是群己關係中六紀之一，《白虎通》將其歸屬於
君臣之綱，所謂「師長，君臣之紀也，以其皆成己也」，師長者，
乃教人為君，教人為長者，皆以成就自己為職志，故師長屬君臣之
紀也。但是，師長並非全然只有教育作用，而且教育之作用，亦不
能使師長適用於君臣之綱。《白虎通》曰：

> 師弟子之道有三。《論語》「朋友自遠方來」，朋友之道
> 也；又曰：「回也，視予猶父也」，父子之道也；以君臣之
> 義教之，君臣之道也。（卷六〈辟雍〉307－308）

師長與弟子相處之道有三：曰朋友、曰父子、曰君臣，顯然，師生
之間雖無血緣關係，但有父子之情；亦因無血緣關係而結合，故可
以以朋友相對待；且師生之教授方式乃是由上而下，符合君臣之
義，又可以以君臣視之。基於師弟子之道有三，弟子服侍師長亦必

遵守三項關係之規定。《白虎通》曰：

> 弟子為師服者，弟子有君臣、父子、朋友之道也。故生則尊
> 敬而親之，死則哀痛之，恩深義重，故為之隆服，入則絰，
> 出則否也。《檀弓》曰「昔夫子之喪顏回，若喪子而無服，
> 喪子路亦然。請喪夫子，若喪父而無服」也。（卷十一〈喪
> 服〉622－623）

因師生之間具有君臣、父子、朋友之道，師長對弟子之恩情實已超
越君臣、父子、朋友之關係，故弟子之待師，「生則尊敬而親之，
死則哀痛之」，恩深義重而已矣。《白虎通》將師長歸屬於君臣之
紀，固然是師生之道有君臣之義，而君臣之綱又為三綱之首，以師
長歸於君臣之紀並無不妥。但是，從師生關係之發生而言，教育乃
是貴族間之事，唯有貴族子弟始有受教育之機會，大凡師長者，大
多是具有公職身份之學官博士，其所率領之博士弟子員，皆在學官
員額編制之內，故弟子與師長之關係，乃是因政治制度而結合。因
此，師生之關係屬於政治倫理之範疇，而君臣之綱統領政治倫理，
故《白虎通》將「師長」歸屬於君臣之紀，乃是合理之事。

　　基本上，君臣關係乃是因政治而結合，政治制度所形成之政治
倫理，使君臣成為一種主從對立、上下有別、尊卑分明之倫理關
係。政治關係是血緣宗族之延伸，而君臣之關係，容或有因血緣而
結合，或有因才能、功德而結合，一旦政治關係確立，所謂「尊君
卑臣，強幹弱枝」，政治倫理乃是最高原則。甚且，當政治倫理遭
遇其他關係干擾時，必要以維護政治倫理之完整為最優先，所謂

「誅不避親戚」，「明善善惡惡之義」，正說明政治立場凌駕血緣關係之上。政治倫理乃是人倫秩序之一環，但是由政治倫理引伸出君臣關係，卻支配、指導一切人倫秩序，並成為人倫秩序之典範。君臣為三綱之首，而父子、夫婦之倫理關係，亦在君臣所建構之政治倫理上發揮與引伸。

3.父子──血緣倫理

《白虎通》以「三綱」涵攝政治、血緣、性別三大領域，然而，《白虎通》經常將父子、夫婦兩綱類推為君臣之綱紀，甚至以君臣之政治倫理指導父子、夫婦，以君臣關係類比為父子關係，如諸侯為天子服喪即是一例。❿換言之，君臣之政治倫理優先於血緣宗族、姻親性別之關係，政治倫理是一切倫理之典範，且由君臣關係所建立主從、上下、尊卑之秩序，轉化成為統攝一切人倫秩序之原則。父子之血緣倫理，夫婦之性別倫理，其義皆與君臣倫理同調，皆以政治倫理為原則。

政治制度是以血緣倫理所建構之宗法制度為基礎，血緣關係是由宗族過渡至政治場域之橋樑，而血緣關係最密切者，莫過於父子，故以父子關係而開展之人倫秩序為三綱之一，統攝由血緣所建構之宗族社會。《白虎通》曰：

> 父子者，何謂也？父者，矩也，以法度教子也；子者，孳

---

❿ 《白虎通》曰：「諸侯為天子斬衰三年何？普天之下，莫非王土；率土之賓，莫非王臣。臣之於君，猶子之於父，明至尊臣子之義也。」《喪服經》曰：「諸侯為天子斬衰三年。」卷十一〈喪服〉，頁 597。

也，孳孳無已也。故《孝經》曰：「父有爭，子則身不陷于
不義。」（卷八〈三綱六紀〉445）

「父」者，《說文》曰：「父，巨也，家長率教者。」（頁116）其
義與《白虎通》同，父、巨疊韻為訓，父以法度教子，並以身作
則，為子之行為典範；「子」者，《說文》曰：「子，十一月，陽
氣動，萬物滋，人以為偁。」（頁749）子、孳亦疊韻為訓，子謂孳
生者，生生不息，猶天生萬物，人亦萬物之一，亦可稱子。父取教
養之義，而子則取孳生之義。《白虎通》言：「父子法地，取象五
行，轉相生也」，謂父子乃有血緣關係，父生子，猶五行「以其轉
相生，故有終始也。木生火，火生土，土生金，金生水」。《白虎
通》言：「子順父，妻順夫，臣順君何法？法地順也。」（卷四
〈五行〉231）子乃父所生，應如地之順天。因此，從血緣關係而
言，子乃父所生，子應以父為綱常。

父子之血緣關係建立「父為子綱」，子之事父，一如臣之事
君，君臣與父子，其義一也。血緣關係是政治倫理之基礎，政治與
血緣之結合，乃是由於宗法制度居間協調，促使人倫秩序與政治制
度得以順利運作。同時，為防止血緣親情干涉、破壞政治制度，奠
定唯有嫡系長子始有繼承權利之宗法制度，以防止妻妾間，甚至兄
弟間「篡煞」之奪權糾紛，所謂「國在立大子者，防篡煞，壓臣子
之亂也。」（卷四〈封公侯〉176）即是此意。「父死子繼」且以嫡長
子為大宗，是政治權利合於宗法制度，且是權利和平移轉有效方
法，若有因外力干擾此一制度，且非法轉移權利，則臣、子不僅有
權利爭取，甚至有為君、父報仇之義務。《白虎通》曰：

子得為父報仇者，臣子之於君父，其義一也。忠臣孝子所以
不能已，恩義不可奪也。故曰：「父之仇不與共天下，兄弟
之仇不與共國，朋友之仇不與同朝，族人之仇不共鄰。」故
《春秋傳》曰：「子不復仇非子。」子夏曰：「居兄弟之仇
如之何？仕不與共國，銜君命遇之不鬥。」（卷五〈誅伐〉260
－261）

父子有血緣恩義之情存焉，臣子之於君父亦同此義，忠臣與孝子有
責任義務維護各自之恩義於不墜，故凡有奪忠臣孝子之恩義者，
臣、子當有復仇之舉。《白虎通》曰：

王者諸侯之子，篡弒其君而立，臣下得誅之者，廣討賊之義
也。《春秋傳》曰：「臣弒君，臣不討賊，非臣也。」（卷
五〈誅伐〉255）

君臣之義既同父子，若天子或諸侯被非嫡長子篡弒，則臣下亦有責
任討伐篡弒者，以維護政治制度正常運作，若臣不討篡弒者，未盡
君父臣子之義，則不配稱臣。

父子之血緣關係取象五行，以五行轉相生釋父子之相繼承，子
為復仇之義，亦可在五行相勝之理論得到印證。《白虎通》曰：

木王，火相，土死，金囚，水休。土所以死者，子為父報仇
者也。（卷四〈五行〉224）

> 父死子繼何法？法木終火王也。……子復仇何法？法土勝
> 水，水勝火也。（卷四〈五行〉231）

又如：「金生水，水滅火，報其理」，水滅火之理，乃是報金之
恩。依五行相生相勝之義，得「凡所生之一行，其所勝之一行必勝
其所生」之規律，《白虎通》稱此為子為父報仇也，由此引申出報
仇之正當性。子為父復仇既取得正當性，而由父子血緣關係所延伸
出之兄弟、朋友與族人之倫理關係，亦有復仇之必要；但是，並非
有仇必報，或凡仇必報，所謂「父之仇不與共天下，兄弟之仇不與
共國，朋友之仇不與同朝，族人之仇不共鄰」，復仇必須根據被殺
者與己之關係，以決定與仇人相處之道。而且，並非所有父母被
殺，為人子者皆有報仇之責任，若父母因非法而見殺，則子不可復
仇。《白虎通》曰：

> 父母以義見殺，子不復仇者，為往來不止也。《春秋傳》
> 曰：「父不受誅，子不復仇，可也。」（卷五〈誅伐〉262）

若父母因犯罪不義而被殺，雖有父子之親，則子無復仇之藉口，
《白虎通》強調子不復仇之理由，是「往來不止」，避免冤冤相
報，無限復仇。其實，此一理由並不充分，且與父子血緣倫理有矛
盾之虞。《白虎通》所以提出子不復仇之理由，仍然是在提高政治
結構之位階，以維護政治制度之優先性，同時壓制血緣關係對政治
制度之衝擊與挑戰。此外，子不復仇僅限於諸侯以下之貴族，不含
天子之子，因天子乃受命而王，其權位無人能及，其命無人能奪，

故凡弒天子者，臣子皆得而誅之。

父子倫理雖為三綱之一，但仍受限於君臣之綱，故基本上，父子因血緣所建構之倫理，仍是遵循君臣上下尊卑之道。然而，君臣因政治而結合，故其倫理建基於道義；而父子因血緣而結合，故其倫理根植於恩情；君臣倫理統攝政治領域，而父子倫理則涵蓋血緣宗族領域，兩者畢竟不同。諫諍一事，即是一例。⑩臣遇君有過失，必直言規勸，此乃臣對君應盡之責任與義務，亦是對君效忠之表現，相對於子，以直言規勸父之過失，亦是對父行孝道之表現，臣、子諫君、父之道理一致。但是「臣諫君以義」，「子諫父以恩」，兩者因關係不同而諫諍之初衷互異，且兩者之取象五行亦不同，更重要者，是「臣諫君不從則去」，君不聽臣諫，臣三諫則去；但「親屬臣諫不相去」（卷四〈五行〉233），父子之血緣關係不因父不從子諫而消失或改變。《白虎通》曰：

> 子諫父，父不從，不得去者，父子一體而分，無相離之法，猶火去木而滅也。《論語》：「事父母幾諫。」下言「又敬不違」。（卷五〈諫諍〉277）

父子血緣乃天生人成，兩者血脈相連，畢竟一體，血緣恩義既無相離之法，骨肉親情亦無求去之義，故子諫父而父不從聽，子亦不得

---

⑩ 《白虎通》曰：「臣之諫君何法？法金正木也；子之諫父，法火以揉木也。臣諫君以義，故折正之也；子諫父以恩，故但揉之也，木無毀傷也。待放去，取法於水火，無金則相離也。」卷五〈諫諍〉，頁278。

去，且依然敬父不違。父子一體是恆常不變，而君臣關係是隨政治
制度而調整，此乃父子與君臣之不同處。父子為彼此掩護是最明顯
例子。

《白虎通》曰：

> 父為子隱何？法木之藏火也。子為父隱何法？法水逃金也。
> （卷四〈五行〉233）

> 君所以不為臣隱何？以為君之與臣，無適無莫，義之與比。
> 為賞一善而眾臣勸，罰一惡而眾臣懼。若為卑隱，為不可殆
> 也。（卷五〈諫諍〉284）

父子具有血緣關係，故就五行生勝學說，父子彼此掩護乃有學理根
據。而君不得為臣隱，是就君臣在政治地位而言，君尊臣卑，君以
賞勸，以惡懼，建立制度，若為臣隱，則必破壞體制，嚴重影響君
權威信，故不可為。臣雖有為君掩惡揚美之責任，但君不可為臣
隱。《白虎通》曰：

> 君不為臣隱，父獨為子隱何？以為父子一體，榮恥相及。故
> 《論語》曰：「父為子隱，子為父隱，直在其中矣。」（卷
> 五〈諫諍〉285－286）

父子與君臣最大不同，在於父子乃由血緣關係而結合，兩者一體不
二，故父子共同承擔榮恥，不分彼此。相較於君臣關係之可變動

性，父子血脈相連，則無改變之可能，此理亦可由「贄禮」分判彼此。《白虎通》曰：

> 子見父無贄何？至親也，見無時，故無贄。臣之事君，以義合也。得親供養，故質己之誠，副己之意，故有贄也。（卷八〈瑞贄〉425－426）

臣以卑見尊時，為表現內心對尊者之至誠，必有物以將其忠誠悃忱為贄，以贄「差其尊卑，以副其意」。子之見父，雖有君臣之禮，但是父子無時不見，且父子血緣至親，彼此具有供養之義務與親恩，故子之見父無贄以為禮，此亦是血緣關係與政治關係有別。

至於《白虎通》所以列「諸父」、「兄弟」為「父子之紀」，乃是「以其有親恩連也」。《白虎通》曰：「敬諸父兄」，父之兄曰「伯父」，父之弟曰「仲父」，「諸父」曰「內親」，諸父乃父之昆弟，有旁系血緣；「兄者，況也，況父法也」（卷八〈三綱六紀〉450），長兄如父；「諸父諸兄不名。諸父諸兄者親，與己父兄有敵體之義也」（卷七〈王者不臣〉386），諸父諸兄所以不名，乃是尊重之意，其與己之父兄皆有血緣關係，有一體之義，故當敬諸父兄如敬父也。而「弟者，悌也，心順行篤也」（卷八〈三綱六紀〉450），弟敬兄如父，則弟當心悅臣服於兄。故「諸父」、「兄弟」為「父子之紀」，以父子之綱統諸父、兄弟之紀。

《白虎通》以父子關係統攝由血緣所建構之倫理秩序，基本上仍以君臣之政治倫理為準則。但是當血緣關係與政治關係產生衝突時，則以政治倫理為優先，其餘凡在不違背政治倫理之原則下，以

血緣之遠近親疏定宗族倫理關係，並以血緣長幼定上下尊卑之序。由父子血緣關係所延伸之宗族倫理，皆以父子關係為綱紀。

4.夫婦──性別倫理

就生化之理而言，陰陽是相反而相成之兩種抽象概念，陰陽所以能產生作用，乃是陰陽交互作用之結果，《白虎通》曰：「夫婦法人，取象人合陰陽，有施化端也」，即是此理。陰陽生天地萬物，人亦其中之一，「男女總名為人」，人分男女兩類，《白虎通》曰：「男女異長，各自有伯仲，法陰陽各自有終始也」（卷九〈姓名〉495），男女雖皆稟陰陽之氣生化而成，但男女各自有擅長處，身心構造畢竟不同，男為陽，女為陰，男女猶陰陽各自有終始。人之所以有男女之分，且男女各有所長，乃是陰陽各自有終始變化不同所形成；甚且男女之結合，亦是循陰陽變化備物成功之理，男女之交成夫婦，乃是人倫之始。故夫婦取象人合陰陽，乃夫妻匹偶，重人倫，廣繼嗣，猶天地施化陰陽，陰陽相成生化萬物之義。

《白虎通》曰：

> 人道所以有嫁娶何？以為情性之大，莫若男女，男女之交，人倫之始，莫若夫婦。《易》曰：「天地氤氳，萬物化淳，男女構精，萬物化生。」人承天地施陰陽，故設嫁娶之禮者，重人倫，廣繼嗣也。《禮保傳記》曰：「謹為子嫁娶，必擇世有仁義者。」（卷十〈嫁娶〉535－536）

氣有陰陽，人分男女，男女之交廣繼嗣，猶如陰陽生化萬物之理，

陰陽生天地萬物，夫婦造人倫之始。男女因情性而結為夫婦，夫婦是一切人倫之生發與基礎，故人道設嫁娶之禮，乃為重人倫，廣繼嗣。

　　人道設嫁娶之目的，乃為繁衍後代，嫁娶使夫婦成為一體，猶如陰陽難分彼此。《白虎通》曰：

> 妻妾者，何謂也？妻者，齊也，與夫齊體，自天子下至庶人，其義一也。妾者，接也，以時接見也。（卷十〈嫁娶〉580）

自天子以至庶人之配偶通稱「妻」，妻與夫齊體，不分彼此，自天子以至庶人，皆同其義。夫得娶一妻多妾，妻有實質名份，妾僅以時見夫。《白虎通》曰：

> 夫有惡行，妻不得去者，地無去天之義也。夫雖有惡，不得去也。故《禮郊特牲》曰：「一與之齊，終身不改。」悖逆人倫，殺妻父母，廢絕綱紀，亂之大者也，義絕乃得去也。（卷十〈嫁娶〉553－554）

夫妻既是一體，更無相去之道理，即使夫有惡行，妻亦不得棄夫而去，所謂「一與之齊，終身不改」。唯有當夫悖逆人倫，廢絕綱紀時，夫婦之恩義盡絕，妻始得求去。夫婦一體之觀念，亦可由諫諍一事觀察。《白虎通》曰：

> 妻得諫夫者，夫婦一體，榮恥共之。《詩》云：「相鼠有
> 體，人而無禮，人而無禮，故不遄死？」此妻諫夫之詩也。
> 諫不從，不得去之者，本娶妻非為諫正也。故一與之齊，終
> 身不改，此地無去天之義也。（卷五〈諫諍〉276－277）

從諫諍之禮而言，夫婦之關係與父子類似。父子因血緣為一體，榮
恥相及，子諫父，父不從，子不得去；而夫婦因婚姻為一體，榮恥
共之，妻諫夫，夫不從諫，妻亦不得去之。夫婦乃為廣繼嗣而結
合，娶妻非為諫正，故諫正非妻之本職。夫妻固為一體，妻與夫
齊，終身不改，猶如地無去天之義。

　　然而，由諫諍之禮說明夫婦一體之觀念頗為悖逆，若夫婦為一
體，夫婦不分彼此，則夫婦位階應相當或相同；然而諫諍本是由下
對上之直言，諫諍之行為本身充滿上下尊卑之政治性，則夫婦必有
主從、上下之分。其實，以陰陽說明男女關係具有雙重意義，就陰
陽之作用而言，「一陰一陽謂之道，陽得陰而成，陰得陽而序」，
陰陽相輔而相成；但論屬性與倫理，則陽上而尊，陰下而卑之觀念
固執。男女結為夫婦之目的在重人倫，廣繼嗣，兩者缺一不可，故
兩者為一體；但是就男女性別而言，「與夫齊體」是妻依附於夫，
男上而尊，女下而卑，夫為妻綱之性別觀念由來已久。

　　男尊女卑之性別關係，是長久以來之傳統社會價值觀，故婚姻
制度與夫婦之主從關係亦以此定調。《白虎通》曰：

> 夫婦者，何謂也？夫者，扶也，以道扶接也；婦者，服也，
> 以禮屈服也。《昏禮》曰：「夫親脫婦之纓。」《傳》曰：

「夫婦判合也。」（卷八〈三綱六紀〉445－446）

古夫多讀如扶，婦、服一音之轉訓。夫婦乃是相對之稱謂，相對於婦而言，夫以道義扶接婦，故曰夫；反之，婦以禮屈服於夫，故曰婦。夫婦關係建立在婚姻制度之上，故夫婦之綱紀，既非出於政治，亦與血緣無關，而是由婚姻制度決定夫婦之倫理，其實質意義，乃是分判男女因性別而有不同社會地位。《白虎通》曰：

> 禮男娶女嫁何？陰卑，不得自專，就陽而成之。故《傳》曰：「陽倡陰和，男行女隨。」（卷十〈嫁娶〉536）

> 嫁娶者，何謂也？嫁者，家也，婦人外成，以出適人為家；娶者，取也。男女者，何謂也？男者，任也，任功業也；女者，如也，從如人也，在家從父母，既嫁從夫，夫歿從子也。《傳》曰「婦人有三從之義」焉。夫婦者，何謂也？夫者，扶也，扶以人道者也；婦者，服也，服於家事，事人者也。（卷十〈嫁娶〉580－581）

婚姻嫁娶制度是「男娶女嫁」，女陰乃卑，以出適人為家，男則取女為妻。婚姻制度確立夫婦在婚姻關係中之責任與義務，男者以外在功業為責任，女則以從如人為主，服於家事，服侍於人。夫婦之地位與角色非常清楚，婚姻關係決定以男為主，女為輔，「男行女隨」，猶如「陽倡陰和」。

《白虎通》中之女性，不僅是庶民之妻，貴族之婦亦絲毫無自

主權利，終其一生皆服膺於男性權威之下，所謂「在家從父母，既嫁從夫，夫歿從子」之「三從」。長期性別歧視之結果，使男尊女卑之性別不平等視為理所當然，女性被「教育」為男性之附庸，女性之主張始終被壓抑，且在社會之中毫無地位與尊嚴可言，遑論參與政治、經濟等國家重大議題。《白虎通》曰：

> 婦人無爵何？陰卑無外事。是以有三從之義：未嫁從父，既嫁從夫，夫死從子。故夫尊于朝，妻榮于室，隨夫之行。故《禮郊特牲》曰：「婦人無爵，坐以夫之齒。」《禮》曰：「生無爵，死無諡。」《春秋》錄夫人皆有諡，何以知夫人非爵也？《論語》曰：「邦君之妻，君稱之曰夫人，國人稱之曰君夫人。」即令是爵，君稱之與國人稱之，不當異也。
>
> （卷一〈爵〉28-29）

爵位乃是依個人功德而論賞，諡則是依爵位之高下而封賜，婦女有三從之義，既無外在事功，故無爵位與諡號。夫婦一體，妻隨夫之行，婦人若有所謂尊榮，而稱曰婦人、夫人或君夫人，係歸功於夫有尊於朝，斷非婦女有功於國家。

夫婦為三綱之一，由夫婦之關係象徵並決定男女性別之倫理。《白虎通》以夫婦關係說明性別倫理，且以夫婦綱紀概括除政治、血緣之外之人際關係，如六紀中之「諸舅」、「朋友」歸屬於夫婦之綱紀。然而，以夫婦之性別倫理統攝其餘非政治、血緣之人際關係並不相應，但是，對於繁複多樣之人際關係，無論是六紀，或者三綱，乃是簡化歸類之結果。《白虎通》制定人倫秩序之原則是

「以簡馭繁」，建立三綱六紀以網羅人際關係，以達到提綱挈領之效果，目的在使倫理易知易行，因此，以夫婦一綱涵蓋非政治與血緣之其他人際關係，乃是一種方便設說。事實上，「諸舅」、「朋友」之紀，與夫婦之綱仍存有若干關聯性。《白虎通》曰：「諸舅朋友夫婦之紀也，以其皆有同志為己助也」，「諸舅」係指母之昆（昆，兄也）弟，或妻之父，⑩皆是因婚姻所附帶之姻親關係，夫婦既是一體，則夫當與妻一視同仁，凡有父母之尊親者，皆以此稱報，故曰「諸舅有義」。至於「朋友」之紀，則亦符合夫婦一體之理念。

《白虎通》曰：

> 朋友者，何謂也？朋者，黨也；友者，有也。《禮記》曰：
> 「同門曰朋，同志曰友。」（卷八〈三綱六紀〉446）

「朋友」乃是一種互稱，指同門同黨，或有志一同之夥伴關係，朋友之間無政治與血緣關聯，其結合係出於道義，以同一志趣為基礎，故「朋友有舊」，乃在強調雙方長期累積之情誼與彼此信賴。《白虎通》曰：

> 朋友之交，近則謗其言，遠則不相汕，一人有善，其心好

---

⑩　《白虎通》曰：「稱夫之父母謂之舅姑何？尊如父而非父者，舅也；親如母而非母者，姑也。故稱夫之父母為舅姑也。」卷八〈三綱六紀〉，頁 450。《爾雅·釋親》曰：「母之昆弟為舅。」卷四，頁 62；又曰：「妻之父為外舅。」頁 63。

之；一人有惡，其心痛之。貨則通而不計，共憂患而相救，生不屬，死不托。故《論語》曰：「子路云：『願車馬衣輕裘與朋友共，敝之。』」又曰：「朋友無所歸，生于我乎館，死于我乎殯。」（卷八〈三綱六紀〉446－447）

朋友既是道義之交，則朋友不僅要相互提攜，彼此共勉，尤其要相互規勸，更要在財貨上互通有無、同甘共苦，彼此休戚與共，所謂「朋友之道有四焉」，「近則正之，遠則稱之，樂則思之，患則死之」（卷五〈諫諍〉286－287）。《白虎通》曰：「人本接朋結友，為欲立身揚名也」（卷五〈諫諍〉286），其意與夫婦之義相同：夫婦一體，朋友同志；夫婦相互扶服，朋友則助己立身揚名；朋友與夫婦之於己，「以其皆有同志為己助」也，故朋友關係隸屬於夫婦之綱紀。

　　雖然朋友因道義而結合，然而，朋友畢竟無政治與血緣關係，朋友之交猶不能超越血緣親情。故朋友「貨則通而不計」，且「有通財之義，振窮救急之意」，但是，若有父兄在者，朋友間之財貨往來，僅止於貴族於私相見時所持之贄禮，❿其餘皆不得擅自處分財貨，與朋友私相授受。《白虎通》曰：

　　　朋友之道，親存不得行者二。不得許友以其身，不得專通財之恩。友飢，則白之于父兄，父兄許之，乃稱父兄與之，不

---

❿　《白虎通》曰：「朋有之際，五常之道，有通財之義，振窮救急之意，中心好之，欲飲食之，故財幣者，所以副至意焉。」卷八〈瑞贄〉，頁424。

聽則止。故曰：友飢為之減餐，友寒為之不重裘。故《論
語》曰：「有父兄在，如之何其聞斯行之」也。（卷八〈三綱
六紀〉447）

朋友雖有正、稱、思、死之四道，但是「通財不在其中」；且有父
兄在，尤不得「許友以其身」、「專通財之恩」，顯示朋友之交仍
有其分際。若有斷糧之友，則必稟告父兄，經過父兄許可，始可以
父兄之名饋贈財貨；否則，朋友不得逕行私相授受。

至於「族人」一紀，兼含父族之血緣關係與母族與妻族之姻親
關係，既可繫之於父子，亦可歸於夫婦，然《白虎通》書中則未置
可否。「族人」是宗族之總稱，且與宗族血緣關係較為密切；⑩但
是，基於父子之綱專論直系血緣關係，「諸父」、「兄弟」已繫於
此，而夫婦之綱兼含姻親關係與非血緣、政治關係者，故將「族
人」之紀繫於夫婦之綱為宜。

男女因婚姻而成夫妻，夫婦相處之道，反應社會男女因性別而
產生差異，且由性別之差異決定男女之社會地位。夫婦之綱紀雖以
夫婦關係為主體架構，但因夫婦本無血緣與政治關係，故《白虎
通》遂將無血緣與政治關係之「諸舅」、「朋友」（與「族人」）之
紀納入夫婦一綱之中，使夫婦之綱紀統攝凡非血緣與政治之人際關
係，以整齊人倫，建立社會秩序。

---

⑩ 《白虎通》曰：「宗者，何謂也？宗者，尊也，為先祖主者，宗人之所尊也。
《禮》曰：『宗人將有事，族人皆侍。』古者所以必有宗何也？所以長和睦
也。大宗能率小宗，小宗能率群弟，通其有無，所以紀理族人者也。」卷八
〈宗族〉，頁 466-467。

　　總而言之，《白虎通》以君臣之綱統攝政治倫理，概括師長之紀；以父子之綱統攝宗族倫理，概括諸父、兄弟之紀；以夫婦之綱統性別倫理，概括諸舅、朋友（與「族人」）之紀。「三綱六紀」網羅一切人際關係，並以三綱六紀指導一切群己關係，使繁複多樣之人際關係，化繁為簡，成為一切人倫秩序之綱紀，達到提綱挈領、綱舉目張之目的。三綱統攝一切人倫秩序，但三綱之間仍有主從之分，即：君臣為三綱之首，由君臣關係引伸出之政治倫理，支配、指導父子、夫婦之倫理關係，並成為人倫秩序之典範。質言之，《白虎通》所展現之人倫秩序乃是政治倫理之延伸。

第五節　《白虎通》禮制性質與白虎觀會議

　　《後漢書》載章帝建初四年，下詔太常以下會白虎觀，講議《五經》同異，連月乃罷，如西漢孝宣甘露石渠故事，作「白虎議奏」；或曰顧命史臣，著為「通義」；或曰作「白虎通德論」，令（班）固撰集其事。《後漢書》雖然詳細記載白虎觀會議之始末，但是對於更重要之會後資料，卻始終未統一其名稱，甚至連資料之卷篇數量亦付之闕如。正因為如此，後世之史料，每當論述此一資料，便有不同名稱。自元大德本《白虎通》問世之後，不僅資料名稱未能因此而統一，甚至引發不同名稱指涉不同文本之諸多揣測，莊述祖與孫詒讓考證成果即是典型例子。莊述祖以為「白虎通義」乃「白虎通」之略本，「白虎通」已亡佚，今本《白虎通》即是「白虎通義」；而孫詒讓則是進一步比對石渠閣議奏，以為白虎觀會議之「議奏」中，專論一經之書已亡佚，僅存雜論《五經》之

書，而今之《白虎通》即雜議《五經》之「五經雜議」一書。

　　白虎觀會議之緣起，乃是由於當時學術界對《五經》之多元詮釋，致使《五經》章句煩多，「章句之徒，破壞大體」，在統一經說之要求下，便有減省《五經》章句之聲浪。如光武中元元年（56）便有因《五經》章句煩多而議欲減省之先聲；至明帝永平元年（58），又有樊鯈奏言欲共正經義，同時使學者有所依循；至建初四年，始有章帝下詔諸儒「講議《五經》同異」，「欲使諸儒共正經義」。就白虎觀會議而言，「《五經》章句煩多」是因，而「講議《五經》同異」之目的便是果；因此，史書所稱白虎觀會議後之文獻資料「白虎通」，理應恰如其分反映章帝詔書中所宣示之會議目的。換言之，理想中之「白虎通」，應以石渠閣會議為藍本，以「講議《五經》同異」為內容。然而從現存《白虎通》文本，比對史書中所論述之「白虎通」，兩者所呈現之旨趣，卻大相逕庭。

　　《白虎通》以「問答」之行文方式為體例，似乎吻合「使五官中郎將魏應承制問，侍中淳于恭奏，帝親稱制臨決」之論述，然而類似這種「問答」之行文方式，並非《白虎通》之特例，如《公羊傳》與《穀梁傳》便已充分發揮此一體例。例如：《春秋》隱公元年「春王正月」，《公羊傳·隱公元年》曰：

　　　　元年者何？君之始年也。春者何？歲之始也。王者孰謂？謂
　　　　文王也。曷為先言王而後言正月？王正月也。何言乎王正
　　　　月？大一統也。公何以不言即位？成公意也。何成乎公之
　　　　意？公將平國而反之桓。曷為反之桓？……母貴則子何以

貴？子以母貴，母以子貴。（卷一，頁8-11）

《穀梁傳·隱公元年》則曰：

> 雖無事？必舉正月，謹始也。公何以不言即位？成公志也。
> 焉成之？言君之不取為公也，君之不取為公何也？將以讓桓
> 也。讓桓也（正）乎？曰不正。春秋成人之美，不成人之
> 惡，隱不正，而（不）成之何也？將以惡桓也。其惡桓何
> 也？……若隱者，可謂輕千乘之國，蹈道則未也。（卷一，
> 頁9-10）

又如：「三月，公及邾儀父盟于蔑」，《公羊傳·隱公元年》曰：

> 及者何？與也。會、及、暨，皆與也。曷為或言會，或言
> 及，或言暨？會、猶最也，及、猶汲汲也，暨、猶暨暨也。
> 及，我欲之，暨，不得已也。儀父者何？邾婁之君也。何以
> 名？字也。曷為稱字？褒之也。曷為褒之？為其與公盟也。
> 與公盟者眾矣，曷為獨褒乎此？因其可褒而褒之。此其為可
> 褒，奈何？漸進也。昧者何？地期也。（卷一，頁11-12）

《穀梁傳·隱公元年》則曰：

> 及者何？內為志焉爾。儀，字也。父，猶傳也。男子之美稱
> 也。其不言邾子何也？邾之上古微，未爵命於周也。不日，

其盟渝也。昧，地名也。（卷一，頁 10）

諸如此類「問答」體例，於《公羊》與《穀梁》二傳之中不勝枚
舉，而《公羊傳》比《穀梁傳》更能貫徹此一體例。《白虎通》與
《春秋》二傳雖然都以「問答」之方式構成其書，但是，《公羊
傳》乃為詮釋《春秋》之文義為宗旨，而《白虎通》則是以闡釋名
物度數為目的。

　　在逐條「問答」之中，《白虎通》慣以「聲訓」方式闡發當時
名物度數之內容意義。⑪羅肇錦（1949–）以為《白虎通》此種聲訓
方式不符合理則學之要求：

　　　　在「理則學」上，一般「定義」的寫法是用「謂詞」
　　（predicate）去規定事物的特徵，並劃定其類界，也就是說確
　　定一個概念的內涵，使其意義能簡單的明確的表達出來。但
　　《白虎通》的訓詁符號，通常只是「語義的定義」，而沒有
　　寫出「實質的定義」，或者勉強屬於「實質定義」卻不周
　　延，結果弄得繁瑣不明，這種訓詁符號的法則，頂多只能算
　　是「訓義」，不能稱為「定義」。⑫

---

⑪　王力在《中國語言學史》中言：「《春秋繁露》、《白虎通》、《風俗通》以
　　及一些緯書（如《春秋元命苞》）裡面的聲訓更多了，特別是《白虎通》，差
　　不多每章都有聲訓。」（臺北：駱駝出版社，1987 年 7 月，頁 55。）
⑫　羅肇錦：〈讖緯思想與訓詁符號──以白虎通為例〉，《臺北師院學報》第 3
　　期，1990 年 6 月，頁 98。

　　……理則學上對名詞的界定，常要先下定義（difinition），然
　　後根據定義加以引伸，然而《白虎通》的訓詁符號（解釋方
　　法），是整個解釋只有「概念」（concept）而沒有「定義」。
　　而且在符號的產生時常用的方法是不周延的「對立」
　　（relative）而不用「同一」（identity），喜歡用「偶然性」
　　（irregular）而不用「必然性」（certainty），所以整個訓詁內容
　　都支離不通，喻詞的應用也不符合實際的意義，尤其「聲
　　訓」的應用，更是極盡了「比附」的能事，有人說，這種訓
　　話（詁）法是主觀的唯心主義，也就是說，為了「實用」的
　　目的根本不顧「真理」。⓫⓭

以現代西方理則學之理論而言，羅肇錦指《白虎通》應用訓詁符號
之謬誤，皆屬合理。如果《白虎通》應用「聲訓」之方法，乃為求
名物度數之「定義」，顯然不符理則學之要求。但是，「聲訓」乃
漢代「追究事物之所以得名的真正解釋」之方法，⓫⓮《白虎通》之
著述性質並非字典，故不必以字典之標準要求之；況且，《白虎
通》訓釋名物度數之目的，不在求字面之「定義」，而是求名物制
度之意義及其道理。換言之，《白虎通》訓釋字詞之目的，不在窮

⓫⓭　〈讖緯思想與訓詁符號──以白虎通為例〉，頁 97。
⓫⓮　《中國語言學史》：「我們知道，語源學（etymology）的原始意義應該是
　　『真詮學』（希臘語 etymon，真的；logos，話）。……孟子也用過聲訓，但
　　是講得不多，並且也不是為了語源學的目的。到了漢代，人們才大量應用了聲
　　訓，而且越來越明顯地尋求『真詮』，即追究事物之所以得名的真正解釋。」
　　頁 55。

盡該字詞之「字典意義」，而是有意擷取字詞之部分意義，做為該字詞在時代環境中之「脈絡意義」。⑮因此，羅肇錦說《白虎通》運用「這種訓詁符號的法則，頂多只能算是『訓義』，不能稱為『定義』」，恰好顯示出《白虎通》運用訓詁符號之目的。其次，《白虎通》在求名物度數之意義過程中，或利用被訓字詞之形、音、義，類比推演，有時不免牽強附會，但推究其目的，乃為求其「實用」，就此而言，羅肇錦雖然批評《白虎通》「為了『實用』的目的根本不顧『真理』」，不符合現代理則學之要求，反而間接證實《白虎通》以實用為目的之著述性質。

就《白虎通》之篇章結構而言，主要論述之對象，乃是以王者（天子、諸侯）為核心之政治組織，以及環繞自王者以下至士、大夫之貴族之禮法制度；所論述之範圍，上起天子之爵號，以至嫁娶、喪服之禮儀秩序。儘管《白虎通》所論述之對象與範圍極為廣泛，但其內容呈現出縝密且具體之組織結構，此亦反映出《白虎通》並非散漫無目的之雜論，而是具有強烈企圖之長篇鉅構。

夏長樸論及《白虎通》之內容性質言：

> ……從這些大綱及分目（參疏證細目）看來，上自天文，下至地理；陰陽五行災異，及政治社會的制度，教育學術的定

---

⑮　《記號學導論》稱：「一個符號樣型在某一脈絡裡所裝載的那部份意義內容，我們稱為該符號的脈絡意義（contextual meaning）。……與脈絡意義相對的，就是字典意義（dictionary meaning）。所謂字典意義就是一個符號樣型所可能裝載的所有意義內容。」何秀煌著（臺北：水牛出版社，1993 年 7 月），頁11。

　　規，鉅細靡遺，無所不包，是一部粗具規模的組織法，也是
　　自天子以至於庶人，立身行世的根本。就這一點而言，這部
　　書的出現，象徵著漢帝國成立以來，定思想於一尊的目標實
　　現。⓰

就篇目而言，《白虎通》之內容極為廣博，是自天子以至庶人立身
行世之根本，同時確立政治與禮法制度，其性質是屬於「粗具規模
的組織法」。章帝有意運用白虎觀會議之手段，以達到定思想於一
尊之目的，故《白虎通》之完成，反映出漢帝國實現其思想統一之
目標。針對這點，侯外廬（1903－1987）說得更明確：

　　到了章帝建初四年（公元七十九年）把前漢宣帝、東漢光武的
　　法典和國教更系統化，這就是所謂「白虎觀奏議」的歷史意
　　義。⓱

　　我們認為白虎觀所欽定的奏議，也就是賦予這樣的「國憲」
　　以神學的理論根據的讖緯國教化的法典。⓲

侯外廬將《白虎通》視為西漢宣帝、東漢光武之法典和國教予以系

⓰ 夏長樸：《兩漢儒學研究》（臺北：臺灣大學文史叢刊之四十八，1978 年 2
　　月），頁 36。
⓱ 侯外廬：《中國思想通史》（北京：人民出版社，1992 年 10 月），第二卷，
　　頁 224。
⓲ 《中國思想通史》，頁 225。

統化之作，並且使書中引述讖緯條文合理化，故《白虎通》成為具有讖緯神學理論根據之法典，而此一作用便是《白虎通》之歷史意義。更重要者，因《白虎通》是「白虎觀所欽定的奏議」，「也就是賦予這樣的『國憲』以神學的理論根據的讖緯國教化的法典」，《白虎通》不僅具有法典性質，更提高至「國憲」地位，可見《白虎通》為漢制作漢典之性質，相當明確。至於《白虎通》中出現之讖緯條文，鍾肇鵬（1925－）進一步引申言：

> 《白虎通義》是皇帝欽定的經學教科書，在漢代具有很高的權威性。《白虎通義》以今文經學為主，但亦兼採古文經說，其中大量徵引讖緯，因為讖緯在當時被尊為「秘經」、「內學」，認為是孔子的心傳，微言大義所在，是儒學的精髓。所以說，讖緯裡吸取了大量的今文經說，而《白虎通義》裡則吸取了大量的讖緯神學。⓳

因《白虎通》是由皇帝欽定，故「具有很高的權威性」，並具有「經學教科書」之價值，而白虎觀會議之與會者主要以今文經學家為主，故其中大量徵引今文學家所喜用之讖緯條文。

任繼愈言：

> 從形式上看，這套決議雖然只涉及到五經同異中的一些問題，屬于經學的範圍，不算作國家正式頒布的法典，但是它

⓳ 鍾肇鵬：《讖緯論略》（臺北：洪葉文化事業，1994年9月），頁146。

的內容規定了國家制度和社會制度的基本原則，確立了各種
行為準則，直接為鞏固統治階級的專政服務，所以它是一種
制度化了的思想，起著法典的作用。⑫

任繼愈認為，《白虎通》乃學術會議之決議文，屬於經學範圍，不
得做為國家正式頒布之法典，但書中內容不外國家、社會制度之制
定，確立各種行為準則，其性質與法典之作用無異。任繼愈基於
《白虎通》乃是經學會議之討論結果之前提下，故從形式上看，不
承認《白虎通》為國家正式頒布之法典；但是從《白虎通》之內容
而言，卻又肯定《白虎通》具有制度化之思想，其本身便有法典之
作用。因此，以任繼愈之判斷，《白虎通》只能視為經學會議過渡
到國家制度法典之橋樑，為將來之「國憲」舖路之工具價值。關於
此一見解，林聰舜（1953-）更進一步解釋：

> 白虎觀會議的召開，正是與章帝制定「國憲」的熱切企圖心
> 息息相關。我們可以把《白虎通》的產生，視為章帝制定
> 「國憲」的努力的一部分，而且就今日的角度來看，《白虎
> 通》的重要性甚至遠超過本想作為「國憲」的漢禮百五十
> 篇，因為《白虎通》探討的是更為根源性的經義統一的問
> 題，唯有作為漢帝國指導思想的經義整合成功了，才能有效
> 論證整個體制的合理性，包括「國憲」的合理性，也才能企

---

⑫ 任繼愈主編：《中國哲學發展史》（北京：人民出版社，1985 年 2 月），頁
474。

求「永為後世則」。⑿

　　林聰舜指出，為有效論證整個漢代體制之合理性，必須先統一經義；反之，唯有經義統一，才能使「國憲」合理化。故《白虎通》乃為整合經義與制定「國憲」之橋樑，是章帝欲制定「國憲」之手段工具。因此，《白虎通》不僅具有「國憲」性質，而且更能夠提供在往後制憲過程中最重要之指導思想之根源依據。林聰舜所論，一方面確認《白虎通》為經學會議之結果，畢竟不同於法定制度，應避免與成文法典混淆；但同時顧及《白虎通》內容具有法典性質，並為《白虎通》成書之緣起與其著述之性質提出合理之說明，因此，《白虎通》便成為章帝欲制定「國憲」過程中之重要階段，並為往後之制憲工程提供理論基礎。

　　依上述學者所論，現存之《白虎通》文本乃東漢章帝詔開白虎觀會議之資料，並肯定《白虎通》內容屬於為漢制作之成文法典，為顧及《白虎通》之成書背景，與真實反映其書內容性質，並試圖化解「講議《五經》同異」之經學會議結果與建立「國憲」之禮法制度間之兩難，因此，《白虎通》成為東漢時期政治指導學術、學術服務於政治之歷史見證。然究其實，不論從篇目之名義，或是書中問答之內容，以至於由各項問答所構成之性質，在在顯示出：《白虎通》乃是一套具有縝密組織之成文法典，建立東漢禮法制度

⑿　林聰舜：〈帝國意識形態的重建──扮演「國憲」的基礎的《白虎通》思想〉，發表於中研院社科所主辦「85 年度哲學學門專題計劃研究成果發表會」，單印本，頁4。

之企圖十分明顯，此乃無庸置疑。但是，相較於白虎觀會議之緣
起，與章帝詔書對該會議之期許，《白虎通》在內容上所呈現之
「國憲」性質則顯得突兀。況且，白虎觀會議後四年，建初八年
（83）章帝復詔曰：

> 《五經》剖判，去聖彌遠，章句遺辭，乖疑難正，恐先師微
> 言將遂廢絕，非所以重稽古，求道真也。其令群儒選高才
> 生，受學《左氏》、《穀梁春秋》、《古文尚書》、《毛
> 詩》，以扶微學，廣異義焉。⑫

章帝感歎《五經》之「章句遺辭，乖疑難正」，故令群儒選高才生
受《左氏》等古文四書，以扶微學，廣異義。由此詔書所言可以推
測，四年前「講議《五經》同異」之白虎觀會議資料，極可能並未
集結成冊，公諸於世？即使有「白虎通」公諸於世，亦顯然未達到
「欲使諸儒共正經義，頗令學者得以自助」之預期成效；否則，以
統一經說為目的之「白虎通」，通行四年之後，章帝為何依然質疑
「《五經》剖判，去聖彌遠，章句遺辭，乖疑難正」？而當時太常
博士與鴻儒諸生從未曾提及此書？

持平而論，經學會議之研究成果與國憲法典，兩者並非不相
容，講論經義同異問題與建構禮法制度，可以同時並行，意即：白
虎觀會議之結果同時具有之國憲性質，此一論點並非矛盾。然而，
問題是：白虎觀會議詔開之目的乃為「講議《五經》同異」，《白

---

⑫ 《後漢書·章帝紀》，卷三，頁145。

虎通》未見其目的，而其具體成果形成國憲法典，亦非章帝詔開會議所宣示之結果，因此，可以說：白虎觀會議詔開之目的與《白虎通》文本之內容兩者不相應。況且，章帝於七年後，元和三年（86）下詔欲刊立朝廷禮憲，隻字未提「白虎通」，故白虎觀會議與所謂「白虎通」，其實與章帝之刊立朝廷禮憲之事無關。故學者宣稱，章帝有意透過統一經說之過程，以達到制憲之目的，此一說法，固然可以化解《白虎通》文本具有禮制性質但無「講議《五經》同異」之會議精神之不相應問題，但卻與事實不符。

　　此外，有學者認為，因為《白虎通》具有統一經義之義意，同時能有效論證政治體制之合理性，故其「國憲」內容當可「永為後世則」。⑫若就一部法典而言，「永為後世則」之企求當屬合理。然而楊終上疏建言之目的在「論定《五經》」，白虎觀會議在楊終上疏之後，《白虎通》具有法典性質斷非楊終上疏之初衷，而會議資料造成「國憲」之結果，亦是楊終始料所未及。且楊終上疏言「宜如石渠故事，永為後世則」，依其疏之語脈而言，所謂「永為後世則」，當是指白虎觀應以西漢宣帝之「博徵群儒，論定《五經》於石渠閣」，以天子之名詔諸儒講議經學同異，且「親稱制臨

---

⑫ 部分學者常引用「永為後世則」此語，做為《白虎通》之法典意義之註腳，如林聰舜即有此意；又如于首奎言：「《白虎通》下產生在這個時期，它反映了地主階級想以法典形式鞏固其既得利益，使之千秋萬代永恆不變的狂妄企圖。正如楊終建議章帝召開白虎觀會議的奏文所說：『永為後世則』（《後漢書·楊終傳》）。」《兩漢哲學新探》（成都：四川人民出版社，1988 年 4 月），頁 179-180。用此語形容《白虎通》之法典意義，並無不妥，不過，此語既出於楊終之疏，其語意當另有所指，非楊終之本意。

決」為模仿對象，模仿之目的，在解決「章句之徒，破壞大體」所衍生之經學問題，實與建立「國憲」無直接關聯。

「白虎觀會議就是一次統一經義經說的會議。由東漢章帝親自裁決，做出結論。又命令班固將會議結論加以編輯，統一整理為《白虎通義》」，[124]或者說「白虎觀經學會議的直接成果，就是通過章帝的『稱制臨決』，撰定了《白虎通》一書」，[125]類似見解，已是目前學界共識。然而《白虎通》文本內容非關講議《五經》同異問題，面對此一矛盾，不由令人質疑：《白虎通》是否即是《後漢書》所記載之白虎觀會議之產物？事實上，環繞於《白虎通》文本之問題，尚不止於此。如前所述，《後漢書》記載白虎觀會議後之資料，未有固定名稱，更遑論記載其卷數與作者，面對此一具有「永為後世則」之重要資料，史書之記載不免有過於輕忽之嫌？此一現象，是否意味著：終東漢之世，史書中所流傳之所謂「白虎通」，並未公諸於世，甚至尚未撰集成書？

比對史書對「白虎通」之記載與現存之《白虎通》，確實存有許多疑點，洪業（1893-）即明確質疑《白虎通》為「偽作」。其所持理由大要有三：

> 固所為文，見兩漢書中；此外，《文選》，《北堂書鈔》，《藝文類聚》等書，亦頗多徵引。觀其行文氣韻，大不與

---

[124] 《讖緯論略》，頁146。
[125] 章權才：《兩漢經學史》（臺北：萬卷樓圖書公司，1995年5月），頁245。

《白虎通》相類。❿

洪業比較班固之行文氣韻與《白虎通》不相類，故「疑其書非班固
所撰」。又：

> 《白虎通》鈔襲宋衷之緯注甚多，……宋衷在班固之後，百
> 有餘年，班固何能鈔襲宋衷乎？
> 且一代之經說，往往與其時之典章制度有關，倘《白虎通》
> 足以代表章帝稱制臨決之論，何其又與漢制往往不合耶？❿

洪業考證《白虎通》書中鈔襲宋衷之緯注甚多，且書中所涉及之典
章制度多與當時漢制不符，故「疑其非章帝所稱制臨決者」。又：

> 推而論之，《白虎通》之背景，乃漢末魏初之背景也。
> 《白虎通》乃綜合其說，其必作於建安十八年之後明矣。夫
> 唯其出如此之晚，所以不僅許慎馬融不能得其書而讀之，且
> 蔡邕鄭玄並不曾舉引也。
> 然而《白虎通》之出，又似在正始六年之前。《南齊書禮
> 志》（卷九上，建元元年，王儉議郊殷之禮）載魏繆襲引「《白虎
> 通》云三王祭天一用夏正所以然者夏正得天之數也」

---

❿　洪業：〈《白虎通》引得序〉（燕京大學圖書館引得編纂處編，1931 年），
　　頁 2。
❿　〈《白虎通》引得序〉，頁 6。

（……）按《魏志》（卷二十一）〈劉劭傳〉，裴松之注引
《文章志》曰「襲字熙伯辟御史大夫府，歷事魏四世。正始
六年，年六十卒。」彼得見《白虎通》而引之，是《白虎
通》之出，最遲不能在彼死後也。⓲

《白虎通》既鈔襲宋衷之緯注，並綜合其說，故其必作於建安十八
年（213）之後；而繆襲生前得見《白虎通》，且引用其文句，其作
似在正始六年（245）之前。故「疑其為三國時作品」。不過，洪業
所持之理由，卻全數遭于首奎反駁。

　　首先，因為《白虎通》是班固根據白虎觀會議中的五經雜議材
料編寫的，「行文韻氣」當然會與《漢書》中由他本人撰寫的文
章、傳記不同，這是理所當然，根本不能作為否定《白虎通》是班
固編寫的根據。其次，《白虎通》中所引用的某些資料，是否一定
就是宋衷的《樂緯》注？是否在後漢中期，就絕對沒有這類材料，
恐怕還不能做出這樣的論斷，讖緯迷信早在前漢中、後期就興盛起
來，并經封建統治者大力提倡，得到廣泛傳播。再說，宋衷對《樂
緯》的注釋材料，也肯定不會完全是他本人創造的，而一定要引用
前人的一些資料。參與白虎觀會議者引用這些材料來編寫《五經雜
議》，班固又用《五經雜議》編寫《白虎通》，是很有可能的。第
三，《白虎通》中某些材料與後漢中期的歷史背景不夠一致，可能
是因為古書長期輾轉傳抄，增益失損，有些材料魚魯互錯，亥豬交
差，這可以說是一種「難免」的「正常」現象。……基於這些理

⓲　〈《白虎通》引得序〉，頁8-9。

由，可以說，洪業的懷疑是不能成立的。⓬

　　關於于首奎反駁洪業之懷疑，第一點與第二點之理由尚稱合理。但是，在第一點論證中，關於《白虎通》行文氣韻不似班固之問題，此一現象固然不能做為證明《白虎通》非班固所編寫之理由；反之，此一現象，更不能做為肯定《白虎通》是班固編寫之證明。換言之，《白虎通》是否為班固編寫，就洪業所提「行文氣韻」部份之質疑，仍須保持高度懷疑。

　　于首奎在反駁洪業第二點中說明：「《白虎通》中所引用的某些資料，是否一定就是宋衷的《樂緯》注？是否在後漢中期，就絕對沒有這類材料，恐怕還不能做出這樣的論斷」，此乃合理之懷疑。宋衷之注若非原創，則其注必前有所據，故《白虎通》與宋衷之注若有類似之處，只能視為二書所引出處相同或相似，並不能就此以論斷《白虎通》必然引用宋衷之注。至於于首奎第二點補充說：「參與白虎觀會議者引用這些材料來編寫《五經雜議》，班固又用《五經雜議》編寫《白虎通》，是很有可能的」，類似說法，只是承襲孫詒讓之見解，並未進一步提出有效證據。依孫詒讓所言，白虎觀會議乃仿效石渠閣會議，石渠舊例有「雜議五經之書」，故白虎觀會議之資料中「必亦有」「雜論《五經》」者，而現存之《白虎通》文本，即是白虎觀會議中之「雜論《五經》」之資料。孫詒讓所言，固然解決《白虎通》名稱問題，並且使《白虎通》中「雜論《五經》」之事實得到暫時性之解釋，但也引出更多問題。首先，石渠閣議既在講《五經》同異，考之《漢書·藝文

志》，《書》九家內《議奏》四十二篇、《禮》十三家內《議奏》三十八篇、《春秋》二十三家內《議奏》三十九篇、《論語》十二家內《議奏》十八篇、《孝經》十一家內《五經雜議》十八篇，為何缺漏《易》、《詩》二家「議奏」，卻又有《論語》之《議奏》？若《五經雜議》十八篇屬石渠閣議之「議奏」，為何未冠以「議奏」之名，卻又列在《孝經》十一家之內？其次，石渠議奏專論一經者僅存《石渠禮論》，而《五經雜議》又已亡佚，孫詒讓豈可用《石渠禮論》之實以證白虎觀會議之無，卻又以《五經雜議》之亡以證《白虎通》之實？若果如此，則《後漢書·儒林列傳》所謂「顧命史臣，著為通義」，豈不是專指雜論《五經》之《五經雜議》？此說又不可通。換言之，孫詒讓僅以《漢書·藝文志》之存目證明《白虎通》即白虎觀會議之部分資料中之「《五經》通義」者，證據稍嫌薄弱。

而于首奎反駁洪業第三點有關《白虎通》與當時漢制不合之問題，因其立場與孫詒讓一致，而且肯定《白虎通》乃是白虎觀會議之產物，[130]故以為：「可能是因為古書長期輾轉傳抄，增益失損，有些材料魚魯互錯，亥豬交差，這可以說是一種『難免』的『正常』現象」，如此理由顯得牽強，更不能做為解釋《白虎通》與當時漢制不合之合理說明。至於洪業所提「所以不僅許慎馬融不能得其書而讀之，且蔡邕鄭玄並不曾舉引」之問題，[131]于首奎則未正面

---

[130] 《兩漢哲學新探》：「我們認為，孫詒讓之說，是比較合理的。……周、孫、莊氏之說雖然不同，但是，他們卻都一致認為，《白虎通》是白虎會議的產物。它是由班固撰寫的。」頁225。

[131] 〈《白虎通》引得序〉，頁9。

回應。總之，于首奎反駁洪業之推論，除第二點推翻《白虎通》引用宋衷之《樂緯》注尚稱合理以外，其餘意見多附會於孫詒讓。

　　洪業雖然質疑《白虎通》是三國時代作品，其必作於建安十八年（213）之後，又似在正始六年（245）之前，然而其結論是：

> 夫蔡邕之時（初平三年，192，卒）尚有《白虎議奏》，卷數逾百。倘其後有好事者，用其材料，更撮合經緯注釋，而成《白虎通義》，殆非難事。玩其文義，不似有意偽托班固，疑更有好事者，附會而歸之于固，晉宋而後，引者遂多耳。[132]

洪業認為《白虎通》乃後世好事者運用「白虎議奏」，再加以「撮合經緯注釋」而成，而更有好事者將《白虎通》作者比附於班固，晉宋以後，遂成為定論。故基本上，洪業依然肯定《白虎通》仍白虎觀會議之議奏，只是其中摻雜後人損益部分材料編纂而成。[133]

　　洪業此一結論，雖然可以片面說明《白虎通》「疑其書非班固所撰」、「疑其非章帝所稱制臨決者」、「疑其為三國時作品」，但仍然無法解釋：為何《後漢書》及其後世史書記載「白虎通」之名稱、作者及其篇數往往不一？而且楊終之疏與章帝詔書對白虎觀

---

[132]　〈《白虎通》引得序〉，頁9。

[133]　林麗雪亦有類似見解：「要而言之，白虎通本屬五經雜義之書，每一經說，文意自足，前後行文，不必相屬；又經隋唐兩朝禁絕讖緯，舊入秘書，久為佚典，舛誤遺漏，乃至增刪改纂，在所難免。」〈有關白虎通的著錄及校勘諸問題〉，《孔孟月刊》第二十五卷第四期（1986年12月），頁34。

會議「宜如石渠故事」、「講議《五經》同異」之指示與目的，明顯與《白虎通》文本不符？且以講議《五經》同異為宗旨之會議資料，何以出現三十一條議記之文？因此，對於元大德本之《白虎通》文本與東漢章帝之白虎觀會議兩者之關係，必須重新商榷。

第五章
《白虎通》與石渠閣會議

第一節 石渠閣會議緣起

　　楊終有感於當時章句之學流行，導致經學詮釋系統日益分歧，故上疏章帝「宜如石渠故事，永為後世則」。所謂「石渠故事」當是指西漢宣帝「博徵群儒，論定《五經》於石渠閣」之故事。「石渠故事」在經學發展過程之中乃是一項創舉，它是由天子下詔群儒集會講議經學，最後由天子稱制臨決之會議，藉此解決經學分歧之問題，並尋經學最終之共識，以平息日益紛擾之學術傾軋。宣帝之「石渠故事」，不僅擴大經學討論之規模，提高討論之層級，更增添討論成果之權威性。

　　錢穆言：

> 自漢武帝置《五經》博士，說經為利祿之途，於是說經者日
> 眾，說經者日眾，而經說益詳密，而經之異說亦益歧。經之
> 異說益歧，乃不得不謀整齊以歸一是。於是有宣帝石渠會諸
> 儒論《五經》異同之舉。其不能歸一是者，乃於一經分數

家，各立博士。其意實欲永為定制，使此後說經者限於此諸
家，勿再生歧也。❶

石渠閣會議之詔開，其目的在使日益嚴重之經說歧異，歸於一是，
若有不能統一之說經者，則另分數家，並各立博士，期待藉此一會
議之講議結果，確立一經分數家之說以為定制，往後之說經者亦以
此數家之說為限，終止經說再生歧義。故錢穆之「永為定制」，當
指石渠閣會議之後，凡說經者，必以會後所立之《五經》數家博士
之說為限，不得逾越各家博士之說。然而，宣帝以天子之尊下詔諸
儒集會討論經學問題之一創舉，乃是暫時性解決經學問題之方法，
並未刻意藉此樹立討論經學之典範；但是，楊終上疏之意，則是建
議章帝學習宣帝之方式，以解決當前經學問題，更希望此一方式能
夠建立一套固定程序，成為後世依循倣效之常模。章帝建初四年詔
書所揭示，白虎觀會議之所以召開，乃是為解決「《五經》章句煩
多，議欲減省」，目的在「欲使諸儒共正經義，頗令學者得以自
助」，於是下詔太常以下及諸生、諸儒等，集會白虎觀「講議《五
經》同異」，其做法一「如孝宣甘露石渠故事」。

　　楊終上疏與章帝詔開白虎觀會議之宗旨中，所謂「如石渠故
事，永為後世則」，可有以下解讀義意：一，就討論內容而言，石
渠閣會議所得結論，可以做為後世詮釋《五經》之典範；二，就學
術之功能而言，後世若對《五經》有疑慮，可以倣效石渠故事，透
過天子詔開會議，以討論方式解決紛爭；三，就會議之形式而言，

---

❶　《兩漢經學今古文平議》，頁 218。

石渠閣會議乃群儒以問答形式討論《五經》同異，其結論由宣帝做
最後裁決，此一「上親稱制臨決」之方式，便是後世講議學術之準
則。此三意雖各有偏重，亦可並行而不悖。夏長樸言：

> ……而開會的形式方面，由一人「承制問」，另一人奏，最
> 後由皇帝「親稱制臨決」，兩次會議幾乎完全相同。這和當
> 初建議召開會議的發起人校書郎楊終所說的「宜如石渠故
> 事，永為後世則」，也若合符契；足見石渠閣會議的進行方
> 式，已經成為漢代朝廷的「故事」。❷

夏長樸所論，即指第三意。白虎觀會議所效法之石渠故事，乃在於
石渠故事之會議形式與程序，而楊終上疏之意，亦當如是。並且
《後漢書》載「帝親稱制臨決，如孝宣甘露石渠故事」、「肅宗親
臨稱制，如石渠故事」，亦特別強調以天子親臨裁決學術爭端之方
式，方是白虎觀會議傚效石渠故事之主要目的。

　　石渠閣會議之召開，乃緣於經學糾紛所引起，而《公羊》與
《穀梁》向來是經學辯論之焦點，甘露元年（B.C.53），宣帝於是下
詔諸儒議殿中平《公羊》、《穀梁》之異同。《後漢書·儒林傳》
載：

---

❷　〈論漢代學術會議與漢代學術發展的關係——以石渠閣會議的召開為例〉，
　　夏長樸著，《第三屆漢代文學與思想學術研討會論文集》（臺北：政治大學
　　中文系，2000 年 12 月），頁 105。

> 劉向以故諫大夫通達待詔，受《穀梁》，欲令助之。江博士
> 復死，乃徵周慶、丁姓待詔保宮，使卒授十人。自元康中始
> 講，至甘露元年，積十餘歲，皆明習。乃召《五經》名儒太
> 子太傅蕭望之等大議殿中，平《公羊》、《穀梁》同異，各
> 以經處是非。……時望之等十一人各以經誼對，多從《穀
> 梁》。由是《穀梁》之學大盛。慶、姓皆為博士。（卷八十
> 八，頁 3618）

甘露三年（B.C.51）《漢書·宣帝紀》載：

> 詔諸儒講《五經》同異，太子太傅蕭望之等平奏其議，上親
> 稱制臨決焉。乃立梁丘《易》、大小夏侯《尚書》、穀梁
> 《春秋》博士。（卷八，頁 272）

史稱「石渠閣會議」於焉產生。石渠閣在未央宮之中，其下以礱石
為渠因為閣名，乃西漢藏秘書之處。❸甘露元年之會議目的在「平
《公羊》、《穀梁》同異」，而三年之會議主旨則在「講《五經》
同異」，兩者時間不同，目的亦有分別，看似為不同時之兩事。不
過，錢穆在考「五鳳三年，丙寅」，「（劉）向年二十五歲，待詔
受《穀梁》」時以為：

---

❸ 《三輔黃圖》曰：「未央宮有石渠閣，蕭何所造，其下礱石為渠以導，若今
御溝，因為閣名。所藏入關所得秦之圖籍，又成帝於此藏秘書焉。」頁11。

按：石渠講論，在甘露三年。據〈儒林傳〉，劉向待詔受
《穀梁》時，乃江公孫為博士。後江博士卒，徵周慶、丁姓
待詔保宮。後石渠議，慶、姓皆在。江博士之卒，慶、姓之
徵，以至於明習，其間需時。自此下至甘露三年共五歲，向
既以今年春得減死論，疑不久即待詔受《穀梁》也。清梅毓
劉更生年表繫此於石渠講論之年，誤。❹

且在「甘露三年，庚午」，「向年二十九，與諸儒講《五經》同異
同於石渠閣，復拜為郎中，給事黃門。遷散騎諫大夫給事中」言：

按：石渠議據〈宣紀〉在甘露三年，此云甘露元年，誤也。❺

因此，錢穆斷言《漢書·儒林傳》所記甘露元年有誤。夏長樸亦以
為，「《漢書·宣帝紀》與《漢書·儒林傳》所載應是同一件事，
《漢書·儒林傳》的「甘露元年」，極可能是「甘露三年」之
誤」。❻然而，劉汝霖在「甘露三年·詔諸儒講五經同異」處考證
言：

按後人多以平公《公》、《穀》異同及石渠議經之事，混為
一談。因彼乃元年之事，此乃三年之事，《漢書》記載甚

---

❹　《兩漢經學今古文平議》，〈劉向歆父子年譜〉，頁23。
❺　《兩漢經學今古文平議》，〈劉向歆父子年譜〉，頁24。
❻　〈論漢代學術會議與漢代學術發展的關係——以石渠閣會議的召開為例〉，
　　頁97。

　　明。蓋宣帝因平《公》、《穀》之異同，始引起平諸經異同之興趣，遂有石渠大會之招集，雖有因果之關係，實非一時之事。故《漢書·儒林》《公羊》家諸人之傳，皆無「論石渠」之文，以元年殿中議訖，此時不復與會也。❼

依劉汝霖之意，甘露元年之議，乃在平《公》、《穀》之異同，而甘露三年則在講《五經》同異，兩者雖有因果關係，但非一時之事；且《公羊》、《穀梁》兩家在元年辯論之後，便不再參與二年後之石渠閣會議，故《漢書·儒林傳》中有關《公羊》家諸人之傳，皆無「論石渠」之文。金春峰亦有相同見解。❽

　　以上兩造說法，雖各有理據，然雙方皆同意，石渠閣會議開在甘露三年。且依《漢書》所記，〈儒林傳〉言：「乃召《五經》名儒太子太傅蕭望之等大議殿中」，〈宣帝紀〉言：「詔諸儒講《五經》同異，太子太傅蕭望之等平奏其議」，兩者之語意脈絡，應同指一事較為合理；否則，甘露元年召《五經》名儒只為平《公羊》、《穀梁》同異，而三年之石渠閣會議詔諸儒講《五經》同異，卻又獨缺《春秋》家，反倒使人不解。況且，若平《公羊》、

---

❼　《漢晉學術編年》卷二，頁132。
❽　金春峰言：「石渠閣會議前兩年（甘露元年），宣帝召『五經名儒太子太傅蕭望之，大議殿中，平《公羊》、《穀梁》同異，各以經處是非』。參加討論的每邊五人，蕭望之等多從《穀梁》，由是《穀梁》之學大盛。這可以說是石渠閣會議的前奏。接著就是甘露三年召開的會議。因地點在石渠閣，史稱石渠閣會議。」《漢代思想史》（北京：中國社會科學出版社，1997年12月），頁323。

《穀梁》同異之事在元年，而三年之會《公羊》、《穀梁》家皆不
與，何以石渠閣會議之後促使《穀梁》學立博士？亦唯有合併兩事
為一者，石渠閣會後之資料中，有《春秋·議奏》三十九篇（原注
曰：「石渠論」），始能得到合理說明。因此，〈儒林傳〉載甘露元
年，極可能是三年之誤；此一判斷，且可從與會者之記載得到證
成。

　　史稱「石渠故事」，即指宣帝甘露三年，詔諸儒集於長安未央
宮殿北之石渠閣講議《五經》同異，帝親稱制臨決之會議事件。依
據史書記載，參與石渠閣會議者有：

　　《易》家：

　　施讎，字長卿，沛人。

> 施讎字長卿，沛人也。沛與碭相近，讎為童子，從田王孫受
> 《易》。後讎徙長陵，田王孫為博士，復從卒業，與孟喜、
> 梁丘賀並為門人。……於是賀薦讎：「結髮事師數十年，賀
> 不能及。」詔拜讎為博士。甘露中與《五經》諸儒雜論同異
> 於石渠閣。（《漢書·儒林傳》卷八十八，頁 3598）

施讎自童子從田王孫學《易》，後田王孫為博士，與孟喜、梁丘賀
同為田王孫門人。施讎學《易》有成，梁丘賀稱讚曰：「結髮事師
數十年，賀不能及。」至宣帝時詔拜為博士，與諸儒雜論同異於石
渠閣。

　　梁丘臨，字長翁，琅邪諸人。

梁丘賀字長翁，琅邪諸人也。以能心計，為武騎。從太中大夫京房受《易》。房者，淄川楊何弟子也。房出為齊郡太守，鎮賀更事田王孫。……年老終官。傳子臨，亦入說，為黃門郎。甘露中，奉使問諸儒於石渠。臨學精孰，專行京房法。琅邪王吉通《五經》，聞臨說，善之。時宣帝選高材郎十人從臨講，吉乃使其子郎中駿上疏從臨受《易》。（《漢書·儒林傳》卷八十八，頁 3600－3601）

梁丘臨乃梁丘賀之子，自少傳父業學梁丘《易》，又專行京房之學，為黃門郎。時宣帝選高材郎十人學習梁丘臨，王吉善其說，乃使其子郎中王駿從梁丘臨學《易》。甘露中，梁丘臨奉使問諸儒於石渠閣。

《書》家：

歐陽地餘，字長賓，千乘人。

歐陽生字和伯，千乘人也。事伏生，授倪寬。寬又受業孔安國，至御史大夫，自有傳。寬有俊材，初見武帝，語經學。……歐陽、大小夏侯氏學皆出於寬。寬授歐陽生子，世世相傳，至曾孫高子陽，為博士。高孫地餘長賓以太子中庶子授太子，後為博士，論石渠。……地餘少子政為王莽講學大夫。由是《尚書》世有歐陽氏學。（《漢書·儒林傳》卷八十八，頁 3603）

歐陽地餘從祖父歐陽高學《尚書》，宣帝時以太子中庶子教授太子

《尚書》，其後為博士，與諸儒論議石渠閣。其少子歐陽政為王莽講學大夫，由是《尚書》世有歐陽氏學。

　　林尊，字長賓，濟南人。

> 林尊字長賓，濟南人也。事歐陽高，為博士，論石渠。後至少府、太子太傅，授平陵平當、梁陳翁生。（《漢書·儒林傳》卷八十八，頁3604）

林尊事歐陽高學《尚書》，為博士，與諸儒論議石渠閣。其後官至少府、太子太傅。

　　周堪，字少卿，齊人。

> 周堪字少卿，齊人也。與孔霸俱事大夏侯勝。霸為博士。堪譯官令，論於石渠，經為最高，後為太子少傅，……及元帝即位，堪為祿大夫，與蕭望之並領尚書事，……望之自殺，上愍之，乃擢堪為光祿勳，語在〈劉向傳〉。（《漢書·儒林傳》卷八十八，頁3604）

周堪事大夏侯勝學《尚書》，為譯官令，與諸儒論於石渠閣時，講論經義最高，後為太子少傅。及至元帝即位，周堪為祿大夫，與蕭望之並領尚書事，其後二人遭石顯所譖，蕭望之自殺，元帝擢周堪為光祿勳。

　　張山拊，字長賓，平陵人。

　　假倉，字子驕，陳留人。

> 張山拊字長賓，平陵人也。事小夏侯建，為博士，論石渠，
> 至少府。授同縣李尋、鄭寬中少君、山陽張無故子儒、信都
> 秦恭延君、陳留假倉子驕。……倉以謁者論石渠，至膠東
> 相。（《漢書·儒林傳》卷八十八，頁 3605）

張山拊從夏侯建學《尚書》，宣帝時為博士，與諸侯論於石渠閣。
後升至少府。假倉從張山拊學小夏侯《尚書》，宣帝時以謁者之職
與會石渠閣。後任至膠東相。

《詩》家：

韋玄成，字少翁，魯國鄒人。

> 申公，魯人也。……申公卒以《詩》、《春秋》授，而瑕丘
> 江公盡能傳之，徒眾最盛。及魯許生、免中徐公，皆守于教
> 授。韋賢治《詩》，事大江公及許生，又治《禮》，至丞
> 相。傳子玄成，以淮陽中尉論石渠，後亦至丞相。玄成及兄
> 子賞以《詩》授哀帝，至大司馬車騎將軍，自有傳。（《漢
> 書·儒林傳》卷八十八，頁 3608－3609）

> 韋賢字長孺，魯國鄒人也。……賢四子，……少子玄成，復
> 以明經歷位至丞相。故鄒魯諺曰：「遺子黃金滿籯，不如一
> 經。」玄成字少翁，以父任為郎，常侍騎。少好學，修父
> 業，尤謙遜下士。……以明經擢為諫大夫，遷大河都
> 尉。……初，宣帝寵姬張婕妤男淮陽憲王好政事，……乃召
> 拜玄成為淮陽中尉。是時王未就國，玄成受詔，與太子太博

蕭望之及《五經》諸儒雜論同異於石渠閣，條奏其對。及元帝即位，以玄成為少府，遷太子太傅，至御史大夫。永光中，代于定國為丞相。貶黜十年之間，遂繼父相位，封侯故國，榮當世焉。（《漢書·韋賢傳》，卷七十三，3101－3113）

韋玄成其父韋賢事大江公及許生治《詩》，又治《禮》。玄成自小修父業，以明經擢為諫大夫，至宣帝時以淮陽中尉之職，與太子太博蕭望之及《五經》諸儒雜論同異於石渠閣，並條奏其對。至元帝即位，繼任少府、太子太傅、御史大夫、丞相等職，最後封侯於魯國，並曾與兄子賞以《詩》授哀帝。玄成一生仕途可謂順暢，榮耀於世。

張長安，字幼君，山陽人。

薛廣德，字長卿，沛郡相人。

王式字翁思，東平新桃人也。事免中徐公及許生。……山陽張長安幼君先事式，後東平唐長賓、沛褚少孫亦來事式，問經數篇，……張生、唐生、褚皆為博士。張生論石渠，至淮陽中尉。唐生楚太傅。由是《魯詩》有張、唐、褚氏之學。張生兄子游卿為諫大夫，以《詩》授元帝。其門人琅邪王扶為泗水中尉，陳留許晏為博士。由是張家有許氏學。初，薛廣德亦事王式，以博士論石渠，授龔舍。廣德至御史大夫，舍泰山太守，皆有傳。（《漢書·儒林傳》，卷八十八，頁3610－3611）

張長安事王式學《魯詩》，由是有《魯詩》張氏之學，宣帝時為博士，論於石渠閣後，任淮陽中尉。

> 薛廣德字長卿，沛郡相人也。以《魯詩》教授楚國，龔勝、舍師事焉。蕭望之為御史大夫，除廣德為屬，數與論議，器之，薦廣德經行宜充本朝。為博士，論石渠，遷諫大夫，代貢禹為長信少府、御史大夫。（《漢書·薛廣德傳》，卷七十一，頁3046－3047）

薛廣德亦事王式，以《魯詩》教授楚國。數次與蕭望之論議，且深得其器重，薦於朝廷。宣帝時以博士論於石渠閣，後遷諫大夫，代貢禹為長信少府、御史大夫。

《禮》家：

戴聖，字次君，梁人。

聞人通漢，字子方，沛人。

> 孟卿，東海人也。事蕭奮，以授后倉、魯閭丘卿。倉說《禮》數萬言，號曰《后氏曲臺記》，授沛聞人通漢子方、梁戴德延君、戴聖次君、沛慶普孝公。孝公為東平太傅。德號大戴，為信都太傅；聖號小戴，以博士論石渠，至九江太守。由是《禮》有大戴、小戴、慶氏之學。通漢以太子舍人論石渠，至中山中尉。（《漢書·儒林傳》，卷八十八，頁3615）

戴聖學后蒼《禮》，號小戴，由是《禮》小戴之學。宣帝時以博士

論於石渠閣，後至九江太守。聞人通漢與戴聖同受業於后蒼《禮》，宣帝時以太子舍人之職論於石渠閣，後至中山中尉。

　　如前所論，〈儒林傳〉載甘露元年「平《公羊》、《穀梁》同異」之事，極可能是甘露三年之誤。再考石渠閣與會者之中，史書並未記載蕭望之與會，而《石渠禮論》有蕭望之之言；此外，〈儒林傳〉亦不載尹更始、劉向同議於石渠閣，而《禮記·禮運》疏曰：「議郎尹更始、待詔劉更生等議石渠，以為吉凶不並，瑞災不兼。」❾故本書將〈儒林傳〉甘露元年「平《公羊》、《穀梁》同異」之事，視為甘露三年石渠閣會議，而平《公羊》、《穀梁》同異諸儒之名單，暫列於此。

> 　　自元康中始講，至甘露元年，積十餘歲，皆明習。乃召《五經》名儒太子太傅蕭望之等大議殿中，平《公羊》、《穀梁》同異，各以經處是非。時《公羊》博士嚴彭祖、侍郎申輓、伊推、宋顯，《穀梁》議郎尹更始、待詔劉向、周慶、丁姓並論。《公羊》家多不見從，願請內侍郎許廣，使者亦並內《穀梁》家中郎王亥，各五人，講三十餘事。望之等十一人各以經誼對，多從《穀梁》。由是《穀梁》之學大盛。慶、姓皆為博士。姓至中山太傅，授楚申章昌曼君，為博士，至長沙太傅，徒眾尤盛。尹更始為諫大夫、長樂戶將，又受《左氏傳》，取其變理合者以為章句，傳子咸及翟方進、琅邪房鳳。咸至大司農，方進丞相，自有傳。（《漢

---

❾　《禮記》卷二十二，頁437。

書·儒林傳》，卷八十八，頁 3618）

《公羊》家：

嚴彭祖，字公子，東海下邳人。

> 嚴彭祖字公子，東海下邳人也。與顏安樂俱事眭孟。孟弟子
> 百餘人，唯彭祖、安樂為明，質問疑誼，各持所見。孟曰：
> 「《春秋》之意，在二子矣！」孟死，彭祖、安樂各顓門教
> 授。由是《公羊春秋》有顏、嚴之學。（《漢書·儒林傳》，卷
> 八十八，頁 3616）

嚴彭祖與顏安樂俱事眭孟學《公羊春秋》，眭孟弟子百餘人，唯彭
祖、安樂最為明經，質問疑誼，由是《公羊春秋》有嚴氏之學。

申輓、伊推、宋顯、許廣等，其學術未可知。

《穀梁》家：

蕭望之（？－B.C.48），字長倩，東海蘭陵人。

> 蕭望之字長倩，東海蘭陵人也。徙杜陵。家世以田為業，至
> 望之，好學，治《齊詩》，事同縣后倉且十年。以令詣太常
> 受業，復事同學博士白奇，又從夏侯勝問《論語》、《禮
> 服》。京師諸儒稱述焉。（《漢書·蕭望之傳》，卷七十八，頁
> 3271）

蕭望之家世本以田為業，因其好學，既治《齊詩》，又事后蒼學

《禮》且十年，後以令詣太常受業，又從夏侯勝問《論語》、《禮服》，博學多藝，京師諸儒稱述。

尹更始。

劉向（？－B.C.6），字子政，本名更生。

> 向字子政，本名更生。年十二，以父德任為輦郎。既冠，以行修飭擢為諫大夫。是時，宣帝循武帝故事，招選名儒俊材置左右。更生以通達能屬文辭，與王褒、張子僑等並進對，獻賦頌凡數十篇。……會初立《穀梁春秋》，徵更生受《穀梁》，講論《五經》於石渠。復拜為郎中給事黃門，遷散騎諫大夫給事中。（《漢書·楚元王傳》，卷三十六，頁1928－1929）

劉向時宣帝招募人才，劉向因能文屬辭而入選，值宣帝立《穀梁春秋》，乃徵劉向受《穀梁》，並與諸儒講論《五經》於石渠閣。至成帝即位，更生乃易名為向，召拜中郎，遷光祿大夫。受詔領校中《五經》祕書，著《洪範五行傳論》，凡十一篇。

周慶、丁姓、王亥等，其學術未可知。

據史書中可考當時出席者：《詩》家有中尉韋玄成（韋賢之子，瑕丘江公及許生之弟子）、博士張長安（事王式）、薛廣德（事王式）；《書》家有博士歐陽地餘（歐陽高之孫）、博士林尊（歐陽高弟子）、譯官令周堪（事夏侯勝）、博士張山拊（事夏侯建）、謁者假倉（張山拊弟子）；《易》家有博士施讎（從田王孫受業）、黃門郎梁丘臨（梁丘賀之子，為施讎門生）；《禮》家有戴聖（后蒼弟子）、太子舍人聞人通漢（后蒼弟子）；《公羊》家有博士嚴彭祖（事眭孟）、侍郎申輓、伊

推、宋顯、許廣；《穀梁》家有議郎尹更始（事蔡千秋）、及待詔劉
向、周慶、丁姓、中郎王亥、太子太傅蕭望之等二十三人。

第二節　石渠閣議奏輯佚及其體例

《漢書·藝文志》著錄石渠閣會議之資料有：

《書·議奏》四十二篇（原注曰：「宣帝時石渠論」）；

《禮·議奏》三十八篇（原注曰：「石渠」）；

《春秋·議奏》三十九篇（原注曰：「石渠論」）；

《論語·議奏》十八篇（原注曰：「石渠論」）；

《五經雜議》十八篇（原注曰：「石渠論」）；共五部一百五十五篇。
⑩「議奏」之中缺《易》、《詩》兩經，且《漢志》將《五經雜
議》歸於六藝中之《孝經》類，究竟《五經雜議》之內容是討論
《孝經》，或者是《五經雜議》無類可歸，而《漢志》將其暫置於
《孝經》類只是一時方便，無法得知。目前雖然無法得知石渠閣會
議討論內容全貌，但依唐代杜佑《通典》所輯與清代洪頤煊撰集
《石渠禮論》殘存部分佚文，⑪可窺探石渠閣會議之梗概。

《通典》與《石渠禮論》可考石渠閣議佚文者，有十三則（或
合併㈡、㈢兩則，為十二則），記載如下：

---

⑩　《漢書·藝文志》卷三十，頁 1701－1723。
⑪　〔漢〕戴聖撰，〔清〕洪頤煊撰集：《石渠禮論》（臺北：藝文印書館，
　　《百部叢書集成》，經典集林卷三）。

㈠漢石渠禮議曰：「『經云：「宗子孤為殤」，言孤何也？』聞人通漢曰：『孤者，師傳曰「因殤而見孤也」，男二十冠而不為殤，亦不為孤，故因殤而見之。』戴聖曰：『凡為宗子者，無父乃得為宗子。然為人後者，父雖在，得為宗子。故稱孤。』聖又問通漢曰：『因殤而見孤，冠則不為孤者，《曲禮》曰「孤子當室，冠衣不純采」。此孤而言冠，何也？』對曰：『孝子未曾忘親，有父母無父母衣服輒異。《記》曰「父母存，冠衣不純素；父母歿，冠衣不純采」，故言孤。言孤者，別衣服也。』聖又曰：『然則子無父母，年且百歲，猶稱孤不斷，何也？』通漢對曰：『二十冠而不為孤；父母之喪，年雖老，猶稱孤。』」⓬

㈡漢石渠議曰：「『鄉請射告主人，樂不告者，何也？』戴聖曰：『請射告主人者，賓主俱當射也。夫樂，主所以樂賓也，故不告於主人也。』」（卷七十七，禮三十七，〈天子諸侯大射鄉射〉，頁2105）

㈢宣帝甘露三年三月：「黃門侍郎臨奏：『《經》曰鄉射合樂，大射不，何也？』戴聖曰：『鄉射至而合樂者，質也。大射，人君之禮，儀多，故不合樂也。』聞人通漢曰：『鄉射合樂者，人禮也，所以合和百姓也。大射不合樂者，諸侯

⓬　〔唐〕杜佑撰，王文錦等點校：《通典》（北京：中華書局，1992 年 6月），卷七十三，禮三十三，〈繼宗子〉，頁 1998。

之禮也。』韋玄成曰：『鄉射禮所以合樂者，鄉人本無樂，故合樂歲時，所以合和百姓以同其意也。至諸侯，當有樂，《傳》曰「諸侯不釋懸」，明用無時也。君臣朝廷固當有之矣，必須合樂而後合，故不云合樂也。』時公卿以玄成議是。」❸

(四)石渠禮曰：「『諸侯之大夫為天子、大夫之臣為國君服何？』戴聖對曰：『諸侯之大夫為天子當總綫，既葬除之。以時接見於天子，故既葬除之。大夫之臣無接見之義，不當為國君也。』聞人通漢對曰：『大夫之臣，陪臣也，未聞其為國君也。』又問：『庶人尚有服，大夫臣食祿，反無服，何也？』聞人通漢對曰：『《記》云「仕於家，出鄉不與士齒」，是庶人在官也，當從庶人之為國君三月服。』制曰：『從庶人服是也。』又問曰：『諸侯大夫以時接見天子，故服。今諸侯大夫臣，亦有時接見於諸侯不？』聖對曰：『諸侯大夫臣，無接見諸侯義。諸侯有時使臣奉賀，乃非常也，不得為接見。至於大夫有年，獻於君，君不見，亦非接見也。』侍郎臣臨待詔聞人通漢等皆以為有接見義。」（卷八十一，禮四十一，〈諸侯之大夫為天子服議〉，頁 2208－2209）

---

❸　同前書。此則條文與上則兩段條文，主要討論鄉射禮樂之問題，《通典》合併為一則，不分段。唯條文之中有「宣帝甘露三年三月」一文，本書於此離析為二。

㈤漢石渠議:「聞人通漢問云:『《記》曰:「君赴於他國之君曰不祿,夫人曰寡小君不祿,大夫士或言卒死。」皆不能明。』戴聖對曰:『君死未葬曰不祿,既葬曰薨。』又問:『尸服卒者之上服。士曰不祿,言卒何也?』聖又曰:『夫尸者,所以象神也。其言卒而不言不祿者,通貴賤尸之義也。』通漢對曰:『尸,象神也,故服其服。士曰不祿者,諱辭也。孝子諱死者曰卒。』」(卷八十三,禮四十三,〈初喪〉,頁2244)

㈥漢石渠議:「問:『父卒母嫁,為之何服?』蕭太傅云:「當服周。為父後則不服。」韋玄成以為:『父歿則母無出義,王者不為無義制禮。若服周,則是子貶母也,故不制服也。』宣帝詔曰:『婦人不養舅姑,不奉祭祀,下不慈子,是自絕也,故聖人不為制服,明子無出母之義,玄成議是也。』」(卷八十九,禮四十九,〈父卒為嫁母服〉,頁2455)

㈦石渠禮議:「又問:『夫死,妻稚子幼,與之適人,子後何服?』韋玄成對『與出妻子同服周』,或議以為子無絕母,應三年。」(卷八十九,禮四十九,〈父卒為嫁母服〉,頁2455)

㈧漢石渠禮議:「戴聖曰:『大夫在外者,三諫不從而去,君不絕其祿位,使其嫡子奉其宗廟。言長子者,重長子也,承宗廟宜以長子為文。』蕭太傅曰:『長子者,先祖遺體

也。大夫在外，不得親祭，故以重者為文。』宣帝制曰：
『以在故言長子。』」（卷九十，禮五十，〈齊縗三月〉，頁
2472）

(九)漢石渠禮議：「戴聖對曰：君子子為庶母慈己者，大夫之
嫡妻之子，養於貴妾，大夫不服賤妾，慈己則緦服也。其不
言大夫之子而稱君子子者，君子猶大夫。」（卷九十二，禮五
十二，〈小功成人服五月〉，頁 2504－2505）

(十)漢石渠禮議：「問曰：『大夫降乳母邪？』聞人通漢對
曰：『乳母所以不降者，報義之服，故不降也。則始封之君
及大夫，皆降乳母。』」（卷九十二，禮五十二，〈緦麻成人服三
月〉，頁 2512）

(士)漢石渠議：「大宗無後，族無庶子，己有一嫡子，當絕父
祀以後大宗不？戴聖云：『大宗不可絕。言嫡子不為後者，
不得先庶耳。族無庶子，則當絕父以後大宗。』聞人通漢
云：『大宗有絕，子不絕其父。』宣帝制曰：『聖議是
也。』」（卷九十六，禮五十六，〈總論為人後議〉，頁 2581）

(士)漢石渠禮議曰：「《經》云大夫之子為姑姊妹女子子無主
後者，為大夫命婦者，唯子不報何？戴聖以為：『唯子不報
者，言命婦不得降，故以大夫之子為文。唯子不報者，言猶
斷周，不得申其服也。』宣帝制曰：『為父母周是也。』」

（卷九十九，禮五十九，〈為姑姊妹女子子無主後者服議〉，頁 2636）

㈡漢石渠禮議：「蕭太傅云：『以麻終月數者，以其未葬，除無文節，故不變其服為稍輕也。已除喪服未葬者，皆至葬反服。庶人為國君亦如之。』宣帝制曰：『會葬服喪衣是也。』或問蕭太傅：『久而不葬，唯主喪者不除。今則或十年不葬，主喪者除否？』答云：『所謂主喪者，獨謂子耳。雖過期不葬，子義不可以除。』」（卷一百三，禮六十三，〈久喪不葬服議〉，頁 2695）

除此之外，尚有部分輯佚。《詩經·既醉》疏曰：

石渠論云：周公祭天，用太公為尸。（卷十七之二，頁 605）

《禮記·王制》正義曰：

石渠論、《白虎通》云：周以后稷文武特七廟。（卷十二，頁 241）

《禮記·禮運》疏曰：

議郎尹更始、待詔劉更生等議石渠，以為吉凶不並，瑞災不兼。今麟為周亡，天下之異，則不為瑞，以應孔子至。（卷二十二，頁 437）

《後漢書·輿服志》注曰：

> 石渠論玄冠朝服。戴聖曰：「玄冠，委貌也。朝服布上素
> 下，緇帛帶，素韋韠。」（志三十，頁 3665）

上述經史注疏之中，凡引石渠議奏四則，內容大概不外禮制，並且可能只是引述議奏中之部份資料，故不記發言者之名，亦無法從注疏之中得知討論該議題時之全貌。從現存之石渠議奏輯佚中（《通典》與《石渠禮論》），大致可以歸納出石渠議奏之基本體例。

基本上，石渠議奏每則條文皆以「問答」方式記錄，而構成「問答」之要素，可分為「問題」、「回答」與「結論」三種。

在「問題」部分，大概可分成二種性質：其一，是「大會問題」；其二，是「與會者問題」。「大會問題」，乃是條文之中凡未具名之「問題」，且皆置於條文之前者，或者在討論過之中加入不具名之「問題」者，均可視為大會所預設之問題，它是大會討論之焦點核心，與會者必要針對此一問題而發言。「與會者問題」，是與會者在討論「大會問題」之過程中，引發出另一問題，由與會者提供出來繼續供大會討論。（如第㈠則戴聖所提之兩問，與第㈤則聞人通漢之兩問。）石渠議奏雖然以「問答」方式記錄，然而，觀察現存之條文中，並非每則條文皆有「大會問題」，如：第㈧、㈨、㈫則，皆未設「問題」；就此而言，大會之「問題」，似乎不是構成每則條文之必要條件。不過，第㈫則先有蕭太傅之回答，宣帝之制繼之在後，顯示蕭太傅回答之前，應先有「問題」在前，隨後又「或問」蕭太傅，亦證明「或問」乃是前有所承；第㈨則雖未有

「問題」，然而戴聖之回答稱「對曰」，顯示戴聖之回答亦隱含一項「問題」；第(八)則雖僅記戴聖與蕭太傅兩人之回答，最後以宣帝之制做結，可知戴、蕭兩人之回答，亦必有一預設之「問題」。因此，第(八)、(九)、(士)則雖皆未設前置「問題」，不過，此三則皆各隱含一項預設「問題」，否則，戴聖與蕭太傅之回答，便是隨意發揮，或是無的放矢。至於石渠議奏文本之中此三則未設「大會問題」，是無意之遺漏或有意之省略，則不可知。

在「回答」部分，主要是與會者根據上述之「問題」，發表個人對該問題之意見。議奏中大概多以問題為前導，其後便臚列所有與會者之意見。就「回答」之內容性質而言，它並非是對前項「問題」有任何疑慮，或者價值義意之判斷，意即「問題」本身沒有對或錯之問題；「回答」是對前項「問題」內容提出一種詮釋，或者說明「問題」之所以如此之理由所在。議奏中必然至少有一人之「回答」，甚至二人對同一「問題」之不同「回答」，形成一種近似辯論之對話，因此，「回答」部分乃是構成每則條文之必要條件。且依議奏中可考之人名，參與這場《禮經》討論者，有戴聖、聞人通漢、韋玄成與蕭望之等人；至於梁丘臨乃「奉使問諸儒於石渠」，負責提問，應未參與實際討論；而宣帝「稱制臨決」，亦不在討論行列。

在「結論」部分，可分成兩種來源：其一，是「天子之制」；其二是「大會共識」。前者是宣帝根據與會者所發表之意見，從中選擇一說做為大會討論之結果，此即所謂「稱制臨決」，是議奏之中最重要部分亦是大會討論最終之仲裁機制（如：第(四)、(六)、(八)、(士)、(士)、(士)則）。而宣帝在詔制之中，若偶有意見表達，亦僅是對其所

決定之結論加以補充、附議，並非提出有別於其他學者之意見，更無推翻所有意見之用意。至於後者「大會共識」，是宣帝對發言內容未表示意見時，多數與會者根據發言者之意見，表達傾向支持某說之態度，如：第㈡則「時公卿以玄成議是」、第㈣則「侍郎臣臨待詔聞人通漢等皆以為有接見義」。諸如此類說法，嚴格而言，只能視為暫時性之「大會共識」，尚不足以做為大會結論。況且，在十三則條文之中，並非每條都有上述之「結論」（如：第㈠、㈡、㈤、㈦、㈨、㈩則），這些未經宣帝制裁回答，又未獲得「大會共識」之條文，議奏只是臚列發言者內容，並未有定論。

此外，在引述典籍方面，十三則條文「問答」之中，共有十六「問題」，其中明言引述《禮》經傳為「問題」者有五次；第㈠則「《經》云「宗子孤為殤」」、戴聖問引《曲禮》「孤子當室，冠衣不純采」，第㈢則梁丘臨奏引「《經》曰鄉射合樂，……」，第㈤則聞人通漢問引「《記》曰「君赴於他國之君曰不祿，……」第㈦則「《經》云大夫之子為姑姊妹女子無主後者，……」」條文之中共有二十七次「回答」，「回答」之內容明言引述《禮》之經傳者，不過三次。（第㈠則聞人通漢引《記》，第㈢則韋玄成引《傳》，第㈣則聞人通漢引《記》。）

基本上，石渠閣議奏皆以「問答」方式記錄，若以「問題」、「回答」與「結論」三種構成要素而言，其體例可分成下列幾種：

一、「問題」、「回答」與「結論」三種皆有。如第㈥則，此例條文直接提問問題，蕭太傅與韋玄成則分別提出不同意見，最後由宣帝下詔，以韋玄成之議為是，並且在詔制之中補充說明韋玄成之應答。

二、「問題」、「回答」二種。如第㈡則，此例條文僅記大會問題與戴聖之回答。又如第㈠則，先有大會之問題，聞人通漢與戴聖相繼發言，雖然後有戴聖兩問與聞人通漢兩答，基本上，仍不脫此一「問題」、「回答」之架構。

三、「回答」、「結論」二種。如第㈧則，此例條文未記「問題」，有戴聖與蕭太傅兩人發言，最後有宣帝之「結論」。

四、僅「回答」一種。如第㈨則，此例條文僅記戴聖之發言內容。

構成石渠議奏文本之體例，不外以上四種基本型態，或是以此四種基本型態隨機組合而成。如第㈣則，先有大會「問題」，戴聖、聞人通漢「回答」；大會又問，聞人通漢「回答」，宣帝「結論」；大會又問，戴聖「回答」。此例共三問四答一結論。儘管有些討論過程複雜，但議奏條文之構成，亦不外四種型態組合而成。

至於石渠閣會議之進行概況，夏長樸歸納出四種：

> 其一是先由提問人提出經書中的疑難問題，分由不同學者就這個問題發表自己的意見，與會學者彼此交換心得，也順便提出質疑，最後做出大家都接受的結論……；其二是提問人提出問題後，與會學者各自陳述意見，最後由大家決定哪一個人的見解最合適……；其三是提問人提出問題後，學者各自說明一己之見，最後由皇帝提出個人的看法，決定何人的見解最可接受，何人的見解最妥當……；其四，也是最後的一種是，問題提出之後，學者分別提出個人的見解，最後由

皇帝裁決……。❹

夏長樸舉議奏中之第㈠、㈢、㈥、㈦則為例，看出其一、二、三、四等四種會議進行之方式，此是合理之推測，而且四種會議進行方式，亦大致符合《漢書》對石渠閣會議之論述。然而，現存之議奏殘缺不全，僅從輯佚之有限資料，欲推測會議之全貌並不容易。姑且不論會議如何進行，依《漢書》所載：「詔諸儒講《五經》同異，太子太傅蕭望之等平奏其議，上親稱制臨決焉」，會議資料之產生順序，理應是諸儒討論《五經》同異，其結果再交由蕭望之等平奏其議，最後由宣帝裁決，做成結論。現存輯佚條文之中，有些是宣帝之詔制，有些則是並陳發言者內容，而無「大會共識」或者宣帝之制之「結論」，甚至有些條文是無「問」而有「答」；諸多跡象顯示，現存之石渠議奏文本乃是經過事後彙編整理而成，應非會議當時之實錄。

第三節　《白虎通》文本與石渠議奏比較

　　石渠閣會議與白虎觀會議，兩會同屬於以天子下詔諸儒參與討論之會議，籍由會議討論之形式以解決學術之紛爭，且白虎觀會議乃是有意倣效石渠閣會議之方式，故「白虎通」在形式上理應與石渠佚文相當。莊述祖考證《白虎通》曰：

---

❹　〈論漢代學術會議與漢代學術發展的關係〉，頁99。

今所存本凡四十四篇，首於〈爵〉終於〈嫁娶〉，大抵皆引
經斷論，卻不載稱制臨決之語。**⑮**

……《論語》、《孝經》、六藝並錄。傳以讖記，援緯證
經，自光武以《赤伏符》即位，其後靈台郊祀，皆以讖決
之，風尚所趨然也。故是書論郊祀、社稷、靈臺、明堂、封
禪，悉驟括緯候，兼綜圖書，附世主之好，以繩道真，違失
六藝之本，視石渠為駁矣。夫通義固議奏之略也。**⑯**

莊述祖雖已發見《白虎通》文本「引經斷論」、「不載稱制臨決之
語」，實與章帝詔書旨意不符，亦異於石渠佚文，但卻只以《白虎
通》與石渠佚文有純駁之分為由，而未進一步說明原因。同時，對
於《白虎通》夾述《論語》、《孝經》與六藝並錄，亦未表意見。
至於書中雜以「讖記之文」，致使是書「以繩道真，違失六藝之
本」，亦只將此一現象歸咎於世主所好，風尚所趨使然。莊述祖雖
然對《白虎通》提出諸多疑點，但從未質疑《白虎通》代表白虎觀
會議產物之真實性。由於莊述祖固執於《白虎通》代表白虎觀會議
產物之真實性，因此，對於環繞《白虎通》文本之諸多疑點，僅以
「通義固議奏之略」，做為解釋《白虎通》與史書記載不符之答
案，輕描淡寫而一筆帶過。

孫詒讓就《白虎通》與石渠議奏之比較關係言：

---

⑮　〈白虎通義攷〉，頁 2。

⑯　〈白虎通義攷〉，頁 7。

　　竊謂建初之制，祖述甘露，議奏之作，亦襲石渠，白虎議
奏，雖佚其卷帙，體例要可以石渠議奏推也。《漢書·藝文
志》《書》九家內議奏四十二篇，……。蓋石渠舊例，有專
論一經之書，有雜論五經之書，合則為一帙，分則為數家，
《禮》、《春秋》、《論語》議奏專論一經者也，其書晉以
後獨《禮》家三十八篇存，《五代·志》謂之《石渠禮
論》。❶

孫詒讓考證《白虎通》時，響應莊述祖之論，以為章帝建初之白虎
觀會議既襲宣帝甘露之石渠閣會議，在形式上，石渠閣會議有專論
一經之書，有雜論《五經》之書之「舊例」，故白虎觀會議亦應有
如是之編制。然而蔡邕時之「白虎議奏」至少百篇以上，今之《白
虎通》卷數不過四十四篇，故兩者分屬兩書，特同出於白虎觀。至
於在《白虎通》體例方面，孫詒讓言：

　　白虎講論，既依石渠故事，則其議奏必有專論一經與雜論五
經之別。今所傳通議，蓋《白虎義奏》內之《五經雜議》
也。諸經議奏既各有專書，雜議之編意在綜括群經，提挈綱
領，故不以經為類而別立篇目。且文義精簡，無問答及稱制
臨決之語，與專論一經之議奏體例迥別。❶

---

❶　孫詒讓：〈白虎通義考〉，《國粹學報》第五年第二冊第五十五期（1909
年）（臺北：文海出版社，1970年2月），頁2114－2115。

❶　〈白虎通義考〉，頁2115－2116。

孫詒讓以為，白虎觀會議既是仿傚石渠閣會議之模式，其會議成果，亦當仿效石渠閣編列專論一經與雜議《五經》之議奏形式。故石渠閣會議有《五經雜議》，白虎觀會議「必亦有」「五經雜議」，而《白虎通》即是由白虎觀會議之「五經雜議」部分編寫而成，流傳至今；其餘專論一經之議奏均已亡佚。至於「五經雜議」中無問答論辯者之名及其過程，更無章帝稱制臨決之語，孫詒讓解釋是：「雜議之編意在綜括群經，提挈綱領」，「且文義精簡」，故其體例不與專論一經者同。

　　然而，《漢志》將石渠議奏之《五經雜議》置於《孝經》類，其用心不明，且《五經雜議》之內容已無從考證，孫詒讓並未說明：為何雜議之論是「提挈綱領」、「文義精簡」？且，「提挈綱領」、「文義精簡」之雜議為何不必問答論辯及稱制臨決之語？而孫詒讓又如何知道石渠議奏之《五經雜議》無問答論辯及稱制臨決之語？❶孫詒讓就《白虎通》之篇數與蔡邕時之「白虎議奏」至少百篇以上之不同而分屬兩書，此乃合理之懷疑；然而孫詒讓逕自以此證明《白虎通》乃「白虎議奏」中「五經雜議」，並以《白虎通》之體例推斷石渠議奏之《五經雜議》，雜議之編意在綜括群經，提挈綱領，故無問答論辯者之名及其過程，及章帝稱制臨決之

---

❶　孫詒讓於文中言：「《五經雜議》雜論《五經》者也。……而石渠論經，劉向校定，或錄其奏於篇首，故誤題其名也。其書未見援引，體例無可考，以意推之，似繫隱括經義，標舉閎旨，不與《禮論》載問答者同。」〈白虎通義考〉，頁 2115。孫氏明知其書不可考，卻以意推之，以為雜議者隱括經義，標舉閎旨，故不載問答者；是否載問答者之體例不能隱括經義、標舉閎旨？

語;反之,又以石渠議奏之《五經雜議》證明《白虎通》之無問答論辯者之名及其過程,及章帝稱制臨決之語,乃是白虎觀會議仿傚石渠閣會議之結果,孫詒讓以《白虎通》之「實」證石渠議奏《五經雜議》之「虛」,又以其「虛」明《白虎通》之「實」,其說又不可信。至於《白虎通》之禮制內容,與會議「講論《五經》同異」之目的,孫詒讓則未提及。總之,孫詒讓雖與莊述祖考證《白虎通》之路徑不同,但皆肯定《白虎通》為白虎觀會議之產物。

且就莊述祖所提之疑點,比較《石渠禮論》與《白虎通》之文本內容,有以下幾點不同:

㈠講議《五經》同異:「講議《五經》同異」乃是兩位天子詔開兩會之共同議題與目的。目前有關石渠閣會議之「議奏」大多已亡佚而無從考察,依現存之《石渠禮論》而言,內容以討論《禮》一經為主,辯論大抵專注於經文同異之說,亦只限於講論經義為範圍。《白虎通》之內容則明顯以建立禮制為主,解釋當時名物制度方是本書用心所在,且更有部分條文僅有問題與回答,並非每一條文必然引據典籍以證成其說,故引述《五經》之文句乃淪為注腳。況且《白虎通》在《五經》之外,尚引《論語》、《孝經》、《爾雅》,與「讖記之文」,實已逾越會議「講議《五經》同異」之範圍與目的。

㈡與會討論者:兩會同屬天子下詔諸儒與會,可考與會討論者,石渠閣會議有二十三人,白虎觀會議則有十四人。《石渠禮論》每則條文或不記大會問題之發問人,然必明載與會諸儒發問者、發言人之名及其發言內容,並詳細記載與會諸儒間相互論難之過程,若偶有天子之意見參與其間,亦記載之。而《白虎通》文本

只有問答內容及其引述經典文句，全書通篇不載發問人、發言人之身分姓名，更無從稽核與會諸儒相互答辯之過程。

㈢帝親稱制臨決：兩會最大之特色，乃在於不僅會議由天子下詔所開，其會議研討所得結果上呈天子，最後由天子親自批閱裁決，以為大會之定論。《石渠禮論》每則條文之結論，輒有天子稱制臨決之詔制，若無天子之詔制，亦有與會諸儒之意見做成共識，此大會共識雖出於與會者之同意，亦當是經過天子所認可。《白虎通》文本每則條文之結論，未見天子詔制之記載，其結論是出於天子稱制臨決或學者共識則不得而知。

㈣問題與討論：兩會之目的乃在使諸儒「講議」《五經》同異之問題，《石渠禮論》與《白虎通》均是以「問答」形式為其基本體例，似乎吻合「講議」之要求。《石渠禮論》固以問題為中心，問題或由大會提供，亦可由與會者提出，與會諸儒針對問題提出自己見解，而討論過程之中若有歧出另一問題，亦可由與會者提出一併討論；會議最終之結論，或是宣帝詔制，或是與會諸儒達成共識，皆是由討論過程中產生，且必擇其中一說以為定論，因此，《石渠禮論》記載可見當時大會之「講議」過程。然而，《白虎通》通例只是一問一答，即便有一問二答之例，亦只是並存二說，並未申論二說之優劣而做一取捨；且《白虎通》所預設之問題，實已隱含結論，無論是論證之內容為何，或是援引其他經典文句，其結論皆為闡發此一問題而來，因此，《白虎通》並無類似石渠閣會議之「講議」過程。

再從兩會與會者之學術背景比較，亦可凸顯《白虎通》可疑之處。據《漢書·儒林傳》中可考石渠閣會議出席者名單之中：

《詩》家有韋玄成、張長安、薛廣德；《書》家歐陽地餘、林尊、周堪、張山拊、假倉；《易》家施讎、梁丘臨；《禮》家戴聖、聞人通漢；《公羊》家嚴彭祖、申輓、伊推、宋顯、許廣；《穀梁》家尹更始、劉向、周慶、丁姓、王亥、蕭望之等二十三人。此一名單，不僅包含《五經》，《五經》家皆有人員出席，且出席人員之頭銜包含博士、議郎等，完全符合《漢書·宣帝紀》載甘露三年：「詔諸儒講《五經》同異」之論述。且就《石渠禮論》之記載，論《禮經》之中，除《禮》家戴聖、聞人通漢之外，又有《詩》家之韋玄成、《易》家之梁丘臨、《穀梁》家之蕭望之等，可見諸儒講議《五經》同異，並非專就各人所長而分組討論《五經》，而極可能是每位與會成員均可參與《五經》討論同異。反觀白虎觀會議，同樣是詔諸儒「講議《五經》同異」，可考十四位與會者之中，並無治《易》、《禮》二經之專家，而《白虎通》文本引述《五經》之比例，卻是以引《禮》之經傳近四成最多；若謂這部深具「國憲」、「法典」意味之《白虎通》出於上述十四位非治《禮》專家之手，豈能使人信服？

以《白虎通》與《石渠禮論》之文本形式比較，兩者之表現方式亦大相逕庭。《石渠禮論》純粹記錄與會者及其發言內容，並載宣帝之詔制，明顯是會議記錄之彙編；《白虎通》則不載與會者之名與章帝之詔制，預設之「問題」呈現禮制法典之完整結構，實不與《石渠禮論》同類。因此，若將《白虎通》視為史書所傳之「白虎通」，則楊終之疏與章帝之詔書中所揭示，冀望白虎觀會議傚效石渠故事，顯然未能如願；且詔開白虎觀會議所欲達到「講議《五經》同異」之目的，亦無法完成。

　　再就石渠佚文與《白虎通》之思想內容而言，兩者亦存在若干差異。從石渠佚文推論其會議特色，乃知其會議是以講論經義同異問題為主旨，然而，任繼愈批評石渠閣會議之思想言：

> 從這幾個例子來看，石渠閣會議的思想水平不是很高的。第一，討論的盡是一些細枝末節的問題，沒有從維護封建統治的高度提出帶有根本原則性的問題。第二，對論點的論證缺乏邏輯的分析和充分的說理，用的完全是經師解釋章句文義的一套方法。第三，宣帝所作的結論，除了第二例講了一通道理外，其他都是憑借政治權力表示肯定或否定。❷⓿

其實，任繼愈對石渠閣會議之批評並不相應，不過，此一批評反倒凸顯出石渠閣會議之特色。就任繼愈所批評之第一點而言，因為石渠閣之詔開，主要目的在講議《五經》同異問題，討論內容不必然對「封建統治」帶出根本原則性之問題，而會議討論之問題流於細枝末節，乃是無可避免，亦是理所當然。第二點批評，諸儒在講議過程各以經義辯論，答者或據經傳，或以經師解釋章句文義之方式答辯，乃是由此會議之性質決定，若因此辯論過程「缺乏邏輯的分析和充分的說理」，亦屬合理。至於第三點批評，石渠閣會議之結論，或由天子稱制臨決，結論雖然未必通理；但是，以政治權力裁決學術爭端，乃是此會議之特色，同時也是白虎觀會議極力傲效之「故事」。任繼愈批評石渠佚文，「討論的盡是一些細枝末節的問

---

❷⓿　《中國哲學發展史》，頁 463。

題」、「用的完全是經師解釋章句文義的一套方法」、與「憑借政治權力表示肯定或否定」之評語，似乎忽略石渠佚文會議資料之特性；反而要求會議資料須「從維護封建統治的高度提出帶有根本原則性的問題」、與「對論點的論證」具備「邏輯的分析和充分的說理」，似乎與石渠佚文之特性不相應。任繼愈是否以《白虎通》之「思想水平」以衡量石渠佚文，不得而知；不過，任繼愈對於石渠佚文與《白虎通》之批評，明顯有優劣之分，而且批評石渠佚文之三項缺失，均未曾在《白虎通》文本出現。

相較於任繼愈對石渠佚文之批評，《白虎通》之價值則普遍受到學者一致肯定。如前所引，夏長樸說《白虎通》是「鉅細靡遺，無所不包，是一部粗具規模的組織法，也是自天子以至於庶人，立身行世的根本」；侯外廬稱是「把前漢宣帝、東漢光武的法典和國教更系統化」；任繼愈以為「它是一種制度化了的思想，起著法典的作用」；而林聰舜解釋「《白虎通》探討的是更為根源性的經義統一的問題，唯有作為漢帝國指導思想的經義整合成功了，才能有效論證整個體制的合理性」。學者對《白虎通》之評價，大致肯定其內容具有縝密之組織架構，可見石渠佚文與《白虎通》兩者在內容上有相當顯著之差距：因前者著重於講議經義同異之問題，只是會議資料之彙編，無法具備合乎邏輯之分析說理與縝密之組織架構；而後者乃是有計畫建構一套系統組織，故被視為具有統一經義，且能指導思想之國教法典。因此，石渠佚文與《白虎通》之差異，不是經學發展過程中「後出轉精」之學術成果，而是兩種性質迥異之文本相提並論之結果。

誠如楊終之疏與章帝之詔書中所揭示，冀望白虎觀會議倣效石

渠故事，而兩會皆以天子下詔諸儒研討學術爭議，其目的在「講議
《五經》同異」，會後資料上呈天子「稱制臨決」，由天子就會中
討論有爭議之部分做成裁決，或將自己意見加入資料之中，成為大
會結論。石渠佚文皆能反映此一會議背景，而白虎觀會議之程序亦
如石渠故事。然而，《白虎通》在形式上既不同於石渠佚文，在內
容上又與石渠佚文有明顯差異，若謂《白虎通》乃是有意倣效石渠
佚文之作，於理不通；且《白虎通》之內容深具組織架構，斷非零
碎資料彙編而成，《白虎通》既無會議講議之跡，更不見天子之詔
制，若視《白虎通》為一種如石渠佚文之會議資料彙編，又不可
信。雖然，史書稱白虎觀會議專意倣效石渠閣會議，兩會之緣起與
過程如出一轍，然而石渠佚文與《白虎通》，無論就其形式或者內
容，兩者之表現卻大相逕庭。《白虎通》之內容，儼然是部設計縝
密之禮制法典之書，既無倣效石渠佚文之意，又無會議之形式與性
質，因此，《白虎通》與石渠佚文並無承襲痕跡。《白虎通》不僅
與石渠佚文不同類，甚且與史書對白虎觀會議之記載亦不相應。

　　《白虎通》與石渠佚文相異之處，可以證明《白虎通》並非有
意模仿石渠佚文，進而可以假設《白虎通》並非會議之資料彙編。
既釐清《白虎通》之本質非會議資料，則若仍將《白虎通》視為白
虎觀會議之產物，乃成一大問題。儘管有學者如莊述祖、孫詒孫
等，對此一問題提出解釋，但仍只能解決部分疑點，未能有效解釋
環繞在《白虎通》文本之全面性問題；甚至有些牽強附會者，反而
衍生更多疑問，治絲益棼。比較史書對於白虎觀會議之描述與《白
虎通》文本，兩者確實存在極大之差異，若能正視《白虎通》並非
會議之資料彙編此一可能事實，進而將《白虎通》從白虎觀會議之

論述中抽離；唯有如此，始能合理解釋環繞於《白虎通》文本之諸多問題。因此，本書大膽假設：目前所見之《白虎通》文本並非史書中所謂東漢白虎觀會議任一形式資料之「白虎通」。

第六章
《白虎通》與《漢禮》

第一節　漢代禮制與禮學

　　由於《白虎通》文本之性質與內容與經學會議之關係相去甚遠，且當前學界普遍認為《白虎通》其書內容為漢制作漢禮之意圖十分明確，故本書試圖從兩漢歷代天子制作禮樂之過程中，逐步探索《白虎通》文本與漢代禮制之關係。

　　相傳最早制定禮樂者是周公。《左傳·文公十八年》曰：

> 先君周公制周禮曰：則以觀德，德以處事，事以度功，功以
> 食民。（卷二十，頁352）

《禮記·明堂位》亦曰：

> 昔殷紂亂天下，脯鬼侯以饗諸侯。是以周公相武王以伐紂。
> 武王崩，成王幼弱，周公踐天子之位以治天下。六年，朝諸
> 侯於明堂，制禮作樂，頒度量而天下大服。（卷三十一，頁

576）

《左傳》言周公所制之周禮，可以觀德、處事、度功與食民，以及
《禮記》言周公踐阼天子之位，於成王六年制禮作樂，朝諸侯於明
堂，頒度量等事蹟，皆與秦漢禮制之功能無異。《史記·周本紀》
曰：

> 召公為保，周公為師，東伐淮夷，殘奄，遷其君薄姑，成王
> 自奄歸，在宗周，作《多方》，既絀殷命，襲淮夷，歸在
> 豐，作《周官》，興正禮樂，度制于是改，而民和睦，頌聲
> 興。（卷四，頁133）

周公於成王時作《周官》，《周官》作而禮樂興，度制於是隨禮樂
之正而有所變更。度制隨禮樂而改，禮樂隨《周官》而正，故周公
所作之《周官》乃後世禮制之源頭，而周公則「可以說是中國古代
政治思想的開山祖」。❶然而，楊華考察周公制禮作樂之時間，認
為「周初（周公）不可能實現制禮作樂」，且從古器物學之研究成

---

❶ 劉澤華言：「周公是周朝制度的制定者。……《周書》中的〈大誥〉、〈康
　誥〉、〈酒誥〉、〈梓材〉、〈召誥〉、〈洛誥〉、〈多士〉、〈無逸〉、
　〈多方〉、〈立政〉諸篇，同周公都有直接的關係，很多學人認為屬周公之
　作。這些篇不僅是周的誥命和政策，同時也是周公對以前歷史所作的總結。在
　古代政治思想史上，周公有著特殊的地位，他提出了系統的政治主張和理論，
　可以說是中國古代政治思想的開山祖。」劉澤華主編，葛荃副主編：《中國古
　代政治思想史》（天津：南開大學出版社，1992年6月），頁6—7。

果為線索，以為「禮樂制度的完成當在穆王之世」；❷並言：

> 周代前期的「制禮作樂」應該是一個過程，而不是某個政治
> 領袖和文化領袖的一次性集成。作為上層建築的典章制度，
> 它不可能一朝一夕突兀產生，也不可能一朝一夕迅速消亡，
> 它具有相當的獨立性和繼承性，只能是在社會環境和社會需
> 求的作用之下，經過統治者的頒布、實施，又反作用于社會
> 環境，從而影響社會生活。在這個過程中，西周前期的周
> 公、成王、康王、昭王、穆王幾代統治集團都有創制之功。
> 經過相當長時間的積累和修繕，至少到穆王時期禮樂制度已
> 經基本完備定型下來。后代儒家崇拜周制，「法憲文武」，
> 把「制禮作樂」的締造之功托附于周公旦一人身上，顯然有
> 悖于歷史。❸

一代之禮制，固然不可能一朝一夕突兀產生，亦不可能一朝一夕迅
速消亡，周公之「制禮作樂」亦復如此。《史記·孔子世家》曰：
「夏禮吾能言之，杞不足徵也；殷禮吾能言之，宋不足徵也。足，
則吾能徵之矣。觀殷夏所損益，曰：後雖百世可知也。以一文一
質，周監二代，郁郁乎文哉，吾從周。」（卷四十七，頁 1936）孔子
言周代之禮制，乃是上承夏殷二代，周代損益夏殷之禮，而成周代

---

❷　楊華：《先秦禮樂文化》（武漢：湖北教育出版社，1997 年 3 月），頁 60—
69。
❸　《先秦禮樂文化》，頁 68。

郁郁之禮制,故周代之禮制乃是前有所承。至於後世所傳之《周官》（或稱《周禮》）是否即是周公「制禮作樂」之文獻,此一問題,一直未有定論。❹

「周官」一名,最早出現於《史記》,除上述之〈周本紀〉外,在〈封禪書〉中亦有提及:「自得寶鼎,上與公卿諸生議封禪。封禪用希曠絕,莫知其儀禮,而群儒采封禪《尚書》、《周官》、《王制》之望祀射牛事」（卷二十八,頁 1397）,此事言武帝封禪一事,其中所言之「周官」,一般相信是《尚書》中之〈周官〉篇,與《漢書》所言之《周官》無關,❺至平帝元始四年（4）,始具稱《周官》。《漢書・王莽傳》曰:

> 是歲,莽奏起明堂、辟雍、靈臺,為學者築舍萬區,作市、常滿倉,制度甚盛。立《樂經》,益博士員,經各五人。微天下通一藝教授十一人以上,及有逸《禮》、古《書》、《毛詩》、《周官》、《爾雅》、天文、圖讖、鍾律、月令、兵法、《史篇》文字,通知其意者,皆詣公車。（卷九十九上,頁4069）

---

❹ 徐復觀言:「我國為了爭論一部古典真偽及其內容的價值,經過時間之久,所費文字之多,但迄今尚無定論的,應首推《周官》一書。」《《周官》成立之時代及其思想性格》（臺北:臺灣學生書局,1980 年 5 月）,頁 1。

❺ 如侯家駒著《周禮研究》言:「按《尚書》〈舜〉曾記虞舜巡狩、柴望秩等事,而與〈封禪書〉前段所載舜之故事吻合;《禮記》〈王制〉篇,亦記巡狩事,並云「天子祭天地」、「天子祭天下名山大川」,還說「天子社稷皆太牢」、「祭天地之牛角繭栗」;此〈周官〉疑為《尚書》中的周官篇,但現存《尚書》之古文〈周官〉篇,全與封禪無關。」頁 7。

又，元始五年（5）曰：

> 於是公卿大夫、博士、議郎、列侯張純等九百二人皆曰：
> 「聖帝明王招賢勸能，德盛者位高，功大者賞厚。故宗臣有
> 九命上公之尊，則有九錫登等之寵。……謹以《六藝》通
> 義，經文所見，《周官》、《禮記》宜於今者，為九命之
> 錫。臣請命錫。」奏可。（卷九十九上，頁4072）

二次所言皆稱《周官》，至居攝三年（8）改稱《周禮》。《漢
書·王莽傳》曰：

> 攝皇帝遂開秘府，會群儒，制禮作樂，卒定庶官，茂成天
> 功。聖心周悉，卓爾獨見，發得《周禮》，以明因監，則天
> 稽古，而損益焉，猶仲尼之聞詔，日月之不可階，非聖哲之
> 至，孰能若茲。（卷九十九上，頁4091）

《漢書》言攝皇帝開秘府而得《周禮》，唯劉歆獨識。然而，當時
劉歆受詔領校秘書，發見古文經籍，遂請求朝廷復立古文經博士之
時，並未提及《周官》；至居攝三年始發得《周禮》，由此展開學
術之爭論。

唐賈公彥〈序《周禮》廢興〉曰：

> 然則，《周禮》起於成帝劉歆，而成于鄭玄，附離之者大
> 半。故林孝存以為武帝知《周官》末世瀆亂不驗之書，故作

十論七難以排棄之。何休亦以為六國陰謀之書。唯有鄭玄遍覽群經，知《周禮》者乃周公致太平之跡，故能荅林碩之論難，使《周禮》義得條通。❻

賈公彥言《周禮》一書，自劉歆而興起，至鄭玄為之作注，以為是書「乃周公致太平之跡」，此後附會者大半；但林孝存以為武帝知《周官》為「末世瀆亂不驗之書」，何休亦以為是書乃「六國陰謀之書」；可知此書之真實來源，在當時便已引發不同見解。時至近代，學界對《周官》一書之來歷見解益見分歧，其中又以康有為之說最具爭議。

康有為（1858－1927）《新學偽經考》開宗明義曰：

吾為《偽經考》，凡十四篇，敘其目而繫之辭曰：始作偽，亂聖制者，自劉歆，布行偽經，篡孔統者，成於鄭玄。閱二千歲月日時之綿曖，聚百千萬億衿纓之問學，統二十朝王者禮樂制度之崇嚴，咸奉偽經為聖法，誦讀尊信，奉持施行。遵者以非聖無法論，亦無一人敢遵者，亦無一人敢疑者。於是奪孔子之經以興周公，而抑孔子為傳，於是掃孔子改制之聖法，而目為斷爛朝報，六經顛倒，亂於非種，聖制埋瘞，淪於霧霧，天地反常，日月變色，以孔子天命大聖，歲載四

百，地猶中夏，蒙難邁関，乃至此極，豈不異哉！❼

至《周官經》六篇，則自西漢前未之見。《史記·儒林傳》
〈河間獻王傳〉無之其說，與《公》《穀》《孟子》《王
制》今文博士皆相反。〈莽傳〉所謂：「發得《周禮》，以
明因監」，故與莽所更法立制略同，蓋劉歆所偽撰也。歆欲
附成莽業，而為此書，其偽群經，乃以證《周官》者，故歆
之偽學，此書為首。❽

康有為認為，不僅是《周官》，甚至是劉歆所發見之古文經，皆劉
歆偽造而成，繼之鄭玄為古文經作注，使古文經得廣傳於後世，並
與今文經同屬孔門正統。而《周官》一書，乃是劉歆為粉飾王莽篡
漢之行為，並使新莽大業合理化而偽造，至於偽作其他古文經，則
是用以證成《周官》之真實性，故《周官》是劉歆偽學群經之首。
康有為之說極具爭議，錢穆〈劉向歆父子年譜〉文中列舉二十八條
康說不通之處，❾便是針對康說而來，錢穆並於〈周官著作時代

---

❼ 〔清〕康有為撰：《新學偽經考》，收錄在蔣貴麟主編：《康南海先生遺著彙
　刊》（一）（臺北：宏業書局，1976 年 9 月），頁 2。

❽ 《新學偽經考》，頁 64。

❾ 《兩漢經學今古文平議》「劉向歆父子年譜自序」言：「然治經學者猶必信今
　文，疑古文，則以古文爭立自劉歆，推行自王莽，莽、歆為人賤厭，謂歆偽諸
　經以媚莽助篡，人易信取，不復察也。南海康氏《新學偽經考》持其說最備，
　余詳按之皆虛。要而述之，其不可通者二十有八端。……余讀康氏書，深疾其
　牴牾，欲為疏通證明，因先編〈劉向歆父子年譜〉，著其實事。實事既列，虛
　說自消。」頁 1—7。

考〉一文，得出結論言：

> 《周官》自劉歆、王莽時，眾儒已「共排以非是」。其後雖
> 有少許學者信崇，終不免為一部古今公認的偽書。然謂其書
> 乃劉歆偽造，則與謂其書出周公制作，同一無根。……何休
> 曾說：「《周官》乃六國陰謀之書。」據今考論，與其謂
> 《周官》乃周公所著，或劉歆偽造，均不如何氏之說遙為近
> 情。

錢穆否定《周官》出於劉歆偽造，亦不承認是周公所著，而是接近
何休言「《周官》乃六國陰謀之書」之論，認定《周官》乃是戰國
晚期之作品。❿而錢穆兩文之結論，似乎比較為現代學者所接受。
⓫不過，有關《周官》作者之討論，至今餘波依舊蕩漾。如徐復觀

---

❿ 黃沛榮在〈論周禮職方氏之著成時代〉一文，從《周禮》「夏官職方氏之著成
　時代」，證明《周禮》一書確成於戰國末葉，此說可為錢穆之說佐證。李曰剛
　等著：《三禮研究論集》（臺北：黎明文化事業，1981 年 1 月），頁 103－
　124。

⓫ 余英時在金春峰所著《周官之成書及其反映的文化與時代新考》序中言：「我
　不斷定錢先生〈周官著作時代考〉中所論證諸端是否確切不易，但是我相信錢
　先生的研究取徑（approach）是比較踏實的。〈向歆年譜〉和〈時代考〉兩文
　之所以得到多數專家肯定，正是因為其論證是建立在堅強的歷史事實之
　上。……總之，自〈向歆年譜〉和〈時代考〉刊布以來，學術界大體上傾向於
　接受《周禮》成於戰國晚期的論斷。」（臺北：東大圖書公司，1993 年 11
　月），頁 2－3。

仍然堅持其《周官》係王莽草創，劉歆繼之整理成書之推測；❷侯
家駒在徐復觀立論之後，以為「《周禮》並非全部偽造，乃是劉歆
根據武帝時所獲《周官》，予以損益而成」，❸凡此皆可視為康有
為學說之遺言墜緒，餘波盪漾。

　　《周官》之作者與成書年代之問題頗為複雜，尚未有定論；不
過，《周官》之作者非周公，成書不在西周初期是目前比較確切之
學術共識。因此，對於周公制禮作樂一事，不妨視為周公整理、統
一夏殷故舊，並且致力於禮樂制度之建立，從而倡導以禮樂治國之
理念，成為後世追溯周代禮樂文化之典範。後人抑或許受到孔子特
別推崇周公之影響，以至將周代制禮作樂之功全部歸因於周公，進
而使周公成為兩漢時期制作禮制之模仿對象。

　　禮制源於政治之需要，亦出於天子之手，故禮制是天子治天下
之具。雖云禮制出於聖人所為，然三代之禮制，乃因循人之情性而
制作，其禮制不僅需合乎人之情性，亦必要因人之情性不同而隨時
更改，孔子曰：「殷因於夏禮，所損益可知也；周因於殷禮，所損
益可知也」，❹即指此意。禮出於聖人作為，然而聖人所制之禮，
具體表現在其可實踐之「禮制」，與其禮制所以然之「禮學」。前

---

❷　徐復觀在其《周官成立之時代及其思想性格》書中言：「王莽的政治理想與野
　　心，皆集中在制禮作樂之上。則他曾草創《周官》，是一種合理的推測。但他
　　第二次以大司馬持政之後，便沒有『親自制作』的時間，只好委之於『典文
　　章』的劉歆，由他整理成書，也是合理的推測。我的推測，是以上面相關的材
　　料作根據或導引的。這比之純以捕風捉影的方式推測它成書於周初或戰國時
　　代，不更為可信嗎？」頁 52。

❸　侯家駒著：《周禮研究》（臺北：聯經出版事業，1987 年 6 月），頁 27。

❹　《論語·為政篇》，頁 19。

者是後者之實現，而後者是前者之理論基礎。前者是狹義之「禮制」，專指成文之禮樂制度，具有國家法典制度之性質；而前者與後者之總合是廣義之「禮學」，泛稱一切合乎禮之準則之行為與理論之總稱。因此，推究漢代之禮學，可從漢代之政治與學術二方面著手：前者是實踐部份，探討漢代禮制之發展；而後者是理論部份，探討漢代《禮》經博士及其相關之禮學著作。

《漢書·禮樂志》描述漢以前之禮制曰：

> 王者必因前王之禮，順時施宜，有所損益，即民之心，稍稍制作，至太平而大備。周監於二代，禮文尤具，事為之制，曲為之防，故稱禮經三百，威儀三千。於是教化浹洽，民用和睦，災害不生，禍亂不作，囹圄空虛，四十餘年。孔子美之曰：「郁郁乎文哉！吾從周。」及其衰也，諸侯踰越法度，惡禮制之害己，去其篇籍，遭秦滅學，遂以亂亡。（卷二十二，頁1029）

周承夏、商二代之禮文，成就所謂「禮經三百，威儀三千」之盛況，孔子亦不禁有「郁郁乎文哉」之感歎。至周世漸衰，禮文疲敝，六國諸侯各自為政，既無視於周禮之教化，更忌諱周禮之不利於己，故紛紛除去與周禮有關之書籍。適逢秦始皇統一天下，從李斯之議，除秦紀、博士官所職，與醫藥、卜筮、種樹之書外，天下藏書悉皆燒之，❶三代之禮至秦彷彿已蕩然無存。然而，若就此論

---

❶ 《史記·秦始皇本紀》曰：「丞相李斯曰：『五帝不相復，三代不相襲，各以

定秦代無禮制，甚至以為「漢實無所為禮樂」，**⑯**又言過其實。雖云秦始皇與漢高祖輕蔑儒生且忽視禮制，秦漢之禮制或許不如三代完備，但如此並不意味秦漢毫無禮制可言；以秦之併吞六國、漢之統一天下之政治規模而言，若謂當時無所謂禮制，乃是不可思議之事。《史記·禮書》描述秦漢交替時之禮制曰：

> 至秦有天下，悉內六國禮儀，采擇其善，雖不合聖制，其尊君抑臣，朝廷濟濟，依古以來。至于高祖，光有四海，叔孫通頗有所增益減損，大抵皆襲秦故。自天子稱號，下至佐僚及宮室官名，少所變改。（卷二十三，頁 1159－1160）

自秦合併六國，採擇六國禮儀之善者以為秦之禮制，其制雖不合聖制，但尊君抑臣之精神與朝廷濟濟之盛況，堪能滿足一時之需。至劉邦統一天下，叔孫通擷取古禮與秦儀綜合而成禮儀，並定漢諸儀法，其制大抵循秦之舊故。秦制禮儀既用六國，叔孫通頗採古禮與損益秦制，是知其所制禮儀乃循先秦舊例。**⑰**由此可知，秦雖滅禮

治，非其相反，時變異也。……臣請史官非秦紀皆燒之，非博士官所職，天下敢有藏《詩》、《書》，百家語者，悉詣守尉雜燒之，有敢偶語《詩》、《書》棄市，以古非今者族，吏見知不舉者與同罪，令下三十日不燒，黥為城旦。所不去者，醫藥、卜筮、種樹之書。若欲有學法令，以吏為師。」制曰：『可。』」卷六，頁 254－255。

⑯ 〔清〕王鳴盛：《十七史商榷》（臺北：藝文印書館《百部叢書集成》據廣雅書局《史學叢書》本影印），卷十一〈漢無禮樂〉，頁 5。

⑰ 《漢書·叔孫通傳》亦有類似記載：「漢王已并天下，諸侯共尊為皇帝於定陶，通就其儀號。高帝悉去秦儀法，為簡易。群臣飲爭功，醉或妄呼，拔劍擊

學，然仍保有部分君臣朝廷之禮儀；而叔孫通為漢高祖所定之朝儀，係採六國古禮與秦儀雜就之，尤可證明秦乃至六國仍有禮制。《漢書·禮樂志》承《史記》之說，更進一步說明漢初之禮制曰：

> 漢興，撥亂反正，日不暇給，猶命叔孫通制禮儀，以正君臣之位。高祖說而歎曰：「吾乃今日知為天子之貴也！」以通為奉常，遂定儀法，未盡備而通終。（卷二十二，頁 1030）

叔孫通在漢高祖時所制之禮儀，作用與範圍僅限於君臣朝覲禮儀之內；惠帝即位後，有關先帝園陵寢廟、立原廟、❸取櫻桃獻宗廟之禮，❹皆從叔孫通之議。而後叔孫通為奉常，遂擴大定儀法之規

柱，上患之。通知上益懼之，說上曰：『夫儒者難與進取，可與守成。臣願徵魯諸生，與臣弟子共起朝儀。』高帝曰：『得無難乎？』通曰：『五帝異樂，三王不同禮。禮者，因時世人情為之節文者也。故夏、殷、周禮所因損益可知者，謂不相復也。臣願頗采古禮與秦儀雜就之。』上曰：『可試就之，令易知，度吾所能行為之。』」卷四十三，頁 2126。

❸ 《漢書·叔孫通傳》曰：「高帝崩，孝惠即位，乃謂通曰：『先帝園陵寢廟，群臣莫習。』徙通為奉常，宗廟儀法。及稍定漢諸儀法，皆通所論著也。惠帝為東朝長樂宮，及間往，數蹕煩民，作復道，方築武庫南，通奏事，因請間，曰：『陛下何自築復道高帝寢，衣冠月出游高廟？子孫奈何乘宗廟道（上）行哉！』惠帝懼，曰：『急壞之。』通曰：『人主無過舉。今己作，百姓皆知之矣。願陛下為原廟渭北，衣冠月出游之，益廣宗廟，大孝之本。』上乃詔有司立原廟。」卷四十三，頁 2129－2130。

❹ 《漢書·叔孫通傳》曰：「惠帝常出游離宮，通曰：『古者有春嘗果，方今櫻桃孰，可獻，願陛下出，因取櫻桃獻宗廟。』上許之。諸果獻由此興。」卷四十三，頁 2131。

模，可惜終其一世，猶未能竟全功，留下一部未盡完備之儀法。❷⓪
雖然漢高祖用叔孫通制禮儀、定儀法，但其禮制仍是三代古禮之殘
餘，且叔孫通之儀法仍未盡完備，自此直至東漢章帝之時，仍不斷
被提出加以翻修。因此，終西漢之世至東漢章帝之時，漢代之禮
制，始終未曾充分滿足當時政治與學術之要求。

　　西漢初期之政策是「與民休息」，帝王又好黃老道家之學，部
份魯生表示不宜在天下初定之際議起禮樂，制禮作樂應在天下太平
之時。❷①因此，不僅漢高祖忽視禮制，漢代歷屆之帝王無心亦無力
健全禮制。《史記·禮書》曰：

> 孝文即位，有司議欲定儀禮，孝文好道家之學，以為繁禮飾
> 貌，無益於治，躬化謂何耳，故罷去之。（卷二十三，頁
> 1160）

文帝時，有司議欲定儀禮，但文帝好黃老道家之學，並「以為繁禮

---

❷⓪ 目前有關叔孫通之著作，大多已亡佚，僅存《漢禮器制度》一卷，題漢奉常叔
　孫通撰，書中僅列九條制度，主要從《儀禮》、《春秋左氏》、《尚書》等經
　書之注疏輯佚而成（臺北：藝文印書館，1969 年《百部叢書集成》據清嘉慶
　孫星衍校刊平津館叢書本影印）。此書於《漢書·藝文志》、《隋書·經籍
　志》皆無記載。

❷① 《史記·叔孫通列傳》：「於是叔孫通使微魯諸生三十餘人，魯有兩生不肯
　行，曰：『公所事者且十主，皆面諛以得親貴。今天下初定，死者未葬，傷者
　未起，又欲起禮樂。禮樂所由起，百年積德而後可興也。吾不忍為公所為。公
　所為不合古，吾不行。公往矣，無汙我！』叔孫通笑曰：『若真鄙儒也，不知
　時變。』」卷九十九，頁 2712—2713。《漢書·叔孫通傳》亦有類似記載。

飾貌，無益於治」，故罷去欲定儀禮之議。《史記》未嘗言「有司」者為何？《漢書‧禮樂志》則明言文帝時賈誼有草具禮儀之議。

> 至文帝時，賈誼以為「漢承秦之敗俗，廢禮義，捐廉恥，今其甚者殺父兄，盜者取廟器，而大臣特以簿書不報期會為故，至於風俗流溢，恬而不怪，以為是適然耳。夫移風易俗，使天下回心而鄉道，類非俗吏之所能為也。夫立君臣，等上下，使綱紀有序，六親和睦，此非天之所為，人之所設也。人之所設，不為不立，不修則壞。漢興至今二十餘年，宜定制度，興禮樂，然後諸侯軌道，百姓素樸，獄訟衰息」。乃草具其儀，天子說焉。而大臣絳、灌之屬害之，故其議遂寢。（卷二十二，頁1030）

賈誼（B.C.200 B.C.168），雒陽人，因少年能誦《詩》《書》，善於屬文而著稱於郡中，文帝時為博士。㉒賈誼認為，漢所承之秦制，既廢禮義，又無廉恥可言，乃是敗俗之制，是以漢興二十餘年，世風敗壞，恬而不怪，視為理所當然。至於「立君臣，等上下，使綱紀有序，六親和睦」之事，乃是「人之所設」，「非天之所為」，禮制乃是人文化成之事，非自然天生而成。「人之所設，不為不

㉒ 《漢書‧賈誼傳》曰：「賈誼，雒陽人也，年十八，以能誦詩書屬文稱於郡中。河南守吳公聞其秀材，召置門下，甚幸愛。文帝初立，聞河南守吳公治平為天下第一，故與李斯同邑，而嘗學事焉，徵以為廷尉。廷尉乃言誼年少，頗通諸家之書。文帝召以為博士。」卷四十八，頁2221。

立，不修則壞」，漢興至今二十餘年，世風日下，此時宜應定制度、興禮樂，使天下之諸侯百姓各安其位。賈誼所草具之儀法內容是：

> 誼以為漢興二十餘年，天下和洽，宜當改正朔，易服色制度，定官名，興禮樂。乃草具其儀法，色上黃，數用五，為官名悉更，奏之。文帝謙讓未皇也。然諸法令所更定，及列侯就國，其說皆誼發之。於是天子議以誼任公卿之位。絳、灌、東陽侯、馮敬之屬盡害之，乃毀誼曰：「雒陽之人年少初學，專欲擅權，紛亂諸事。」於是天子後亦疏之，不用其議，以誼為長沙王太傅。（《漢書·賈誼傳》，卷四十八，頁2222）

賈誼所草具儀法之內容，著重在「改正朔，易服色制度，定官名，興禮樂」，文帝亦喜悅賈誼所草具之禮儀，然遭當時周勃、灌嬰等大臣反對，[23]文帝不用其議，將其議束之高閣，且疏遠賈誼為長沙王太傅。

至景帝之時，晁錯獻計欲統一制度。《史記·禮書》曰：

> 孝景時，御史大夫晁錯明於世務刑名，數干諫孝景曰：「諸

---

[23] 顏師古曰：「舊說以為絳謂絳侯周勃也，灌謂灌嬰也。而楚漢春秋高祖之臣別有絳、灌，疑昧之文，不可明也。此既言大臣，則當謂周勃、灌嬰也。」《漢書·禮樂志》卷二十二，頁1031。

　　侯藩輔，臣子一例，古今之制也。今大國專制異政，不稟京師，恐不可傳後。」孝景用其計，而六國畔逆，以錯首名，天子誅錯以解難。事在袁盎語中。是後官者養交安祿而已，莫敢復議。（卷二十三，頁1160）

晁錯有鑑於當時諸侯藩輔等大國之專制異政，不聽令於中央，於是諫議景帝統一制度，使諸侯大國納入制度之中，以為約束規範。然而，景帝用晁錯之計而六國叛逆，迫使景帝誅殺晁錯以解決政治危機，自此諸臣莫敢再議，漢之禮制毫無進展。時至武帝之時，漢代禮制似乎有振興之跡象。

　　《史記·禮書》曰：

　　今上即位，招致儒術之士，令共定儀，十餘年不就。或言古者太平，萬民和喜，瑞應辨至，乃采風俗，定制作。上聞之，制詔御史曰：「蓋受命而王，各有所由興，殊路而同歸，謂因民而作，追俗為制也。議者咸稱太古百姓何望？漢亦一家之事，典法不傳，謂子孫何？化隆者閎博，治淺者褊狹，可不勉與！」乃以太初之元改正朔，易服色，封泰山，定宗廟百官之儀，以為典常，垂之於後云。（卷二十三，頁1160-1161）

武帝欲招儒術之士共定儀禮，然而諸儒以為太平盛世，萬民和喜，瑞應辨至，始有制作，故「十餘年不就」。武帝以為「議者咸稱太古百姓何望？漢亦一家之事，典法不傳，謂子孫何？」故乃至太初

元年有「改正朔，易服色，封泰山，定宗廟百官之儀」之舉，以為垂世之典常。是知武帝雖有改定之儀，但其改制乃是「因民而作，追俗為制」，極可能是秦制之殘餘，既缺乏諸儒支持，更無古籍經典為憑。武帝之努力不僅於此，《漢書・武帝紀》元朔五年詔曰：「蓋聞導民以禮，風之以樂，今禮壞樂崩，朕甚閔焉。故詳延天下方聞之士，咸薦諸朝。其令禮官勸學，講議洽聞，舉遺興禮，以為天下先。」（卷六，頁 171－172）此詔雖然顯示武帝致力於制禮作樂，但同時亦暴露當時「禮壞樂崩」之窘境。況且，武帝改制之事，並未付諸實踐。《漢書・禮樂志》曰：

> 至武帝即位，進用英儁，議立明堂，制禮服，以興太平。會竇太后好黃老言，不說儒術，其事又廢。後董仲舒對策言：「……今廢先王之德教，獨用執法之吏治民，而欲德化被四海，故難成也。是故古之王者莫不以教化為大務，立大學以教於國，設庠序以化於邑。教化已明，習俗已成，天下嘗無一人之獄矣。……今漢繼秦之後，雖欲治之，無可奈何。……故漢得天下以來，常欲善治，而至今不能勝殘去殺者，失之當更化而不能更化也。古人有言：『臨淵羡魚，不如歸而結網。』今臨政而願治七十餘歲矣，不如退而更化。更化則可善治，而災害日去，福祿日來矣。」是時，上方征討四夷，銳志武功，不暇留意禮文之事。（卷二十二，頁 1031－1032）

武帝雖有建立漢代一家典法之想法，但是，掌權之「竇太后好黃老

言，不說儒術，其事又廢」。其後董仲舒有復古更化之對策，以「教化為大務，立大學以教於國，設庠序以化於邑」，試圖扭轉漢繼秦用執法之吏治民之制；然而此事又適逢四夷作亂，武帝專意武功，以致「不暇留意禮文之事」。是知德教禮制，雖是武帝關注之事，但卻未曾制作完備。

時至宣帝，有王吉上疏建議以禮治世。《漢書·禮樂志》曰：

> 至宣帝時，琅邪王吉為諫大夫，又上疏言：「欲治之主不世出，公卿幸得遭遇其時，未有建萬世之長策，舉明主於三代之隆者也。其務在於簿書斷獄聽訟而已，此非太平之基也。今俗吏所以牧民者，非有禮義科指可世世通行者也，以意穿鑿，各取一切。是以詐偽萌生，刑罰無極，質樸日消，恩愛寖薄。孔子曰『安上治民，莫善於禮』，非空言也。願與大臣延及儒生，述舊禮，明王制，驅一世之民，濟之仁壽之域，則俗何以不若成康？壽何以不若高宗？」上不納其言，吉以病去。（卷二十二，頁 1033）

王吉疏中指陳，當時未有萬世之長策，「其務在於簿書斷獄聽訟而已」，導致「詐偽萌生，刑罰無極，質樸日消，恩愛寖薄」，此非致太平之基礎，故王吉自薦「願與大臣延及儒生，述舊禮，明王制」，欲建立一套可長可久之禮制，使天下萬民同享仁壽之境。可惜宣帝不採納王吉建議，以致王吉稱病求去。

宣帝時，太子（元帝）好儒，嘗諫言宣帝「持刑太深，宜用儒生」，宣帝憤而言：「漢家自有制度，本以霸王道雜之，奈何純任

德教，用周政乎！且俗儒不達時宜，好是古非今，使人眩於名實，不知所守，何足委任！」❷並批評太子亂其家業。可知宣帝執政雜之以霸王之道，特好刑法，輕蔑周代政治與儒生之不合時宜。至太子即位為元帝，「好儒術文辭，頗改宣帝之政」，❷並「徵用儒生，委之以政」，❷可惜在位十六年，猶未建立一套完整之禮制。

時至成帝，劉向倡議制定禮儀。《漢書・楚元王傳》曰：

> 向睹俗彌奢淫，而趙、衛之屬起微賤，踰禮制。向以為王教由內及外，自近者始。故採取《詩》《書》所載賢妃貞婦，興國顯家可法則，及孽嬖亂亡者，序次為《列女傳》，凡八篇，以戒天子。及采傳記行事，著《新序》、《說苑》凡五十篇奏之。數上疏言得失，陳法戒。書數十上，以助觀覽，補遺闕。上雖不能盡用，然內嘉其言，常嗟歎之。（卷三十六，頁 1957－1958）

劉向以為教化應自內近者開始，故見趙皇后、衛婕妤之屬踰禮制，序次《列女傳》以戒天子；及采傳記行事，著《新序》、《說苑》凡五十篇，以助觀覽。自成帝即位後，劉向數上疏言得失，書數十上補遺闕，皆不受成帝盡用。《漢書・禮樂志》曰：

---

❷　《漢書・元帝紀》，卷九，頁 277。
❷　《漢書・匡衡傳》，卷八十一，頁 3338。
❷　《漢書・元帝紀》，卷九，頁 298－299。

　　至成帝時，犍為郡於水濱得古磬十六枚，議者以為（善）
　　祥。劉向因是說上：「宜興辟雍，設庠序，陳禮樂，隆雅頌
　　之聲，盛揖攘之容，以風化天下。如此而不治者，未之有
　　也。……故曰：『導之以禮樂，而民和睦。』初，叔孫通將
　　制定禮儀，見非於齊魯之士，然卒為漢儒宗，業垂後嗣，斯
　　成法也。」成帝以向言下公卿議，會向病卒，丞相大司空奏
　　請立辟雍。案行長安城南，營表未作，遭成帝崩，群臣引以
　　定諡。（卷二十二，頁 1033－1034）

劉向推崇漢初叔孫通為高祖制定禮儀，業垂後世；並以為必要「興
辟雍，設庠序，陳禮樂，隆雅頌之聲，盛揖攘之容」，以禮樂教化
天下，天下始能太平。成帝以劉向之言交付公卿商議，商議未果，
劉向已病死，此議又廢。

　　時至兩漢之際，王莽受策輔佐漢室，平帝元始元年（1）王拜
為太傅，賜號安漢公，元始四年（4）復拜為宰衡，位上公。是
時，王莽奏起明堂、辟雍、靈臺，並為學者築舍萬區，「制度甚
盛」。在經學方面，王莽極盡籠絡知識分子之能事，如立《樂
經》，增益博士員，經各五人。並「徵天下通一藝教授十一人以
上，及有逸《禮》、古《書》、《毛詩》、《周官》、《爾雅》、
天文、圖讖、鍾律、月令、兵法、《史篇》文字，通知其意者，皆
詣公車。網羅天下異能之士，至者數千人，皆令記說廷中，將令正
乖繆，壹異說云。」❷❼王莽此舉，深獲群臣愛戴，群臣奏言曰：

---

❷❼　《漢書·王莽傳》卷九十九上，頁 4069。

> 昔周公奉繼體之嗣，據上公之尊，然猶七年制度乃定。夫明
> 堂、辟雍，墮廢千載莫能興，今安漢公起于第家，輔翼陛
> 下，四年于茲，功德爛然。（《漢書·王莽傳》卷九十九上，頁
> 4069）

群臣以王莽比為周公，而且周公用七年乃定制度，王莽僅以四年時間，復興墮廢千載之明堂、辟雍等制度，其功德足與周公媲美。平帝進而詔王莽「議九錫之法」。元始五年(5)，平帝疾，太后下詔曰：「安漢公莽輔政三世，比遭際會，安光漢室，遂同殊風，至于制作，與周公異世同符。……其令安漢公居踐祚，如周公故事，以武功縣為安漢公采地，名曰漢光邑。具禮儀奏。」❷明年，改元居攝元年(6)，正月，「莽祀上帝於南郊，迎春於東郊，行大射禮於明堂，養三老五更，成禮而去。」❷王莽行王者即位之禮。越三年，始建國元年(9)，王莽即真天子位，去漢號，定有天下之號曰「新」，「改正朔，易服色，變犧牲，殊徽幟，異器制」。

自王莽秉政以後，又依《周官》、〈王制〉等書之內容，更改官名與郡縣名，其欲建立一套完整之政治制度之用心，可見一斑。相較於西漢歷代天子，王莽在制禮作樂方面似乎更為積極。然而王莽其人「好空言，慕古法」，新莽國祚不過十六年，不僅天下未見太平，所謂制禮作樂之事，亦未完成。❸

---

❷ 《漢書·王莽傳》卷九十九上，頁4079。

❷ 《漢書·王莽傳》卷九十九上，頁4082。

❸ 《漢書·禮樂志》曰：「及王莽為宰衡，欲燿眾庶，遂興辟廱，因以篡位，海內畔之。」卷二十二，頁1035。

終西漢之世，歷代天子雖致力於政治，但皆未能成就一套完善
之禮制；即使如王莽有復古改制之志，亦未能實現。時至劉秀即皇
帝位，仍未有一部禮制法典。《漢書·禮樂志》曰：

> 世祖受命中興，撥亂反正，改定京師于土中。即位三十年，
> 四夷賓服，百姓家給，政教清明，乃營立明堂、辟廱。（卷
> 二十二，頁 1035）

劉秀建武元年（25）六月，即位皇帝，改鄗為高邑。至中元元年
（56），「初起明堂、靈臺、辟雍，及北郊兆域。宣布圖讖於天
下」，此事亦無濟於健全禮制。其後明帝中元二年（57）「繼體守
文」，不僅繼承光武帝之帝位，亦遵奉建武制度，無敢違逆。《漢
書·禮樂志》曰：

> 顯宗即位，躬行其禮，宗祀光武皇帝于明堂，養三老五更於
> 辟廱，威儀既盛美矣。然德化未流洽者，禮樂未具，群下無
> 所誦說，而庠序尚未設之故也。（卷二十二，頁 1035）

明帝雖謹守光武帝之制度，躬行其禮，威儀盛美；但明帝尚未設庠
序之教，以至於德化未流洽，禮樂未具，群下無所依循。

《漢書·禮樂志》總結起自西漢高祖迄至東漢明帝之禮樂制度
曰：

> 孔子曰：「辟如為山，未成一簣，止，吾止也。」今叔孫通

所撰禮儀，與律令同錄，臧於理官，法家又復不傳。漢典寢
而不著，民臣莫有言者。又通沒之後，河間獻王采禮樂古
事，稍稍增輯，至五百餘篇。今學者不能昭見，但推士禮以
及天子，說義又頗謬異，故君臣長幼交接之道寖以不章。

（卷二十二，頁 1035）

漢初叔孫通所撰之禮儀，與律令同錄，法家不傳；漢代典制未能成
形，以至臣民無所適從。至河間獻王采禮樂古事，稍稍增輯至五百
餘篇，推士禮以及天子，然學者不能昭見，其說義又頗謬異，至今
君臣長幼交接之禮制，依然未能完備。漢代之禮制，可謂殘缺不
全。清人王鳴盛（1722－1797）《十七史商榷》言：

〈禮樂志〉本當禮詳樂略，今乃禮略樂詳。全篇共分兩大
截，後一截論樂之文較之前論禮，其詳幾三倍之；而究之於
樂，亦不過詳載郊廟歌詩，無預樂事。蓋漢實無所為禮樂，
故兩截之首，各用泛論義理，全掇《樂記》之文。入漢事則
云：……總結之云：大漢繼周，久曠大儀，未有立禮成樂，
此賈誼、仲舒、王吉、劉向之徒，所為發憤而增嘆也。足明
此志，總見漢實無所為禮樂，實無可志。**㉛**

正因為漢代實無所謂禮樂制度，無實可志，故《漢書‧禮樂志》每
云漢代禮制者，泛論義理，總結之云，漢末有立禮成樂。王鳴盛雖

㉛ 《十七史商榷》，卷九，頁 5－6。

云如此，但不意味漢代果真無禮樂可志。

　　從政治思想之角度思考，無論是自然原始之群聚部落，或者是幅員遼闊之專制帝國，任何一個具有政治實體之社群，其本身內部必然有一套對內求穩定、向外求發展之政治制度。漢代亦然。以漢代龐大帝國之規模，若無禮樂制度以治天下，乃是不可思議之事。觀《漢書》之〈百官公卿表〉、〈律曆志〉、〈刑法志〉、〈郊祀志〉，甚至是〈食貨志〉中所載之內容，皆可謂之禮制；即使〈禮樂志〉所述之歷代天子，或多或少對於不合時宜之禮制，亦有所損益，此豈可說漢無所為禮制？事實上，自漢高祖統一天下以來，歷代天子便不斷增補損益當時禮制，只是這些增補損益之禮制，乃是出於臨時隨機而作，並未能對禮樂制度做全面性之檢討與制定，而此一現象，正是〈禮樂志〉中所強調之重點。〈禮樂志〉理想之禮制：乃是王者之禮必要能順時施宜，即民之心，更重要者，在於禮必須逐次漸進制作，始能至太平而大備。因此，〈禮樂志〉對於禮制之要求有二：其一，禮制必須完備；其二，禮制必要訴諸文字，形成法典。禮制所以必須完備，乃在於避免制度面之闕遺，防止制度間之扞格。禮制所以必要形成法典，其用意有三：其一，成文法典猶如定型化之契約，天子以至臣民，皆有一套可供依循之客觀參考；其二，成文法典可以教育天下，普及禮制思想；其三，成文法典可以傳之久遠，避免口耳相傳所產生之謬誤。例如周代之禮制，其禮文完備，且能具體訴諸於文字，故稱「禮經三百，威儀三千」；亦由於周之禮制是成文法典，「於是教化浹洽，民用和睦，災害不生，禍亂不作，囹圄空虛」。反觀〈禮樂志〉所陳述漢代列位之禮制：高祖命叔孫通制禮儀，遂定儀法，然「未盡備而通

終」；賈誼乃草具其儀，而大臣害之，「故其議遂寢」；武帝議立明堂，制禮服，會竇太后不說儒術，「其事又廢」；董仲舒對策立大學、設庠序，是時上方銳志武功，「不暇留意禮文之事」；王吉疏願與大臣儒生，述舊禮，明王制，而「上不納其言，吉以病去」；劉向說上「宜興辟雍，設庠序，陳禮樂」，成帝以向之言下議公卿，會向病卒。〈禮樂志〉所述，自叔孫通以來至於劉向，皆未能成就一部完整之禮制，「此賈誼、仲舒、王吉、劉向之徒所為發憤而增嘆」，❸❷亦是〈禮樂志〉論漢代禮制發展之箇中闕失也。

　　簡言之，漢初叔孫通之後，欲建立一部健全禮制之呼聲，日益高漲，雖歷經數代天子之努力創建，與大臣名儒之極力諫言，❸❸乃至於東漢明帝，躬行禮樂，威儀盛美，「宗祀光武皇帝于明堂，養三老五更於辟雍」，但是，終究因為禮樂制度尚未具體完成，庠序之教未能施行，故德化未能流洽，臣民無所適從，以致「君臣長幼交接之道寖以不章」。自叔孫通至東漢明帝，「禮樂未具」之缺憾，終究交由章帝設法達成此一歷史使命。

---

❸❷　《十七史商榷》，卷九，頁6。

❸❸　杜佑《通典》曰：「按秦蕩滅遺文，自漢興以來，收而存之，朝有典制可酌而求者：」西漢有：高堂生、徐生、河間獻王、董仲舒、王吉、蕭奮、孟卿、后蒼、聞人通漢、夏侯敬、劉向、戴德、戴聖、慶普、劉歆；東漢有：曹充、曹褒、鄭興、鄭眾、賈逵、許慎、杜子春、馬融、鄭玄、衛宏、何休、盧植、蔡邕。

第二節　章帝改定禮制

　　章帝自建初元年（76）至章和二年（88）在位十三年間，有二次詔書與《白虎通》文本關係密切：其一，建初四年（79）詔開白虎觀會議；其次，元和三年（86）下詔改定禮制。前者乃是詔太常以下及諸生、諸儒會白虎觀，目的在「講議《五經》同異」，相傳會後雖有「作白虎議奏」，「顧命史臣，著為通義」，或「令固撰集其事」「作白虎通德論」等文獻資料，然而史書記其事者詳，而述其書者略，白虎觀會議後之資料是否彙編成冊，頗令人質疑；甚至比對史書描述之「白虎通」與現存之《白虎通》文本，兩者扞格之處，比比皆是。而後者，關於章帝改定禮制之事，則與《白虎通》文本之關係至為密切。

　　《後漢書·曹褒列傳》載章帝元和二年（85）下詔曰：

> 《河圖》稱「赤九會昌，十世以光，十一以興」。《尚書璇機鈐》曰：「述堯理世，平制禮樂，放唐之文。」予末小子，託于數終，曷以纘興，崇弘祖宗，仁濟元元？《帝命驗》曰：「順堯考德，題期立象。」且三五步驟，優劣殊軌，況予頑陋，無以克堪，雖欲從之，末由也已。每見圖書，中心恧焉。（卷三十五，頁1202）

章帝詔書中所引《河圖》、《尚書璇機鈐》與《帝命驗》皆圖讖之文。自東漢光武帝於建武中元元年（56）十一月「宣布圖讖於天

下」後，❸圖讖乃成官方核准之學術資源圖書，其重要性足以與
《五經》抗衡。《後漢書・方術列傳》曰：

> 後王莽矯用符命，及光武尤信讖言，士之赴趣時宜者，皆騁
> 馳穿鑿，爭談之也。故王梁、孫咸名應圖籙，越登槐鼎之
> 任，鄭興、賈逵以附同稱顯，桓譚、尹敏以乖忤淪敗，自是
> 習為內學，尚奇文，貴異數，不乏於時矣。（卷八十二上，頁
> 2705）

自王莽「矯用符命」❸篡得王位，及光武帝以圖讖復興漢室，❸皆
用圖讖；當時圖讖之術謂之「內學」，❸學者爭相學習，趨之若
鶩，儼然成為一時顯學。光武帝宣布之圖讖有八十一篇，明、章以
下東漢諸帝皆崇奉信守，甚至鄭玄所注之緯書，皆用此八十一篇。

---

❸　《後漢書・光武帝紀》卷一下：「是歲，初起明堂、靈臺、辟雍，及北郊兆
　　域。宣布圖讖於天下」，頁84。

❸　《漢書・王莽傳》載：「是月，前煇光謝囂奏武功長孟通浚井得白石，上圓下
　　方，有丹書著名，文曰『告安漢公莽為皇帝』。符命之起，自此始矣。」卷九
　　十九上，頁4078-4079。

❸　《後漢書・光武帝紀》曰：「光武先在長安時同舍生彊華自關中奉《赤伏
　　符》，曰：『劉秀發兵捕不道，四夷雲集龍鬥野，四七之際火為主』。群臣因
　　復奏曰：『受命之符，人應為大，萬里合信，不議同情，周之白魚，曷足比
　　焉？今上無天子，海內淆亂，符瑞之應，昭然著聞，宜荅天神，以塞群望。』
　　光武於是命有司設壇於鄗南千秋亭五成陌。」卷一上，頁2705。

❸　《後漢書・方術列傳》注曰：「內學謂圖讖之書也。其事祕密，故稱內。」卷
　　八十二上，頁2705。

❸❽章帝有感於圖書殘破,禮樂未具,故欲制定禮樂,闡述堯舜聖王之「平制禮樂」,而詔書中引圖讖之文,即是反映此一時代風尚。。

曹褒知章帝詔書欲有所興作,乃上疏曰:

> 昔者聖人受命而王,莫不制禮作樂,以著功德。功成作樂,化定制禮,所以救世俗,致禎祥,為萬姓獲福於皇天者也。今皇天降祉,嘉瑞並臻,制作之符,甚於言語。宜定文制,著成漢禮,丕顯祖宗盛德之美。(《後漢書·曹褒列傳》卷三十五,頁1202)

曹褒疏中強調,受命之王者必要「制禮作樂」以顯其功德,「功成作樂,化定制禮」,此乃是經世濟民之舉,亦是漢初以來諸帝所致力之目標,故建議章帝「宜定文制,著成漢禮」。曹褒上疏頗有毛遂自薦意味,章帝以其疏議於太常,巢堪「以為一世大典,非褒所定,不可許」,曹褒之用心,遭太常反對而暫時作罷。然而,章帝深刻體會「群僚拘攣,難與圖始」,制禮作樂之事,顯然無法從太常集團之共識中得到支持,而「朝廷禮憲,宜時刊立」,❸❾故復有元和三年(86)之詔。

---

❸❽ 黃復山言:「光武帝宣布圖讖八十一卷,其後明、章以下諸帝所極力倡導,迄至漢末鄭玄所注群緯,皆此八十一卷也。是以今日讖緯學者所引據含鄭玄注文之緯書輯本,亦即光武之官定圖讖也。」《漢代《尚書》讖緯學述》(臺北:輔仁大學中文研究所博士論文,1996年6月),頁73。
❸❾ 《後漢書·曹褒列傳》,卷三十五,頁1202。

《後漢書·曹褒列傳》曰：

> 朕以不德，膺祖宗弘烈。乃者鸞鳳仍集，麟龍並臻，甘露宵
> 降，嘉穀滋生，赤草之類，紀于史官。朕夙夜祗畏，上無以
> 彰于先功，下無以克稱靈物。漢遭秦餘，禮壞樂崩，且因循
> 故事，未可觀省，有知其說者，各盡所能。（卷三十五，頁
> 1202－1203）

章帝承認漢代之禮制，因循故事，無可觀省，故於詔書中公開徵求
能有改進者。曹褒再次面對元和三年之詔，乃歎息謂諸生曰：「昔
奚斯頌魯，考甫詠殷。夫人臣依義顯君，竭忠彰主，行之美也。當
仁不讓，吾何辭哉！」遂復上疏「具陳禮樂之本，制改之意」。❹
當此疏尚未定案之前，章帝召班固詢問改定禮制之事宜。《後漢
書·曹褒列傳》載班固回答章帝之問，曰：

> 京師諸儒，多能說禮，宜廣招集，共議得失。（卷三十五，頁
> 1203）

班固認為，改定禮制之事乃國家之大事，此等大事應廣招集京師能
說禮之儒，共議體制。章帝反對班固之說，並反駁曰：

> 諺言「作舍道邊，三年不成」。會禮之家，名為聚訟，互生

---

❹　《後漢書·曹褒列傳》，卷三十五，頁 1203。

疑異，筆不得下。昔堯作《大章》，一夔足矣。（卷三十五，頁 1203）

章帝與班固之看法恰成兩極。章帝之主張相當明確，若以召諸儒共議禮制得失之方式，終必引發更多糾紛，成事不足，治絲益棼，故改定禮制之事，應由少數人，甚至只需一人負責完成足矣。故章帝雖急於改定禮制，但其做法絕非採集眾人意見而成，而是一貫主張應由一人制定；而章帝心目中之理想人選，便是上疏「具陳禮樂之本，制改之意」之曹褒。

第三節　曹褒學術與《漢禮》

《後漢書·曹褒列傳》載：

曹褒字叔通，魯國薛人也。父充，持《慶氏禮》，建武中為博士，從巡狩岱宗，定封禪禮，還，受詔議立七郊、三雍、大射、養老禮儀。顯宗即位，充上言：「漢再受命，仍有封禪之事，而禮樂崩闕，不可為後嗣法。五帝不相沿樂，三王不相襲禮，大漢（當）自制禮，以示百世。」帝問：「制禮樂云何？」充對曰：「《河圖·括地象》曰：『有漢世禮樂文雅出。』《尚書·琁機鈐》曰：『有帝漢出，德洽作樂，名予。』」帝善之，下詔曰：「今且改太樂官曰太予樂，歌詩曲操，以俟君子。」拜充侍中。作章句辯難，於是遂有慶氏學。（卷三十五，頁 1201）

曹褒字叔通，魯國薛人。其父曹充於光武帝建武中為《禮經》博士，定封禪禮，受詔議立七郊、三雍、大射、養老等禮儀，頗得光武帝重用。至明帝即位，曹充上疏言，自漢立國以來，禮樂崩闕，不足為後世效法，因此建議明帝當自制漢禮，永為世則。明帝問制禮樂之理，曹充引《河圖‧括地象》與《尚書‧琁機鈐》圖讖二句，說明漢世當有禮樂制度，顯示曹充對圖讖頗為熟稔。明帝雖善其說，但未能全面改制漢禮，僅以改太樂官為太予樂，並升曹充為侍中。曹充學慶普之禮，又作《士禮》章句，慶普禮學復流行於當時。❹曹充因作《士禮》章句，促使慶普禮學復興，至於大、小戴《禮》，至東漢以後，依舊保有博士學官地位，仍然是《禮》學主流，「雖相傳不絕，然未有顯於儒林者」。❷

　　曹充為《禮經》博士，又習慶氏禮學；曹褒既傳其父業，章帝時亦徵拜為博士，故其學術必深受其父影響。《後漢書‧曹褒列傳》曰：

---

❹　后蒼之《士禮》十七篇傳戴德、戴聖與慶普三人，戴德、戴聖之《禮》皆列於學官，只有戴聖一人具博士職，慶普之學只有在王莽時期短暫納入學官，其餘皆在民間講習；故曹充之《禮經》博士頭銜所傳仍是大、小戴之《禮》，而非慶氏之禮學。

❷　《後漢書‧儒林列傳》曰：「前書魯高堂生，漢興傳《禮》十七篇。後瑕丘蕭奮以授同郡后蒼，蒼授梁人戴德及德兄子聖、沛人慶普。於是德為《大戴禮》，聖為《小戴禮》，普為《慶氏禮》，三家皆立博士。孔安國所獻《禮》古經五十六篇及《周官經》六篇，前世傳其書，未有名家。中興已後，亦有《大》、《小戴》博士，雖相傳不絕，然未有顯於儒林者。」卷七十九下，頁2576。

> 褒少篤志，有大度，結髮傳充業，博雅疏通，尤好禮事。常
> 感朝廷制度未備，慕叔孫通為漢禮儀，晝夜研精，沈吟專
> 思，寢則懷抱筆札，行則誦習文書，當其念至，忘所之適。
> （卷三十五，頁 1201－1202）

自叔孫通以來，漢代禮制從未曾健全，此乃漢代帝王極力彌補之
事，亦是歷史之沈痾。曹褒既傳父業，尤好禮事，感歎朝廷制度未
備，又孺慕叔孫通為漢制作禮儀，經常思索如何繼叔孫通之後，完
成此一兼具歷史任務與時代使命之艱鉅工程。

《後漢書·曹褒列傳》載：

> 章和元年正月，乃召褒詣嘉德門，令小黃門持班固所上叔孫
> 通《漢儀》十二篇，敕褒曰：「此制散略，多不合經，今宜
> 依禮條正，使可施行。於南宮、東觀盡心集作。」（卷三十
> 五，頁 1203）

章和元年（87）正月，章帝正式敕命曹褒依班固所上叔孫通之《漢
儀》十二篇，於南宮、東觀盡心集作改定禮制之宜。章帝旨示曹褒
盡心集作之要點有二：其一，叔孫通之《漢儀》散略，不僅不合經
義，更不敷當時政情需要，其實已形同具文，故章帝要求曹褒以
《漢儀》十二篇為底本，重新翻修；其次，曹褒翻修《漢儀》之作
業程序，需「依禮條正」，使其集作能施行於當時。章帝所謂「依
禮條正」之「禮」，概有三義：其一，指叔孫通之《漢儀》；其
二，泛指當時通用施行之禮儀；其三，是指當時博士學官所治之

《禮經》。此三義皆有可說；然而，叔孫通之《漢儀》與當時通用
之禮儀皆屬雜散零碎，已不合時宜，而《儀禮》所載又屬先秦舊
典，凡此三義之禮，皆不敷實際需要，故章帝乃有改定禮制之意。
換言之，曹褒集作之基礎，乃是以叔孫通之《漢儀》為底本，參酌
《禮經》博士所治之《儀禮》，與當時通用施行之禮儀，並以其父
所傳及自己所治之禮學而成。

　　《後漢書・曹褒列傳》載：

> 褒既受命，乃次序禮事，依準舊典，雜以《五經》讖記之
> 文，撰次天子至於庶人冠婚吉凶終始制度，以為百五十篇，
> 寫以二尺四寸簡。其年十二月奏上。帝以眾論難一，故但納
> 之，不復令有司平奏。（卷三十五，頁1203）

曹褒既受命集作，其制作之程序，乃是依禮之內容性質，並舊典之
所陳為秩序準則，其中摻雜《五經》與讖記之文句，撰次之對象及
於「天子至於庶人」，範圍涵蓋冠、婚、吉、凶之終始等制度。其
成果「寫以二尺四寸簡」，共「百五十篇」。曹褒於章和元年正月
受命，費時整年獨自完成《漢禮》一書，❹於同年十二月奏上，完
成章帝所交付之使命。章帝採納曹褒所奏，宣布《漢禮》之事，眼
見水到渠成，成功近在咫尺，然而當時群臣意見分歧，章帝為平息
紛爭，乃暫時擱置《漢禮》，章帝欲重建漢禮之事，再度遭遇群臣

---

❹　《後漢書・儒林列傳》曰：「建武中，曹充習慶氏學，傳其子褒，遂撰《漢
　　禮》，事在〈褒傳〉。」卷七十九下，頁2576。

阻撓而功敗垂成。

《後漢書·曹褒列傳》載：

> 會帝崩，和帝即位，褒乃為作章句，帝遂以《新禮》二篇
> 冠。擢褒監羽林左騎。永元四年，遷射聲校尉。後太尉張
> 酺、尚書張敏等奏褒擅制《漢禮》，破亂聖術，宜加刑誅。
> 帝雖寢其奏，而《漢禮》遂不行。（卷三十五，頁 1203）

章帝雖有意興作禮制，而曹褒亦盡心集作；然而終章帝之世（章和二年（88）二月），《漢禮》始終未能公諸於世，施行於當時。至和帝即位，擢曹褒為監羽林左騎，永元四年（92），遷射聲校尉。至永元五年（93）之後，太尉張酺、尚書張敏等奏和帝，❹指控曹褒擅制《漢禮》，乃是破亂聖術之事，宜加刑誅，曹褒雖未因此而受罰，然《漢禮》始終未能實行而束之高閣。

事實上，《漢禮》並未因張酺等人之控訴而消聲匿跡，事隔八年之後，此書被張奮提起。張奮官職經歷頗為豐富，❺要皆光祿勳

---

❹ 《後漢書·張敏列傳》載張敏建初「五年，為尚書」，至和帝永元九年（97）拜司隸校尉（卷四十四，頁 1502－1504）；而《後漢書·張敏列傳》言張酺至和帝「永元五年，遷酺為太僕。數月，代尹睦為太尉。」（卷四十五，頁 1532）〈曹褒列傳〉言「太尉張酺、尚書張敏」，故其事當在永元五年之後，永元九年之前。

❺ 《後漢書·張純列傳》卷三十五曰：「建初元年，拜左中郎將，轉五官中郎將，遷長水校尉。七年，為將作大匠，章和元年，免。永元元年，復拜城門校尉。四年，遷長樂衛尉。明年，代桓郁為太常。六年，代劉方為司空。」頁 1198。

之屬官一系。張奮於和帝永元九年（97）因病罷官，在家上疏建議應制作禮樂大典，❻其疏不見納。越四年，永元十三年（101），更召拜為太常，復上疏曰：

> 「漢當改作禮樂，圖書著明。王者化定制禮，功成作樂。謹條禮樂異議三事，願下有司，以時考定。昔孝武皇帝、光武皇帝封禪告成，而禮樂不定，事不相副。先帝已詔曹褒，今陛下但奉而成之，猶周公斟酌文武之道，非自為制，誠無所疑。久執謙謙，令大漢之業不以時成，非所以章顯祖宗功德，建太平之基，為後世法。」帝雖善之，猶未施行。（卷三十五，頁 1199－1200）

張奮疏中言依舊倡言漢當改作禮樂。東漢自光武帝以來，禮樂未定，現行禮儀與典籍所載不盡相符，而章帝時已詔曹褒集作《漢禮》；因此，張奮建議和帝將《漢禮》公諸於世，並以此為國憲禮制，此做法猶如周公制禮作樂乃斟酌文武之道而成，非擅自制作，如此可以排除反對勢力之疑慮，並且可以彰顯祖宗功德，建太平之基，成為後世法則。《漢禮》至此似有復興機會，然而，和帝雖同意張奮意見，但仍未施行，漢代禮制依舊付之闕如。由此可知，

---

❻ 《後漢書·張純列傳》卷三十五曰：「（張）奮在位清白，無它異績。九年，以病罷。在家上疏曰：『聖人所美，政道至要，本在禮樂。《五經》同歸，而禮樂之用尤急。……臣以為漢當制作禮樂，是以先帝聖德，數下詔書，愍傷崩缺，而眾儒不達，議多駁異。臣累世台輔，而大典未定，私竊惟憂，不忘寢食。臣犬馬齒盡，誠冀先死見禮樂之定。』」頁 1199。

《漢禮》雖然無法施行於當時，然而其文獻資料一直存在於東觀，成為舊典，以待後世。

《後漢書·曹褒列傳》載曹褒之著作，除《漢禮》遭擱置外，尚有「作《通義》十二篇，《演經雜論》百二十篇，又傳《禮記》四十九篇」（卷三十五，頁1205），並論之曰：

> 漢初天下創定，朝制無文，叔孫通頗採經禮，參酌秦法，雖適物觀時，有救崩敝，然先王之容典蓋多闕矣。是以賈誼、仲舒、王吉、劉向之徒，懷憤歎息所不能已也。資文、宣之遠圖明懿，而終莫或用，故知自燕而觀，有不盡矣。孝章永言前王，明發興作，專命禮臣，撰定國憲，洋洋乎盛德之事焉。而業絕天筭，議黜異端，斯道竟復墜矣。夫三王不相襲禮，五帝不相沿樂，所以咸、莖異調，中都殊絕。況物運遷回，情數萬化，制則不能隨其流變，品度未足定其滋章，斯固世主所當損益者也。且樂非變、襄，而新音代起，律謝皋、蘇，而制令亙易，修補舊文，獨何猜焉？禮云禮云，曷其然哉！（卷三十五，頁1205）

此乃《後漢書》對曹褒終生成就極為崇高之禮讚。漢初以來，唯叔孫通定朝儀，餘則朝制無文、容典多闕；是以如賈誼、董仲舒、王吉、劉向等有識之士，有志難伸；至章帝命禮臣曹褒撰定「國憲」《漢禮》，此事在整個漢代禮制發展過程中，意義格外重大，理應可以解決漢初以來禮制未備之歷史缺憾，只是此事遭遇群臣反對而功虧一簣，令人扼腕。曹褒與叔孫通同為魯國薛人，曹褒字「叔

通」，顯示其對叔孫通充滿孺慕之情，有意思齊。叔孫通受高祖命制禮儀，又定儀法，然未盡備而通終；曹褒受章帝敕制《漢禮》，《漢禮》雖成，猶未及施行而章帝崩；此豈非歷史之宿命哉！終曹褒一生對漢代禮學之貢獻，不僅繼承曹充之志業，並且教授諸生千餘人，使慶氏學流行於當時，最重要者，乃在漢代重建禮制之過程中，集作《漢禮》，留下未及施行卻又不可磨滅之「國憲」。

第四節　《白虎通》與《漢禮》

就改定禮制一事而言，章帝之態度非常明確。有學者宣稱，「白虎通」乃是章帝有意透過統一經義之結果，提供漢帝國指導思想之根源，以期達到有效論證整個體制之合理性，此種說法並不恰當。首先，章帝以為「群僚拘攣，難與圖始」，改定禮制之事主張應委由少數人，甚至一人完成即可；然而，白虎觀會議召集「太常、將、大夫、博士、議郎、及諸生、諸儒」，如此龐大陣容之會議，豈是章帝欲藉此會議以達到制憲目的之手段？其次，自叔孫通以來，漢世歷二百餘年尚未有完備之禮制，若「白虎通」已然成形，且具禮憲性質，則章帝於八年之內（79－86）何必改制？此不啻「疊床架屋」。再者，設若「白虎通」已然成形，且章帝有意以「白虎通」為漢帝國之指導思想之理論基礎，則章和元年（87）之改制事宜，當以「白虎通」之內容為藍本；然而，章和元年之改制漢禮，乃是以西漢叔孫通之《漢儀》十二篇為底本，依禮條正，改制過程從未提及「白虎通」之事，「白虎通」如何指導曹褒制作《漢禮》？因此可以確定，史書所稱述之白虎觀會議及其「白虎

通」，實與章帝改定禮制之事與曹褒之《漢禮》無關。

若現存之《白虎通》文本並非史書傳說中所謂之「白虎通」，則此一論點必然延伸另一個問題，即：現存之《白虎通》文本為何？《白虎通》文本既與白虎觀會議無關，則此書必另有其名，另有其主。

曹褒受詔所制之《漢禮》，目前雖已「亡佚」，無從獲悉其文本內容，但依《後漢書》記述之《漢禮》，與《白虎通》文本有諸多吻合之處：

㈠比較兩者之內容本質。學者一致肯定《白虎通》是部具有法典性質之「國憲」，「它的內容規定了國家制度和社會制度的基本原則，確立了各種行為準則」（侯外廬語），為漢制作之意圖十分明顯。而曹褒受命制作之《漢禮》，乃「依禮條正，使可施行」，撰次「乃次序禮事，依準舊典」，故其書具備「國憲」之性質亦無庸置疑。《後漢書·曹褒傳》論曰：

> 論曰：漢初天下創定，朝制無文，叔孫通頗採經禮，參酌秦法，雖適物觀時，有救崩敝，然先王之容典蓋多闕矣。……孝章永言前王，明發興作，專命禮臣，撰定國憲，洋洋乎盛德之事焉。而業絕天筭，議黜異端，斯道竟復墜矣。（卷三十五，頁1205）

由於叔孫通之《漢儀》年久失修，不敷東漢使用，故〈曹褒傳〉載章帝所專命之禮臣，當屬曹褒，而依《漢儀》條正撰定之「國憲」，無疑是指曹褒所制作之《漢禮》。

　　然而《後漢書》這段對曹褒之讚論，卻引來不必要之聯想與引申。侯外廬等人以為〈曹褒傳〉所言之「國憲」即是指《白虎通》；**❹**章權才則以為：

> 班固在《曹褒傳論》中所說的「國憲」，主要就是由「白虎通」和「漢禮」所構成的。稱作「國憲」，可見《白虎通》在當時被重視的程度。**❹**

此一「國憲」兼指兩書。《後漢書》於曹褒論中所稱「國憲」，是否兼含「白虎通」和《漢禮》二書，其意未明；然而，白虎觀會議與曹褒完成《漢禮》，兩者時間相距不過八年，況且章帝命曹褒制禮之過程中，從未提及「白虎通」，若俱稱〈曹褒傳〉所論之「國憲」兼指「白虎通」和《漢禮》兩書，並不合理。不過，章權才所論，恰巧說明：《漢禮》與《白虎通》同具國憲性質。尤有甚者，有學者認為「《白虎通》的重要性甚至遠超過本想作為『國憲』的

---

❹　《中國思想通史》言：「上面講的章帝和曹褒的話，和《白虎通義》的年代相次，兩相印證，就可以了解漢章帝的法典內容。〈曹褒傳〉論更指出漢代法典制作的演變，最後說到章帝的『國憲』：『孝章永言前王，明發興作。專命禮臣，撰定「國憲」，洋洋乎盛德之事焉！』我們認為白虎觀所欽定的奏議，也就是賦予了這樣的『國憲』神學的理論根據的讖緯國教化的法典。」侯外廬、趙紀彬、杜國庠、邱漢生著（北京：人民出版社，1992 年 10 月），第二卷〈兩漢思想〉，頁 224－225。曹褒之《漢禮》雖與《白虎通》年代相近，但是〈曹褒傳〉所言章帝制作法典時，並不涉及《白虎通》；〈曹褒傳〉所言章帝之「國憲」，並非指《白虎通》，亦與《白虎通》無關。

❹　《兩漢經學史》，頁 246－247。

漢禮百五十篇」，此說亦恰巧印證《白虎通》與《漢禮》之同質性。但是，曹褒之《漢禮》乃依準叔孫通之《漢儀》而成，「以為百五十篇，寫以二尺四寸簡」，其事雖遭群臣反對而告中輟，無法實踐於當時，但仍有簡冊保存，甚至八年之後，此書仍被張奮提起，顯示該書依然存在東觀之內；反觀「白虎通」，於其書名未有定稱，篇目未有定數，作者未有定論，皆不如《漢禮》記載之翔實。史書記其事者詳，而記其書者略，若將《白虎通》視為白虎觀會議之資料，而逕自將「講議《五經》同異」之會議視為「制定『國憲』的努力的一部分」，恐有附會之虞？

　　㈡比較兩者之篇目名稱與篇目內容。《白虎通》之〈爵〉、〈號〉以至〈喪服〉、〈崩薨〉等四十三篇，雖是後人編類，非其本真，然其篇目名稱與分篇內容頗為相應，仍具參考價值。夏長樸稱《白虎通》「是一部粗具規模的組織法」。李申更清楚說明：

　　　其順序是從「天子為爵稱」講到帝王、謚號及天子應祭祀的
　　　五祀、社稷，以及天子祭祀所用的禮樂；接著是公卿、諸侯
　　　以及與公侯有關的誅伐、諫諍制度。……再後則是從嫁娶到
　　　死喪人人都存在的普遍問題。最後一篇〈闕文〉講郊祀、宗
　　　廟。原本是否如此排列？不得而知。但大體可以看出，《白
　　　虎通義》的順序，可說是從人事講到天道，人事中又是先天
　　　子、次公侯、最後是庶民，人事中那共同的問題則是從生講
　　　到死。這樣，《白虎通義》就涉及了當時所關心的天道、人

事的全過程與方方面面。㊾

正因為《白虎通》具有「國憲」之性質，因此全書通篇無所不包，
展現其宏大之規模。由《白虎通》所規範之對象而言，不僅包括天
子與諸侯之王者，及公、卿、大夫及士等之貴族，庶人、婦女亦在
制度之內。㊿《白虎通》乃是以禮為核心，透過以禮「正名」之方
法，闡明天子以至庶人之權利與義務，由此過程中：鞏固天子政權
之合法性，建立中央行政組織與地方政治制度，確定血緣宗族之社
會與家庭結構，以及制定各種典禮儀式之進行程序，乃至於規定每
一個人由生到死，在冠、婚、喪、葬與各種不同典禮中應有之言行
舉止，以期達到有效規範天下人之政治目的。此外，《白虎通》文
本所引十類典籍五百九十五則條文之中，引《禮》類二百三十一則
佔總數近四成（38.82%），亦可知此書乃是次序禮事為主要內容。
因此，《白虎通》可以說是一部政治制度之書，亦可稱為禮儀百科
全書，質言之，《白虎通》正是一部具體而微之禮制之書。反觀曹
褒之《漢禮》，「乃次序禮事」，「撰次天子至於庶人冠婚吉凶終
始制度」，其書是「依禮條正」，目的在為漢代建立使可施行之禮

㊾　李申：《中國儒教史》（上海：上海人民出版社，1999 年 12 月）上卷，頁
　　506。
㊿　《白虎通》規範對象涉及庶人部分有：卷一〈爵·庶人稱匹夫〉、卷三〈禮
　　樂·侑食之樂〉、卷四〈京師·制祿〉、卷六〈災變·日月食水旱〉、卷七
　　〈考黜·九錫〉、〈蓍龜·總論筮龜〉、卷八〈瑞贄·見君之贄〉、卷九〈五
　　刑·刑不上大夫〉、〈五經·孝經論語〉、卷十〈嫁娶·妻妾〉、卷十一〈喪
　　服·庶人為君〉、〈崩薨·崩薨異稱〉〈崩薨·天子至庶人皆言喪〉、〈崩
　　薨·墳墓〉等。（闕文不列）

樂制度。對照《後漢書·曹褒傳》記載之《漢禮》，其實與《白虎通》之篇目名稱與內容性質若合符節，兩者相似之處，豈是單純巧合而已。

(三)就「讖記之文」而論。白虎觀會議乃為「講議《五經》同異」，其中摻雜讖記之文三十一條，不僅違反章帝詔開會議之宗旨，更為後世所詬病。至於《白虎通》所以引述讖記之文，後世學者有不同見解。莊述祖曰：

> 《白虎通義》雜論經傳。……《論語》、《孝經》、六藝並錄。傳以讖記，援緯證經，自光武以《赤伏符》即位，其後靈臺郊祀，皆以讖決之，風尚所趨然也。故是書論郊祀、社稷、靈臺、明堂、封禪，悉驪括緯候，兼綜圖書，附世主之好，以繩道真，違失六藝之本，視石渠為駁矣。❺

莊述祖認為，《白虎通》引述讖記之文雖是風尚所趨，附世主之所好，但卻違失六藝之本，較石渠禮論為駁雜。林麗雪則言：

> 尤其遺憾的是，儘管白虎通全書處處透露出漢儒企圖賦予大一統專制政體新的政治理想和內容的苦心，譬如它主張「崇禮樂教化」（禮樂篇）、「刑以佐德助治」（五刑篇）以及富團結而非壓制意義的「三綱六紀」之倫理觀等，但往往因全

---

❺ 〈白虎通義攷〉，頁6-7。

篇累牘援引讖緯而遭到後世學者的詬病。❷

雖然《白虎通》書中摻雜讖記之文，引發後世之批評，但林麗雪仍然肯定「漢儒企圖賦予大一統專制政體新的政治理想和內容的苦心」，甚至認為《白虎通》所以引用讖記之文，其目的乃是「為漢立制」。

> 相隨著學術地位的提升，讖緯在政治的措施上也起了相當大的作用。……後來，章帝制漢儀，亦依讖緯立制：「元和二年下詔曰：……章和元年正月迺召褒詣嘉德門，……」白虎集議的目的既在為漢立制，豈有不引用讖緯的道理？❸

因為讖緯在學術地位漸次提升，同時在政治上亦起相當作用，故不僅《白虎通》引述讖緯之目的在「為漢立制」，甚且稍後章帝召曹褒作《漢禮》，亦「依讖緯立制」，可知，《白虎通》與《漢禮》，兩者皆是章帝意圖制憲之大典，皆「依讖緯立制」。而黃復山理解《白虎通》引述讖緯用意，亦有類似見解：

> 讖緯所以受帝王重視，並將之融入經義中，肇因殆與經學之世俗化有密切關係。……亦因其世俗化，始有樊儵、沛獻王

---

❷ 林麗雪：〈白虎通與讖緯〉，《孔孟月刊》第二十二卷第三期（1983 年 11月），頁 25。
❸ 〈白虎通與讖緯〉，頁 22。

> 劉輔、東平王蒼、曹褒等雜取五經、讖記以訂禮制、作《通論》等事，此亦欲用便宜行事，以達世俗致用之目的也。錢穆〈兩漢經學今古文平議〉謂：「白虎會議後，章句俗學積習如故，亦未見有以摧陷而廓清之」，經學所以如故，帝王之經學世俗化用心，當有以致之也。**⑤**

黃復山以為《白虎通》所以引述讖緯之用意，其目的乃在使經學世俗化，並且擴大當時如樊鯈、劉輔、王蒼、曹褒等人雜取《五經》、讖記之文，乃為制訂禮樂制度之世俗致用之目的。雖然黃復山亦認同《白虎通》是「白虎觀議論所集結之成果」，但是由此道破《白虎通》引述讖緯之作意，目的在於世俗致用。反觀曹褒之《漢禮》，內容「乃次序禮事，依準舊典，雜以《五經》讖記之文」，恰巧吻合《白虎通》之內容；而《漢禮》欲成一世法典，使可施行，引述讖記之文之目的，亦是「以達世俗致用之目的」。黃復山所論雖指《白虎通》，卻與曹褒《漢禮》之宗旨不謀而合。

此外，章帝元和二年詔書之中引述《河圖》、《尚書琁機鈐》、《帝命驗》等，皆讖記之文，曹褒於《漢禮》之中引述讖記之文，無非是呼應章帝詔書之旨趣。況且，章帝即位之初，問「制禮樂云何」一事，曹充以《河圖括地象》、《尚書琁機鈐》等讖記之文應對之，顯示曹充對讖緯之熟稔；曹褒既傳父業，對讖緯內學應不陌生，故於《漢禮》之中雜以「讖記之文」，乃是極其合理之

---

⑤ 黃復山：《東漢讖緯學新探》（臺北：臺灣學生書局，2000 年 2 月），頁17。

事。

　　相較於《白虎通》文本與史書所載之《漢禮》，兩者確實存在諸多內在關聯性，愈往深究，關係益切。故本書推論：《白虎通》文本即是曹褒集作之《漢禮》，而史書所載白虎觀會議之「白虎通」，其實並未能及時公諸於世，或者未能完成其書冊形式以供流傳，目前流行之《白虎通》實與白虎觀會議無關。唯有如此，始能合理解釋：為何白虎觀會議乃為「講議《五經》同異」而詔開，《白虎通》卻只講名物度數；經學會議不論經義，卻淪為制憲工程；史書楬櫫「如孝宣甘露石渠故事」，《白虎通》卻與石渠佚文迥然不同；白虎觀會議「欲使諸儒共正經義，頗令學者得以自助」，冀望「永為後世則」，然而《白虎通》於後世史書之記載，書名、篇數與作者，互為齟齬，甚且「不僅許慎馬融不能得其書而讀之，且蔡邕鄭玄並不曾舉引」？而以上所舉環繞於《白虎通》文本之諸問題，且因此而困擾中國學術壹千八百年，可能來自於人為「誤會」，❺將《漢禮》文本誤植冠以「白虎通」之名，「張冠李戴」所導致而成。

---

❺ 顧頡剛於〈古今偽書考‧跋〉一文中，取章實齋之言，分偽書為七類：一曰『師說』、二曰『後記』、三曰『挾持』、四曰『假重』、五曰『好事』、六曰『攘奪』、七曰『誤會』。所謂『誤會』，係指「本非偽書，後人迷不能辨，遂沿傳為偽作。舉凡姚君所謂有後人妄託其人之名者，有兩人共此一書名，今傳者不知為何人作者，有未足定其著書之人者，皆是也。」收錄在《古史辨》（臺北：藍燈文化事業，1993 年 8 月）第一冊，頁 7-12。

第五節 《白虎通》與蔡邕

　　自白虎觀會議結束後百年內，世人只知有其事，不知有其書，至蔡邕（133-192）時，突然出現所謂白虎觀會議之文獻資料。《後漢書·蔡邕列傳》曰：

> 蔡邕字伯喈，陳留圉人也。……少博學，師事太傅胡廣。好辭章、數術、天文、妙操音律。……建寧三年，辟司徒橋玄府，玄甚敬待之。出補河平長。召拜郎中，校書東觀。遷議郎。邕以經籍去聖久遠，文字多謬，俗儒穿鑿，疑誤後學，熹平四年，乃與五官中郎將堂谿典、光祿大夫楊賜，諫議大夫馬日磾、議郎張馴、韓說、太史令單颺等，奏求正定《六經》文字。靈帝許之，邕乃自書冊於碑，使工鐫刻立於太學門外。於是後儒晚學，咸取正焉。及碑始立，其觀視及摹寫者，車乘日千餘兩，填塞街陌。（卷六十下，頁 1979-1990）

　　蔡邕字伯喈，陳留圉人。少時師事胡廣（90-172）。❺❻胡廣歷事安、順、沖、質、桓、靈六帝，凡其所辟命，皆天下名士。蔡邕得業師提拔，於靈帝建寧三年（170），「召拜郎中，校書東觀」。靈帝熹平四年（175），與五官中郎將堂谿典等人，奏求正定《六經》文字，經靈帝同意，蔡邕乃自書於碑，使工鐫刻立於太學門外，以

---

❺❻ 《後漢書·胡廣列傳》載胡廣「年八十二，熹平元年薨。」卷四十四，頁 1510。

為後儒晚學定正經文之用，此即經學史上著名之「熹平石經」，蔡
邕受靈帝之重用，可見一斑。至靈帝熹平六年（177），與諫議大夫
馬日磾、議郎盧植、楊彪、韓說等人並在東觀，校中書《五經》記
傳，補續《漢記》。❺❼同年七月，蔡邕「上封事七條」，靈帝乃親
迎氣北郊，及行辟雍之禮。其第五事曰：

> 臣每受詔於盛化門，差次錄第，其未及者，亦復隨輩皆見拜
> 擢。……昔孝宣會諸儒於石渠，章帝集學士於白虎，通經釋
> 義，其事優大，文武之道，所宜從之。（《後漢書·蔡邕列傳》
> 卷六十下，頁 1996－1997）

蔡邕文中並舉宣帝石渠閣議與章帝白虎觀會議，顯見此時，石渠、
白虎二事已成學術佳話，然而文中尚未提及「白虎通」。至中平六
年（189）靈帝崩，董卓為司空，欲辟蔡邕。《後漢書·蔡邕列傳》
曰：

> ……邕不得已，到，署祭酒，甚見敬重。舉高第，補侍御
> 史，又轉持書御史，遷尚書。三日之間，周歷三臺。遷巴郡
> 太守，復留為侍中。（卷六十下，頁 2005）

蔡邕「三日之間，周歷三臺」，後遷巴郡太守。在此之際，蔡邕作

---

❺❼ 《後漢書·盧植列傳》卷六十四，頁 2117。

〈巴郡太守謝版〉曰：❺❽

> 詔書前後，賜石鏡奩《禮經素字》、《尚書章句》、《白虎
> 議奏》合成二百一十二卷。❺❾

蔡邕稱受賜之《白虎議奏》與《禮經素字》、《尚書章句》三書，合成二百一十二卷。此乃自白虎觀會議百餘年之後，首次有文獻提到與該會議有關之資料。

　　莊述祖依蔡邕〈巴郡太守謝版〉所載推論：「案《禮古經》五十六卷，今《禮》十七卷，《尚書章句》歐陽、大小夏侯三家，多者不過三十一卷，二書卷不盈百，則奏議無慮百餘篇，非今之通義明矣。」《白虎議奏》在蔡邕〈謝版〉時必有百篇以上，而現存之《白虎通》文本只四十三篇，故《白虎通》與《白虎議奏》兩者不同。並且，「案〈儒林傳〉云命史臣，著為通義，即今白虎通義也；議奏隋唐時已亡佚，注以為今白虎通，非是。」❻❿故《白虎通》四十三篇乃是章帝命史臣所著之「通義」，且是《白虎議奏》百篇以上經過刪修整理之略本。因此，莊述祖主張：現存之《白虎通》四十三篇，應正名為「白虎通義」，而百篇以上之《白虎議奏》稱為「白虎通」；只是《白虎議奏》已無可考，故歷史傳說中之「白虎通」，「當然」亦隨之不見。莊述祖考證蔡邕所謂之《白

---

❺❽　王昶考證蔡邕作〈巴郡太守謝版〉當於中平六年。

❺❾　《蔡中郎文集》，卷八，頁3。

❻❿　〈白虎通義攷〉，頁4。

虎議奏》必在百篇以上，此說仍具有參考價值；**❻**但是推論必在百篇以上之《白虎議奏》與現存之《白虎通》四十三篇兩者必不相同，此說則需再考證。

在西漢至東漢前期，記錄著作之載體主要有二種材料：一是竹簡，一是縑帛；前者之計量單位稱「篇」，而後者稱「卷」。《說文》曰：「卷，膝曲也。」（頁 435）；「簡，牒也。」；「篇，書也。」（頁 192）；段玉裁注曰：「書，著也。箸於簡牘者也，亦謂之篇。古曰篇，漢人亦曰卷。卷者，縑帛可捲也。」（同上）故「篇」或「卷」，皆是漢人計量著作材料之單位名稱，名稱之差別只在於載體材料之不同。以《漢書·藝文志》所載書籍為例。《易》類十三家全以篇計，合為「二百九十四篇」；《書》類九家有篇有卷，亦合為「四百一十二篇」；《詩》類六家全以卷計，合為「四百一十六卷」；凡「六藝」類一百三家多以篇計，故合為「三千一百二十三篇」。此外，「諸子」類百八十九家，四千三百二十四篇；**❻**「詩賦」類百六家，千三百一十八篇，悉以篇計。而

---

❻　莊述祖稱：「《禮古經》五十六卷，今《禮》十七卷，《尚書章句》歐陽、大小夏侯三家，多者不過三十一卷」，二書卷不盈百。然而，曾與蔡邕並在東觀校書之盧植，亦有作《尚書章句》、《三禮解詁》，《後漢書·盧植列傳》載盧植曾上書靈帝：「願得將能書生二人，共詣東觀，就官財糧，專心研精，合《尚書》章句，考《禮記》失得，庶裁定聖典，刊正碑文。」（卷六十四，頁2116）〈巴郡太守謝版〉中所言之《禮經素字》、《尚書章句》二書，是否與盧植著作有關，無法證實；且盧植之二書，未載篇數，其書又亡，亦無可考。今且暫依莊述祖考證所得。

❻　《漢書·藝文志》卷三十，「小說」類只「《百家》百三十九卷」以卷計。

「數術」類百九十家，二千五百二十八卷，悉以卷計。❻以上所載圖書有篇有卷，而〈藝文志〉則總計「大凡書，六略三十八種，五百九十六家，萬三千二百六十九卷」，可知在當時，「篇」「卷」兩種名稱可以相通，皆是圖書之計量單位。然而竹簡修長，易於寫字；縑帛寬廣，利於繪圖，兩者利弊相摻，故在使用上，撰述者因著作之性質而有不同選擇。例如「陰陽」類：「《黃帝》十六篇。圖三卷」、「《風后》十三篇。圖二卷」、「《鵷冶子》一篇。圖一卷」、「《鬼容區》三篇。圖一卷」、「《別成子望軍氣》六篇。圖三卷」，〈藝文志〉分計為：「陰陽十六家，二百四十九篇，圖十卷。」（頁1760）因此，「篇」適用於竹簡，而「卷」則指縑帛，兩者只是記錄著作之材料有異，於數量統計則無所差別。此外，須稍加區分說明，竹簡之「篇」，每「篇」可成一捲（卷），其形式與「卷」同類，故亦可以稱「卷」，但是縑帛之「卷」，則不適於稱「篇」；此亦是〈藝文志〉總計六藝圖書時，捨「篇」而用「卷」之可能初衷。

東漢前期，「篇」「卷」兩名可以互稱，至蔡倫造紙以後，情況則稍有改變。《後漢書·蔡倫列傳》曰：

自古書契多編以竹簡，其用縑帛者謂之為紙。縑貴而簡重，並不便於人。倫乃造意，用樹膚、麻頭及敝布、魚網以為

❻《漢書·藝文志》卷三十，「天文」類「《黃帝雜子氣》三十三篇」、「《金度玉衡漢五星客流出入》八篇」、「《圖書秘記》十七篇」，「形法」類「《山海經》十三篇」，「著龜」類《易卦八具》，則不載篇卷；除以上五書外，「數術」類百九十家，悉以卷計。

紙。元興元年奏上之，帝善其能，自是莫不從用焉，故天下
咸稱「蔡侯紙」。（卷七十八，頁 2513）

蔡倫造紙之前，時人記錄著作時，仍是流行使用竹簡與縑帛兩種材
料，然而「縑貴而簡重」，既不便於使用，且使用者又限於少數
人；至元興元年（105），蔡倫「用樹膚、麻頭及敝布、魚網以為
紙」，天下「自是莫不從用焉」。「蔡侯紙」乃是中國記錄著作材
料之一大革命，不僅使圖書更為普及，亦影響中國文獻分類深遠。
例如《隋書・經籍志》所載圖書，「大凡經傳存亡及道佛，六千五
百二十部，五萬六千八百八十一卷」（卷三十二～卷三十五，頁 468－
539），全部悉以「卷」數，不復稱「篇」。

　　隨著書寫材料不斷研發創新，記錄著作之載體亦隨之簡化與便
利。故蔡邕時《白虎議奏》百卷以上，至《隋書・經籍志》載
「《白虎通》六卷」，乃是必然之趨勢，蔡邕所稱之「白虎議奏」
百卷，與《隋書・經籍志》之「六卷」，乃是計量載體之單位。至
《崇文總目》始稱「《白虎通德論》十卷，四十篇」，其十「卷」
指載體之計量單位，四十「篇」則指著作意義分類之計量單位，殆
無疑義。至元大德本之《白虎通》則有四十三篇，莊述祖即稱：
「《崇文》目四十篇，而今本則有四十三篇，文雖減於舊，而篇目
反增於前，是〈爵〉、〈號〉以至〈嫁娶〉，皆後人編類，非其本
真矣。」莊述祖既知《白虎通》四十三篇乃是著作意義分類之單
位，卻又將蔡邕〈巴郡太守謝版〉所言之《白虎議奏》百「卷」以
上改稱「篇」，進而混淆東漢計量單位之「篇」與後世區分著作意
義單位之「篇」，而由此得出：百篇以上之《白虎議奏》與《白虎

通》四十三篇兩者必不相同，莊述祖此一推論，乃是一種謬誤。尤有甚者，莊述祖由此謬誤之推論，臆測白虎觀會議有百篇以上之「白虎議奏」與「白虎通義」四十三篇兩書，而「通義固議奏之略也」，此說尤不可信。莊述祖之說固屬謬誤，然其考證所得卻深刻影響現代學者之研究方向，徒使在研究《白虎通》之進程中節外生枝，如孫詒讓〈白虎通義考〉言「議奏與通義本屬兩書，特同出於白虎觀耳。今考議奏、通義卷數，多寡懸殊，莊氏謂非一書，其說是矣」，即是一例；遂後從此一說者，不計其數。

莊述祖憑空將「白虎通」分裂為二，以為「白虎議奏」乃是白虎觀會議之全文，即「白虎通」，而今之《白虎通》應為「白虎通義」，「夫通義固議奏之略也」。至於《後漢書》記載「白虎通」語焉不詳，與當時「所以不僅許慎馬融不能得其書而讀之，且蔡邕鄭玄並不曾舉引」之部分，莊述祖解釋曰：

> 石渠既亡逸，而白虎議奏當時已頗珍秘，晉以來學者罕能言之，使後之人，概無以見兩代正經義、屬學官之故事。❻❹

莊述祖以為白虎觀會議之後百年內，世人所以不知有「白虎議奏」者，乃是「白虎議奏」並未對外公開，僅止於觀內收藏，故不僅當時不知有其書，甚至「晉以來學者罕能言之，使後之人，概無以見兩代正經義、屬學官之故事」。莊述祖此說頗為矛盾，「白虎議奏」乃是「正經義、屬學官之故事」，則應即時公諸於世，豈是

---

❻❹ 〈白虎通義攷〉，頁7。

「珍秘」其書？以致當時「所以不僅許慎馬融不能得其書而讀之，且蔡邕鄭玄並不曾舉引」？以及「晉以來學者罕能言之」？且章帝詔開白虎觀會議之目的，「欲使諸儒共正經義，頗令學者得以自助」，「永為後世則」，若會議之後有如「白虎議奏」或「白虎通義」等文書資料，即時刊立猶稱未及，豈會如此「珍秘」？因此，莊述祖之言，乃是為當時並無公開之白虎觀會議資料，尋求藉口。于首奎亦附和其說，只是理由不同：

> 本來，白虎觀會議的材料，是作為國家的「機密」，由國家保管著。再加上當時全是用手抄寫，所以數量一定不會很多，讀者更是有限的。另外，白虎觀會議的材料，絕大部分來源于讖緯，因之，它與讖緯神學的命運是息息相關的。讖緯是一些政治野心家用來篡奪政權的一種工具。東漢后，魏、晉的迭起，都是利用讖緯、符命，南北朝的宋劉裕，齊肖道成也是假借圖讖上台的。正因為如此，一些封建統治者，為了防止別人利用讖緯再趕他們下台，往往也都嚴禁圖讖。[65]

于首奎在莊述祖論述之下，變本加厲，視此一會議資料為國家「機密」，甚至將「白虎觀會議的材料」未即時公開，歸咎於手抄本數量不多、讀者有限，甚至牽連與讖緯神學之命運息息相關。于首奎之解釋理由，頗為牽強。手抄本是當時普遍之書寫工具，不屬於特

---

[65]　《兩漢哲學新探》，頁 227－228。

殊原因；即使讀者有限，但亦不至於百年之內無人聞知，無人言及。至於《白虎通》內容有「絕大部分來源于讖緯」而遭到嚴禁，此說與讖緯之歷史發展不相應，其實，讖緯學說在章帝當時猶稱「內學」，而且白虎觀會議後六年，章帝之詔書猶多次引用圖讖之文，可見讖緯在當時仍方興未艾，直至三國之後始遭禁絕；因此，「白虎通」之消失，實與後世禁絕讖緯一事無關。

《後漢書》記載非常清楚，曹褒之《漢禮》，乃「以為百五十篇，寫以二尺四寸簡」，故《漢禮》是以竹簡之材料記錄而成之著作，有百五十篇，此「篇」依然是計量載體材料之單位。蔡邕〈巴郡太守謝版〉所謂之「白虎議奏」百卷以上，亦是指計量載體之單位，實與曹褒《漢禮》百五十篇之數相當。從〈藝文志〉所載五百九十六家圖書觀察，除《虞初周說》九百四十三篇外，具有百篇以上之長篇鉅構，只有《軍禮司馬法》百五十五篇、《太史公》百三十篇、《漢著記》百九十卷、《董仲舒》百二十三篇、《太公》二百三十七篇、《百家》百三十九卷、《枚皋賦》百二十篇等七書而已。此一數據意味著曹褒之《漢禮》被誤認為是蔡邕所謂之「白虎議奏」之可能性更為提高，意即：蔡邕〈巴郡太守謝版〉所言之《白虎議奏》百卷以上，實指曹褒之《漢禮》。因此，據此推論：曹褒之《漢禮》被誤植為白虎觀會議之《白虎通》之時機，應在蔡邕作〈巴郡太守謝版〉之際。

蔡邕於靈帝建寧三年「召拜郎中，校書東觀」；至熹平四年，又與五官中郎將堂谿典等人，奏求正定《五經》文字；熹平六年，又與諫議大夫馬日磾、議郎盧植、楊彪、韓說等人並在東觀，校《五經》記傳，補續《漢記》，尋轉侍中遷尚書。蔡邕既拜郎中，

又遷尚書，長年校書於東觀，而東觀正是曹褒受敕盡心集作《漢禮》之所，亦是《漢禮》不行之後之藏書之處，因此，若當時《漢禮》尚存，則蔡邕理應曾經校閱此書。至中平六年，蔡邕周歷三臺，遷巴郡太守，作〈巴郡太守謝表〉時，獲賜《漢禮》百餘卷，但卻已被冠上「白虎議奏」之名。蔡邕獲賜所謂「白虎議奏」之《漢禮》文本，此書可能是《漢禮》在東觀以外之「孤本」，而此書又歸蔡邕所有，屬私人藏書，故當時知《漢禮》者寡。易言之，曹褒之《漢禮》極可能在此之時，或者更早被誤植為《白虎議奏》，自此而後，曹褒之《漢禮》遂以《白虎議奏》之名而行於世，「白虎通」乃《白虎議奏》之流俗省稱，魏時繆襲（186－245）引《白虎通》文句，**⑥**遂為後世所徵引，《白虎通》便留存於世，而曹褒之《漢禮》亦順理成章從此「亡佚」。

最後，再以白虎觀與東觀所處之地理位置，做為《漢禮》被誤植為《白虎議奏》之可能佐證。東漢光武帝於建武元年（25）建都洛陽，依現代考古學所知，東漢洛陽在今河南省洛陽縣東北二十里處：

> 全城平面略呈長方形，南北約漢代九里，東西約漢代六里，
> 故稱「九六城」。城牆用土夯築，厚約 14－25 米。東、

---

⑥ 例如《南齊書·禮志》載繆襲（186－245）引《白虎通》之例曰：「又郊日及牲色，異議紛然。……繆襲據〈祭法〉，云天地騂犢，周家所尚，魏以建丑為正，牲宜尚白。《白虎通》云：『三王祭天，一用夏正』，所以然者，夏正得天之數也。」〔梁〕蕭子顯撰：《南齊書》（北京：中華書局，1972 年），卷九〈禮上〉，頁 120。

西、北三面城墙，遺蹟尚存；南面城墙因洛河改道被沖毀，但仍可復原其位置。經實測並復原，東城墙長約 4200 米，南城墙長約 2460 米，西城墙長約 3700 米，北城墙長約 2700 米，總長合漢代約三十一里。

洛陽城內主要由南、北兩宮殿構成，兩宮相隔七里（其實只一里），中有複道交通。東漢洛陽城圖附下：

东汉雒阳城平面图

（本圖轉印自《中國大百科全書·考古學》）

　　洛陽城中兩大學術重鎮之建築，恰巧分據兩宮之中：其一「東觀」在南宮之內；其二「白虎觀」在東漢新建之北宮西門之白虎門內。從兩觀之性質而言，東觀是一個常設機構，不僅是國家典藏檔案、圖籍和秘書之處，同時具有撰述國史及制作典章制度之功能，所謂「著作東觀」，乃成一專有名詞。東漢章和元年（87），章帝敕命曹褒撰寫《漢禮》，即在「於南宮東觀盡心集作」；至靈帝建寧三年（170），蔡邕「召拜郎中，校書東觀」，亦在此處；可見東觀之性質與重要性。而白虎觀是當時講議學術之場域，其性質猶如西漢之石渠閣，章帝指示會議在白虎觀詔開，亦是有意與西漢宣帝之石渠閣會議相呼應。洛陽城中南、北兩宮毗連而建，白虎觀與東觀兩觀亦近在咫尺；可知，東觀與白虎觀，兩觀不僅性質相近，且地緣相鄰。且從兩觀之性質與地理關係推論，若當年白虎觀會議有資料彙集留存，極有可能由東觀庋藏？

　　總而言之：史料記載東漢章帝詔太常以下諸儒集於白虎觀，會議之目的「欲使諸儒共正經義，頗令學者得以自助」，主旨在「講議《五經》同異」，會議進行連月乃罷，會後資料作成「白虎議奏」。《後漢書》記其事者詳，載其書者略，或稱「通義」，或曰「白虎通德論」，亦從未記載其書之篇數與內容，故所謂「白虎議奏」僅止於傳說之中，應未撰集成冊；即使撰集成冊，亦未即時公諸於世，故「不僅許慎馬融不能得其書而讀之，且蔡邕鄭玄並不曾舉引也」。且章帝於會後四年，依然公開批評「《五經》剖判，去聖彌遠，章句遺辭，乖疑難正」，證明白虎觀會議並未留下任何資料可供當時學者「正經義」。至章和元年，章帝詔曹褒制作《漢禮》時，仍從未提及「白虎通」或者白虎觀會議。曹褒制作《漢

禮》百五十篇奏上，章帝因太尉、尚書等大臣之極力反對而作罷，章帝寢其奏，「而《漢禮》遂不行」。正因為《漢禮》「不行」於當時，留置東觀，而白虎觀會議之「白虎通」又無人聞問，在此百年之間，《漢禮》被誤植為《白虎議奏》。至中平六年，蔡邕獲賜百篇以上之《白虎議奏》，即是曹褒之《漢禮》。此亦是現存之《白虎通》文本與曹褒之《漢禮》若合符節，而不類經學會議之資料，亦不與《石渠禮論》同調之癥結所在。至此而後，《漢禮》文本便以《白虎通》之名而行於世，其文本遂為後世所徵引。陳立感歎疏證《白虎通》有四難，此豈非誤植《漢禮》以為《白虎通》所致，亦從此困惑後世學者研究《白虎通》一千八百年矣。

第七章　結　論

　　自元大德九年《白虎通》重出問世以來，一直是研究東漢思想之重要文獻。《白虎通》全書以「自設問答」為體例，書中共四十三篇，三百零八章，提問凡六百五十七問題，體例明確且一致。由「問答」之內容判斷，《白虎通》乃是透過「問答」之形式，以確立名物度數之實質內容與意義，並推究問名物度數之由來與道理，以達到「正名」之目的。全書「正名」之範疇，就人而言，上自天子、諸侯，至公、侯、伯、子、男，卿、大夫與士等貴族，下至庶人，規範人在政治上之權利與義務；就事而言，《白虎通》重視依然是「人事」，從政治制度上之職稱及其相互間運作，人我群己間之關係，乃至個人之性情、壽命，至嫁娶、喪葬等人事禮制，皆是《白虎通》論述之重點。因此，無論是就篇章名目，或是「問答」之內容，《白虎通》之內容是規範天子以至庶人之權利與義務，是部組織縝密之政治制度之書；而其本質則是具有「國憲」意義之成文法典，實非會議資料彙編所能比擬。

　　《白虎通》主要論述之對象，乃是以王者為核心之政治組織，以及環繞自王者以下至士、大夫之貴族之禮法制度；而所論述之範圍，上起爵、號，終於嫁娶、喪服之禮儀秩序，內容呈現出縝密且具體之組織結構。《白虎通》文本既有論禮之義，亦有禮之儀，更

多篇幅是在討論以禮所建構之政治制度與人倫秩序之禮制，是集「三禮」之所長，而無「三禮」之所短，甚至是適應於當時政治環境，足以落實為具體政策之建國藍圖。因此，《白虎通》「是一部粗具規模的組織法，也是自天子以至於庶人，立身行世的根本」，「它的內容規定了國家制度和社會制度的基本原則，確立了各種行為准則，直接為鞏固統治階級的專政服務，所以它是一種制度化了的思想，起著法典的作用」，甚至「就是賦予這樣的『國憲』以神學的理論根據的讖緯國教化的法典」。學者論述《白虎通》文本，由粗具規模之組織法，逐次提升為具有國教法典性質之「國憲」，充分說明《白虎通》論述之重點，亦是《白虎通》文本之本質所在；這不僅是當前學界對《白虎通》之普遍共識，亦是對《白虎通》文本內容性質最貼切之詮釋。

白虎觀會議是講議經學之會議，而《白虎通》是具有組織格局之國教法典，白虎觀會議之精神與《白虎通》文本之內容性質並不一致。雖然有學者為化解此一矛盾衝突，而將白虎觀會議理解為以統一經義，進而使往後制作「國憲」合理化之過渡橋樑；但是《白虎通》具有國教法典之性質，其實與章帝欲制定禮憲，在時間與做法皆有矛盾。就時間而言，自西漢高祖至東漢章帝近二百八十年，歷代帝王與群臣莫不以缺乏健全之禮制為憾，若《白虎通》成於建初四年，則章帝何需於八年之內詔示改制？且若章帝有意以《白虎通》做為指導後往制憲之思想原則，則為何章和元年詔曹褒制作《漢禮》時，卻依西漢叔孫通之《漢儀》為底本，依禮條正，絕口不提「白虎通」？就做法而言，章帝雖欲制定禮憲，卻一貫主張由一人主持負責，堅持反對以諸儒共議得失之方式完成，故以白虎觀

會議之龐大員額編制進行制憲，斷非章帝所樂見。因此，白虎觀會議既與制定禮憲之事無關，《白虎通》文本亦非經學會議之資料，若試圖繫聯《白虎通》文本與白虎觀會議兩者之關係，不僅徒勞，同時使後學者在研究《白虎通》文本或東漢經學發展之過程中，橫生枝節。

既釐清《白虎通》文本之內容性質與白虎觀會議之緣起，《白虎通》文本不是白虎觀會議之任一形式之文獻資料，兩者不存在直接之因果關係。因此，唯有將兩者離析為兩事，才能廓清漢代經學發展，避免無謂之糾纏，並重新研究《白虎通》之時代意義與學術價值。

《白虎通》文本與曹褒之《漢禮》兩相對照，就性質而言：學者普遍認為《白虎通》具有禮法制度之性質；而《漢禮》「乃次序禮事」，《後漢書》譽為「國憲」。就篇目順序而言：《白虎通》先天子、次公侯、最後庶民，從生講到死，天道、人事之全部過程；《漢禮》則「撰次天子至於庶人冠婚吉凶終始制度」。就「讖記之文」部分而言：白虎觀會議以「講議《五經》同異」為目的，《白虎通》卻摻引讖記之文三十一條；《漢禮》亦「雜以《五經》讖記之文」。《白虎通》文本與曹褒之《漢禮》，兩者如出一轍，若合符節。因此，本書推論，目前所見之《白虎通》文本，實非白虎觀會議之記錄彙編，而是曹褒受命制作之《漢禮》。

文末附白虎觀會議與曹褒作《漢禮》二事之時間簡表，以清事件發展之眉目。

時間	「白虎通」	《漢禮》
東漢 建初元年 （76）	《後漢書·楊終傳》：「終又言：『宣帝博徵群儒，論定《五經》於石渠閣。方今天下少事，學者得成其業，而章句之徒，破壞大體。宜如石渠故事，永為後世則。』於是詔諸儒於白虎觀論考同異焉。」	
東漢 建初四年 （79）	《後漢書·章帝紀》：「於是下太常，將、大夫、博士、議郎、及諸生、諸儒會白虎觀，講議《五經》同異，使五官中郎將魏應承制問，侍中淳于恭奏，帝親稱制臨決，如孝宣甘露石渠故事，作白虎議奏。」 《後漢書·儒林列傳》：「建初中，大會諸儒於白虎觀，考詳同異，連月乃罷。肅宗親臨稱制，如石渠故事，顧命史臣，著為通義。」	
	《後漢書·班固列傳》：「天子會諸儒講論《五經》，作《白虎通德論》，令固撰集其事。」	
東漢 章和元年 （87）		《後漢書·曹褒列傳》：「正月，乃召褒詣嘉德門，令小黃門持班固所上叔孫通《漢儀》十二篇，敕褒曰：『此制散略，多不合經，今宜依禮條正，使可施行。於南宮、東觀

		盡心集作。」褒既受命,乃次序禮事,依準舊典,雜以《五經》讖記之文,撰次天子至於庶人冠婚吉凶終始制度,以為百五十篇,寫以二尺四寸簡。其年十二月奏上。帝以衆論難一,故但納之,不復令有司平奏。」
東漢 永元四年 （92）		《後漢書·曹褒列傳》:「太尉張酺、尚書張敏等奏褒擅制《漢禮》,破亂聖術,宜加刑誅。帝雖寢其奏,而《漢禮》遂不行。」
東漢 永元十三年 （101）		《後漢書·張奮列傳》:「十三年,更召拜太常。復上疏曰:『漢當改作禮樂,圖書著明。……先帝已詔曹褒,今陛下但奉而成之,猶同公酌文武之道,非自為制,誠無所疑。』」
東漢 建寧三年 （170）	《後漢書·蔡邕列傳》:「建寧三年,辟司徒橋玄府,玄甚敬待之。出補河平長。召拜郎中,校書東觀。」	
東漢 中平六年 光熹元年 （189）	蔡邕〈巴郡太守謝版〉:「詔書前後,賜石鏡奩《禮經素字》、《尚書章句》、《白虎議奏》合成二百一十二卷。」	
魏 正始六年	魏繆襲引《白虎通》云:「三王祭天,一用夏正。所以然	

（245）	者，夏正得天之數也。」（《南齊書・禮志》）	
	《白虎通》六卷。（《隋書・經籍志》）	
	《白虎通》六卷，漢章帝撰。（《舊唐書・經籍志》）	
	《白虎通義》六卷，班固等。（《唐書・藝文志》）	
	《白虎通德論》十卷，四十篇，班固撰。（《崇文總目》）	
	《白虎通》十卷，班固。（《宋史・藝文志》）	
元 大德九年 （1305）	李顯翁持劉平父家所藏是書善本見張楷，東平郡守並允然以此書鏤板重印。（張楷《白虎通》序）今錫學得劉守平父家藏《白虎通》善本，繡梓以廣其傳。（嚴度《白虎通》序）	
清	盧文弨所校刻之《白虎通》，乃就何允中之《漢魏叢書》元大德本之重印本。（盧文弨「校刻《白虎通》序」）	
清	《白虎通義》乃「白虎議奏」之略本，故《白虎通義》與「白虎通」實指二事。（莊述祖〈白虎通義攷〉）	
清	《白虎通》十二卷，五十篇	

光緒元年 （1875）	（陳立《白虎通疏證》）	
民國 二十年 （1931）	《白虎通》為「偽作」，「疑其為三國時作品」。 （洪業〈《白虎通》引得序〉）	
民國 九十六年 （2007）		元大德本《白虎通》乃東漢章帝敕命曹褒所制之《漢禮》。 （周德良《白虎通暨漢禮研究》）

附錄一：
《白虎通》各篇章所引之「問題」

卷一〈爵〉：

「天子為爵稱」章：

　　「爵所以稱天子何？」、「帝王之德有優劣，所以俱稱天子者何？」、「何以知帝亦稱天子？」、「何以皇亦稱天子也？」

「制爵三等五等之異」章：

　　「爵有五等，以法五行也。或三等者，法三光也。或法三光，或法五行何？」、「所以名之為公侯者何？」、「百里兩爵，公侯共之。七十里一爵。五十里復兩爵何？」、「殷爵三等，謂公侯伯也，所以合子男從伯者何？」、「地有三等不變，至爵獨變者何？」、「殷家所以令公居百里，侯居七十里，何也？」、「何以知殷家侯不過七十里？」

「天子諸侯爵稱之異」章：

　　「公卿大夫何謂也？」、「內爵稱公卿大夫何？」、「何以知士非爵？」、「何以知卿為爵也？」、「何以知公為爵也？」、「內爵所以三等何？」、「所以不變質文何？」、「大夫但有上、下，士有上、中、下何？」、「爵皆一字也，大夫獨兩字何？」、「天子之子獨稱元士何？」、「天子爵連言天子，諸侯爵不連言王侯何？」

「王者太子稱士」章：

「王者太子亦稱士何？」

「婦人無爵」章：

「婦人無爵何？」、「《春秋》錄夫人皆有諡，何以知夫人非爵也？」

「追賜爵」章：

「葬從死者何？」

「諸侯襲爵」章：

「父在稱世子何？」、「父歿稱子某者何？」、「所以名之為世子何？」、「何以知天子之子亦稱世子也？」、「世子三年喪畢，上受爵命于天子何？」、「世子上受爵命，衣士服何？」

「天子即位改元」章：

「何以知不從死後加王也？」、「王者既殯而即繼體之位何？」、「何以知踰年即位改元也？」、「所以聽于冢宰三年者何？」、「所以名之為冢宰何？」

卷二〈號〉：

「皇帝王之號」章：

「帝王者何？」、「皇者，何謂也？」、「號言為帝何？」

「王者接上下之稱」章：

「或稱天子，或稱帝王何？」、「臣下謂之一人何？」、「或稱朕何？」

「君子為通稱」章：

「或稱君子者何？」、「何以知其通稱也？」

「三皇五帝三王五伯」章：

「三皇者，何謂也？」、「謂之神農何？」、「謂之燧人何？」、「謂之祝融何？」、「五帝者，何謂也？」、「謂之顓頊何？」、「謂之帝嚳何」、「謂之堯者何？」、「謂之舜者何？」、「三王者，何謂也？」、「所以有夏、殷、周號何？」、「不以姓為號何？」、「何以知即政立號也？」、「五帝無有天下之號何？」、「五霸者，何謂也？」

「伯子男於國中得稱公」章：

「王者臣子，獨不得褒其君謂之為帝何？」、「何以知諸侯得稱公？」

〈諡〉：

「總論諡」章：

「諡者，何也？」、「死乃諡之何？」、「所以臨葬而諡之何？」

「帝王制諡之義」章：

「黃帝先黃後帝者何？」、「諡或一言，或兩言何？」、「號無質文，諡有質文何？」、「所以諡之為堯何？」

「諡天子於南郊」章：

「天子崩，大臣至南郊諡之者何？」

「天子諡諸侯」章：

「諸侯薨，世子赴告於天子，天子遣大夫會其葬而諡之何？」

「卿大夫老有諡」章：

「卿大夫老歸死者有謚何？」

「無爵無謚」章：

「夫人無謚者何？」、「卿大夫妻，命婦也。無謚者何？」、「八妾所以無謚何？」、「太子夫人無謚何？」、「附庸所以無謚何？」

「謚后夫人」章：

「后夫人于何所謚之？」、「婦人天夫，故但白君而已。何以不之南郊也？」

「號謚取法」章：

「顯號謚何法？」

〈五祀〉：

「總論五祀」章：

「五祀者，何謂也？」、「所以祭何？」、「何以知五祀謂門、戶、井、灶、中霤也？」

「大夫巳上得祭」章：

「獨大夫巳上得祭之何？」

「五祀順法五行」章：

「祭五祀所以歲一遍何？」、「春祀戶，祭所以特先脾者何？」、「是冬腎六月心，非所勝也，以祭何？」

卷三〈社稷〉：

「總論社稷」章：

「王者所以有社稷何？」

「歲再祭」章：

「歲再祭之何？」

「祭社稷所用牲」章：

　　「祭社稷以三牲何？」、「宗廟俱太牢，社稷獨少牢何？」

「王者諸侯兩社」章：

　　「王者諸侯所以有兩社何？」

「誡社」章：

　　「王者諸侯必有誡社者何？」

「社稷之位」章：

　　「社稷在中門之外，外門之內何？」、「不置中門內何？」

「名社稷之義」章：

　　「不謂之土何？」、「不正月祭稷何？」

「社無屋有樹」章：

　　「社無屋何？」、「社稷所以有樹何？」

「王者親祭」章：

　　「王者自親祭社稷何？」

「社稷之壇」章：

　　「其壇大如何？」、「其色如何？」

「祭社稷有樂」章：

　　「祭社稷有樂乎？」

「祭社稷廢禮」章：

　　「〈曾子問〉曰：『諸侯之祭社稷，俎豆既陳，聞天子崩如
　　之何？……』」

〈禮樂〉：

「總論禮樂」章：

　　「禮樂者，何謂也？」、「王者所以盛禮樂何？」、「禮所

揖讓何？」、「樂所以必歌者何？」、「禮貴忠何？」、
「樂尚雅何？」

「太平乃制禮樂」章：

「太平乃制禮作樂何？」、「樂言作，禮言制何？」

「帝王禮樂」章：

「王者始起，何用正民？」、「周室中制象樂何？」

「四夷之樂」章：

「所以作四夷之樂何？」、「誰制夷狄之樂？」、「王者制
夷狄樂，不制夷狄禮何？」、「誰為舞者？以為使中國之
人，何以言之？」、「作之門外者何？」、「曰四夷之樂
者，何謂也？」、「何以知夷在東方？」、「東所以有九者
何？」、「何以名為夷蠻？」

「歌舞異處」章：

「歌者在堂上，舞在堂下何？」

「降神之樂」章：

「降神之樂在上何？」、「所以用鳴球搏拊者何？」

「侑食之樂」章：

「王者食所以有樂何？」、「王者所以日四食何？」

「五聲八音」章：

「聲音者，何謂也？」、「所以名為角何？」、「八音者，
何謂也？」、「天子所以用八音何？」、「聲五、音八
何？」

「通論異說」章：

「問曰：異說並行，則弟子疑焉？」

卷四〈封公侯〉：

「三公九卿」章：

「王者所以立三公九卿何？」、「天者施生，所以主兵
何？」

「封諸侯」章：

「王者立三公、九卿、二十七大夫，足以教道照幽隱，必復
封諸侯何？」

「設牧伯」章：

「州伯者，何謂也？」、「唐虞謂之牧者何？」、「何知堯
時十有二州也？」、「不分南北何？」

「封諸侯制土之等」章：

「制土三等何？」

「封諸侯親賢之義」章：

「即不私封之何？」

「夏封諸侯」章：

「封諸侯以夏何？」

「諸侯繼世」章：

「何以言諸侯繼世？」、「大夫不世位何？」、「諸侯世
位，大夫不世，安法？」

「立太子」章：

「君薨，適夫人無子，有育遺腹，必待其產立之何？」

「昆弟相繼」章：

「始封諸侯無子，死不得與兄弟何？」、「繼世諸侯無子，
又無弟，但有諸父庶兄，當誰與？」

「為人後」章：

　「《禮服傳》曰：『大宗不可絕，同宗則可以為後，為人作子何？……』」

「興滅繼絕之義」章：

　「王者受命而作，興滅國，繼絕世何？」、「君見弒，其子得立何？」

「周公不之魯」章：

　「周公不之魯何？」

〈京師〉：

「建國」章：

　「王者京師必擇土中何？」

「遷國」章：

　「周家始封于何？」

「京師」章：

　「京師者，何謂也？」

「諸侯入為公卿食菜」章：

　「諸侯入為公卿大夫，得食兩家采不？」

〈五行〉：

「總論五行」章：

　「五行者，何謂也？」、「何以知東方生？」

「五行之性」章：

　「五行之性，或上或下何？」、「五行所以二陽三陰何？」

「五味五臭五方」章：

　「水味所以鹹何？」、「木味所以酸何？」、「火味所以苦

何？」、「金味所以辛何？」、「土味所以甘何？」

「十二律」章：

「《月令》十一月律謂之黃鐘何？」、「十二月律謂之大呂何？」、「正月律謂之太蔟何？」、「二月律謂之夾鐘何？」、「三月律謂之姑洗何？」、「四月謂之仲呂何？」、「五月謂之蕤賓何？」、「六月謂之林鐘何？」、「七月謂之夷則何？」、「八月謂之南呂何？」、「九月謂之無射何？」、「十月謂之應鐘何？」

「五行更王相生相勝變化之義」章：

「五行所以更王何？」、「木王火相何以知為臣？」、「火陽，君之象也。水陰，臣之義也。臣所以勝其君何？」、「曰：五行各自有陰陽。木生火，所以還燒其母何？」、「木王所以七十二日何？」、「土所以王四季何？」、「五行何以知同時起丑託義相生？」、「陽氣陰煞，火中無生物，水中反有生物何？」、「水火獨一種，金木多品何？」、「水木可食，金火土不可食何？」、「火水所以殺人何？」、「五行之性，火熱水寒，有溫水，無寒火何？」、「五行常在，火乍亡何？」、「木所以浮，金所以沈何？」、「肝所以沈，肺所以浮何？」

「人事取法五行之義」章：

「天子所以內明而外昧，人所以外明而內昧何？」、「行有五，時有四何？」、「子不肯禪何法？」、「父死子繼何法？」、「兄死弟及何法？」、「善善及子孫何法？」、「惡惡止其身何法？」、「主幼臣攝政何法？」、「子復仇

何法？」、「子順父，妻順夫，臣順君，何法？」、「男不
離父母何法？」、「女離父母何法？」、「娶妻親迎何
法？」、「君讓臣何法？」、「善稱君，過稱己何法？」、
「臣有功，歸功於君何法？」、「臣諫君何法？」、「子諫
父何法？」、「臣諫君不從則去何法？」、「君子遠子近孫
何法？」、「親屬臣諫不相去何法？」、「父為子隱何
法？」、「子為父隱何法？」、「君有眾民何法？」、「王
者賜，先親近後疏遠何法？」、「長幼何法？」、「朋友何
法？」、「父母生子養長子何法？」、「子養父母何
法？」、「不以父命廢王父命何法？」、「陽舒陰急何
法？」、「有分土，無分民何法？」、「君一娶九女何
法？」、「不娶同姓何法？」、「子喪父母何法？」、「喪
三年何法？」、「父喪子，夫喪妻何法？」、「年六十閉房
何法？」、「人有五藏六府何法？」、「人目何法？」、
「人目所不更照何法？」、「王者監二王之後何法？」、
「明王先賞後罰何法？」

卷五：〈三軍〉：

「總論三軍」章：

「國必三軍何？」、「何以言有三軍也？」、「三軍者何
法？」、「諸侯所以一軍者何？」

「王者征伐所服」章：

「王者征伐，所以必皮弁素幘何？」

「告天告祖之義」章：

「獨見禰何？」、「出所以告天何？」

「商周改正誅伐先後之義」章：

　「王者受命，質家先伐，文家先改正朔何？」

「遣將於廟」章：

　「天子遣將軍必於廟何？」、「獨於祖廟何？」

「受兵還兵」章：

　「王命法年卅受兵何？」、「年六十歸兵何？」

〈誅伐〉：

「誅不避親」章：

　「誅不避親戚何？」

「不伐喪」章：

　「諸侯有三年之喪，有罪且不誅何？」

「父殺子」章：

　「父煞其子當誅何？」

「誅佞人」章：

　「佞人當誅何？」

「冬至休兵」章：

　「冬至所以休兵不舉事，閉關商旅不行何？」、「夏至陰始
　起，反大熱何？」、「冬至陽始起，反大寒何？」

「總論誅討征伐之義」章：

　「誅者何謂也？」、「討者何謂也？」、「伐者何謂
　也？」、「征者何謂也？」、「戰者何謂也？」、「弒者何
　謂也？」、「篡者何謂也？」、「襲者何謂也？」、「防并
　兼奈何？」

〈諫諍〉：

「總論諫諍之義」章：

「臣所以有諫君之義何？」

「三諫待放之義」章：

「諸侯之臣諍不從得去何？」、「君待之以禮奈何？」、

「必三諫者何？」

「子諫父」章：

「臣之諫君何法？」

「五諫」章：

「諫者何？」

「記過徹膳之義」章：

「所以謂之史何？」、「謂之宰何？」、「宰所以徹膳

何？」、「人臣之義，當掩惡揚美，所以記君過何？」

「隱惡之義」章：

「所以為君隱惡何？」、「君所以不為臣隱何？」、「諸侯

臣對天子，亦為隱乎？」、「君不為臣隱，父獨為子隱

何？」、「兄弟相為隱乎？」、「夫妻相為隱乎？」

〈鄉射〉：

「天子親射」章：

「天子所以親射何？」

「射侯」章：

「天子所以射熊何？」、「諸侯射麋何？」、「大夫射虎豹

何？」、「士射鹿豕何？」、「大夫士射兩物何？」、「名

之為侯者何？」、「所以不射正身何？」

「總論射義」章：

「射正何為乎？」、「何以知為戒難也？」、「因射習禮
樂，射於堂上何？」

「鄉飲酒」章：

「所以十月行鄉飲酒之禮何？」

「養老之義」章：

「王者父事三老，兄事五更者何？」、「即如是，不但言老
言三何？」、「三老、五更幾人乎？」、「曰：各一人。
曰：何以知之？」

卷六：〈致仕〉：

「大夫老歸，死以大夫禮葬，車馬衣服如之何？」

〈辟雍〉：

「總論入學尊師之義」章：

「古者所以年十五入大學何？」

「父不教子」章：

「父所以不自教子何？」

「辟雍泮宮」章：

「天子立辟雍何？」、「不言圓辟何？」、「又圓於辟，何
以知其圓也？」、「何以知有水也？」、「不言泮雍何？」

「靈臺明堂」章：

「天子所以有靈臺者何？」

〈災變〉：

「災變譴告之義」章：

「天所以有災變何？」

「災異妖孽異名」章：

「災異者，何謂也？」、「何以言災有哭也？」、「變者，何謂也？」、「妖者，何謂也？」、「孽者，何謂也？」、「堯遭洪水，湯遭大旱，亦有譴告乎？」、「所以或災變或異何？」

「日月食水旱」章：

「日食必救之何？」

〈耕桑〉：

「王者所以親耕，后親桑何？」、「耕於東郊何？」、「桑於西郊何？」

〈封禪〉：

「封禪之義」章：

「王者易姓而起，必升封泰山何？」、「所以必於泰山何？」、「必於其上何？」、「正於梁甫何？」、「太平乃封，知告於天，必也於岱宗何？」

「符瑞之應」章：

「狐九尾何？」、「必九尾者何？」、「於尾者何？」

〈巡狩〉：

「總論巡狩之禮」章：

「王者所以巡狩者何？」

「巡狩以四仲義」章：

「巡狩所以四時出何？」

「巡狩述職行國行邑義」章：

「所以不歲巡守何？」

「祭天告祖禰載遷主義」章：

「巡狩必祭天何？」、「王者出，必告廟何？」、「類祭以
祖配不？」、「造于禰，獨見禰何？」、「王者諸侯出，必
將主何？」

「諸侯待於竟」章：

「王者巡守，諸侯待於竟者何？」

「巡狩舍諸侯祖廟」章：

「王者巡守，必舍諸侯祖廟何？」

「道崩歸葬」章：

「王者巡守崩於道，歸葬何？」、「即如是，舜葬蒼梧，禹
葬會稽何？」

「太平乃巡狩義」章：

「王者所以太平乃巡守何？」、「何以知太平乃巡守？」

「五嶽四瀆」章：

「嶽者何謂也？」、「東方為岱宗者何？」、「南方為霍山
者何？」、「西方為華山者何？」、「北方為恆山者
何？」、「中央為嵩高者何？」、「中央之嶽獨加高字者
何？」、「謂之瀆何？」

卷七：〈考黜〉：

「總論黜陟」章：

「諸侯所以攷黜何？」

「三考黜陟義」章：

「所以三歲一攷績何？」、「何以知始攷輒黜之？」、「九
賜習其賜者何？」、「所以至三削何？」、「先削地後絀爵
者何？」、「諸侯始封，爵土相隨者何？」

「諸侯有不免黜義」章：

「君幼稚，唯考不黜者何？」、「二王後不貶黜者何？」、「妻父母不削，己昆弟削而不黜何？」、「諸侯瘖聾跛躄惡疾不免黜者何？」、「世子有惡疾廢者何？」

〈王者不臣〉：

「三不臣」章：

「王者所不臣者三，何也？」、「不臣妻父母何？」

「諸侯不純臣」章：

「王者不純臣諸侯何？」

「不臣諸父兄弟」章：

「始封之君，不臣諸父昆弟何？」

〈蓍龜〉：

「決疑之義」章：

「所以先謀及卿士何？」、「聖人獨見先睹，必問蓍龜何？」

「龜蓍卜筮名義」章：

「乾草枯骨，眾多非一，獨以蓍龜何？」、「龜曰卜，蓍曰筮何？」

「筮必於廟」章：

「筮畫卦所以必於廟何？」

「卜筮方向」章：

「卜，春秋何方？」

「先筮後卜」章：

「不見吉凶于蓍，復以卜何？」

「灼龜」章：

「龜以荊火灼之何？」、「以火動龜，不以水動蓍何？」

「埋蓍龜」章：

「蓍龜敗則埋之何？」

〈聖人〉：

「總論聖人」章：

「聖人者何？」

「知聖」章：

「聖人未歿時，寧知其聖乎？」、「聖人亦自知聖乎？」

「古聖人」章：

「何以知帝王聖人也？」、「何以言禹湯聖人？」、「何以言文、武、周公皆聖人也？」、「何以言皋陶聖人也？」

〈八風〉：

「風者何謂也？」

〈商賈〉：

「商賈何謂也？」、「即如是，《尚書》曰：『肇牽車牛，遠服賈用』何？」

卷八：〈瑞贄〉：

「諸侯朝會合符信」章：

「王者始立，諸侯皆見何？」

「五瑞制度名義」章：

「何謂五瑞？」、「五玉者各何施？」、「珪以為信何？」、「璧以聘問何？」、「璜所以徵召何？」、「不象陽何？」、「璋以發兵何？」、「不象其陰何？」、「琮以

起土功發眾何？」

「合符還圭之義」章：

「珪所以還何？」、「以為珪介瑞也。璧所以留者，以財幣
盡，輒更造。何以言之？」、「何以知不以玉為四器？」

「見君之贄」章：

「臣見君有贄何？」、「卿大夫贄，古以麑鹿，今以羔雁
何？」、「卿大夫贄變，君與士贄不變何？」

「私相見贄」章：

「私相見亦有贄何？」

「子無贄臣有贄」章：

「子見父無贄何？」

〈三正〉：

「改朔之義」章：

「王者受命必改朔何？」、「王者改作，樂必得天應而後作
何？」

「改朔征伐先後」章：

「文家先改正，質家先伐何？」

「三正之義」章：

「正朔有三何本？」、「三微者，何謂也？」

「改正右行」章：

「天道左旋，改正者右行，何也？」

「正言月不言日」章：

「日尊于月，不言正日，言正月，何也？」

「改正不隨文質」章：

「天質地文。質者據質，文者據文，周反統天正何也？」

「百王不易之道」章：

「王者受命而起，或有所不改者，何也？」

「存二王之後」章：

「王者所以存二王之後何也？」

「文質」章：

「王者必一質一文者何？」

〈三教〉：

「聖王設三教之義」章：

「王者設三教者何？」

「三教」章：

「《樂稽耀嘉》曰：『顏回尚三教變，虞夏何如？』」、
「高宗亦承弊，所以不改教何？」、「何以知高宗不改
之？」、「三教所以先忠何？」、「何以言三教並施，不可
單行也？」

「三教所法」章：

「教所以三何？」、「即法天地人各何施？」

「總論教」章：

「教者，何謂也？」

「論三代祭器明器之義」章：

「夏后氏用明器，殷人用祭器，周人兼用之何謂？」

〈三綱六紀〉：

「總論綱紀」章：

「三綱者，何謂也？」、「何謂綱紀？」

「三綱之義」章：

「君臣、父子、夫婦六人也，所以稱三綱何？」

「六紀之義」章：

「君臣者，何謂也？」、「父子者，何謂也？」、「夫婦
者，何謂也？」、「朋友者，何謂也？」

「詳論綱紀別名之義」章：

「男稱兄弟，女稱姊妹何？」、「男女異姓，故別其稱也。
何以言之？」、「父之昆弟，不俱謂世父，父之女昆弟，俱
謂之姑，何也？」、「至姊妹亦當外適人，所以別諸姊妹
何？」、「謂之舅姑者何？」、「謂之姊妹何？」、「謂之
兄弟何？」、「稱夫之父母謂之舅姑何？」

〈情性〉：

「總論性情」章：

「性情者，何謂也？」

「五性六情」章：

「五性者何謂？」、「六情者何謂也？」、「性所以五，情
所以六何？」

「五藏六府主性情」章：

「五藏者，何也？」、「肝所以仁者何？」、「目為之候
何？」、「肺所以義者何？」、「鼻為之候何？」、「心所
以為禮何？」、「耳為之候何？」、「腎所以智何？」、
「竅之為候何？」、「脾所以信何？」、「口為之候
何？」、「六府者，何謂也？」、「肝膽異趣，何以知相為
府也？」

「六情所配之方」章：

「喜在西方，怒在東方，好在北方，惡在南方，哀在下，樂在上何？」

「魂魄」章：

「魂魄者，何謂也？」

「精神」章：

「精神者，何謂也？」

〈壽命〉：

「命者，何謂也？」

〈宗族〉：

「論五宗」章：

「宗者，何謂也？」、「古者所以必有宗，何也？」、「諸侯奪宗，明尊者宜之。大夫不得奪宗何？」

「論九族」章：

「族者，何也？」、「族所以有九何？」、「禮所以獨父族四何？」

卷九：〈姓名〉：

「論姓」章：

「人所以有姓者何？」、「姓所以有百者何？」

「論氏」章：

「所以有氏者何？」、「或氏王父字者何？」

「論名」章：

「人必有名何？」、「三月名之何？」、「以桑弧蓬矢六射者，何也？」、「必桑弧何？」、「殷以生日名子何？」、

「于民臣亦得以甲乙生日名子何?」、「何以知諸候不象王
者以生日名子也?」、「湯生於夏時,何以用甲乙為
名?」、「不以子丑為名何?」、「名或兼或單何?」、
「《春秋》譏二名何?」、「太古之世所不諱者何?」、
「人所以十月而生者何?」、「人生所以泣何?」、「人拜
所以自名何?」、「禮,拜自後,不自名何?」、「人所以
相拜者何?」、「所以必再拜何?」、「必稽首何?」、
「何以言首?」、「所以先拜手,後稽首何?」

「論字」章:

「人所以有字何?」、「稱號所以有四何?」、「婦人十五
稱伯仲何?」、「婦人姓以配字何?」、「質家所以積于仲
何?」、「不積于叔何?」、「所以或上其叔、季何
也?」、「伯邑考何以獨無乎?」

〈天地〉:

「釋天地之名」章:

「天者,何也?」

「論左右旋之義」章:

「天道所以左旋,地道右周何?」

「論天地何以無總名」章:

「男女總名為人,天地所以無總名何?」

「論天行反勞於地」章:

「君舒臣疾,卑者宜勞,天所以反常行何?」

〈日月〉:

「日月右行」章:

「天左旋，日月五星右行何？」

「日月行遲速分晝夜之義」章：

「日行遲，月行疾何？」、「日月所以懸晝夜者何？」

「釋日月星之名」章：

「月之為言闕也。有滿有闕也。所以有闕何？」、「所以名
之為星何？」

「晝夜長短」章：

「所以必有晝夜何？」、「日所以有長短何？」

「月有大小」章：

「月有小大何？」

「閏月」章：

「月有閏餘何？」

〈四時〉：

「論歲」章：

「所以名為歲何？」

「四時」章：

「歲時何謂？」、「四時天異名何？」、「四時不隨正朔變
何？」

「三代歲異名」章：

「或言歲，或言載，或言年何？」

「朝夕晦朔」章：

「日言夜，月言晦，月言朔，日言朝何？」

〈衣裳〉：

「總論衣裳」章：

「聖人所以制衣服何?」、「所以名為裳何?」、「何以知上為衣,下為裳?」、「名為衣何?」

「裘」章:

「禽獸眾多,獨以狐羔何?」

「佩」章:

「何以知婦人亦佩玉?」

〈五刑〉:

「刑罰科條」章:

「聖人治天下,必有刑罰何?」、「刑所以五何?」、「劓、墨何?」

「刑不上大夫義」章:

「刑不上大夫何?」

〈《五經》〉:

「孔子定《五經》」章:

「孔子所以定《五經》者何?」、「孔子未定《五經》如何?」

「《孝經》《論語》」章:

「已作《春秋》,復作《孝經》何?」、「於《孝經》何?」、「夫制作禮樂,仁之本,聖人道德已備,弟子所以復記《論語》何?」

「文王演《易》」章:

「文王所以演《易》何?」

「伏羲作八卦」章:

「伏羲作八卦何?」

「《五經》象五常」章：

　「經所以有五何？」

「《五經》之教」章：

　「《五經》何謂？」

「書契所始」章：

　「《春秋》何常也？」、「則黃帝以來。何以言之？」

卷十：〈嫁娶〉：

「總論嫁娶」章：

　「人道所以有嫁娶何？」、「禮男娶女嫁何？」

「嫁娶不自專」章：

　「男不自專娶，女不自專嫁，必由父母，須媒妁何？」

「嫁娶之期」章：

　「男三十而娶，女二十而嫁何？」、「男長女幼者何？」、

　「各加一者，明其專一繫心，所以繫心者何？」

「親迎授綏」章：

　「天子下至士，必親迎授綏者何？」

「遣女戒女」章：

　「父母親戒女何？」

「嫁娶以春」章：

　「嫁娶必以春何？」

「天子適媵」章：

　「天子諸侯一娶九女者何？」、「適九者何？」、「必一娶

　何？」、「不娶兩娣何？」、「娶三國女何？」、「二國來

　媵，誰為尊者？」、「所以不聘妾何？」、「可求人為士，

不可求人為妾何？」

「卜娶妻」章：

「娶妻卜之何？」

「天子必娶大國」章：

「王者娶及庶邦何？」、「女行虧缺而去其國，如之何？」

「諸侯不娶國中」章：

「諸侯所以不得自娶國中何？」

「同姓諸侯主昏」章：

「王者嫁女，必使同姓主之何？」、「不使同姓卿主之何？」、「不使同姓諸侯就京師主之何？」、「所以必更築觀者何？」

「卿大夫士妻妾之制」章：

「卿大夫一妻二妾何？」、「不備姪娣何？」、「士一妻一妾何？」

「人君嫡死媵攝」章：

「聘嫡未往而死，媵當往否乎？」

「變禮」章：

「〈曾子問〉曰：『昏禮，既納幣，有吉日，女之父母死，何如？……』」

「婦人有師傅」章：

「婦人所以有師何？」、「女必有傅姆何？」

「王后夫人」章：

「天子之妃謂之后何？」、「國君之妻，稱之曰夫人何？」

「妻妾」章：

「妻妾者，何謂也？」

「論嫁娶男女夫婦婚姻名義」章：

「嫁娶者，何謂也？」、「男女者，何謂也？」、「夫婦者，何謂也？」、「妃匹者何謂？」、「婚姻者，何謂也？」、「所以昏時行禮何？」

「閉房開房之義」章：

「男子六十閉房何？」

〈紼冕〉：

「紼」章：

「紼者，何謂也？」

「總論冠禮」章：

「所以有冠者何？」、「禮所以十九見正而冠者何？」、「何以知不謂正月也？」

「皮弁」章：

「皮弁者，何謂也？」

「冕制」章：

「麻冕者何？」、「即不忘本，不用皮何？」、「冕所以前後邃延者何？」

「委貌母追章甫」章：

「委貌者，何謂也？」、「所以謂之委貌何？」

「爵弁」章：

「爵弁者，何謂也？」、「爵何以知指謂其色？」、「又乍言爵弁，乍但言弁，周之冠色所以爵何？」、「所以不純赤，但如爵頭何？」、「何以知殷加白也？」、「夏殷士冠

不異何？」

卷十一：〈喪服〉：

「諸侯為天子」章：

　「諸侯為天子斬衰三年何？」、「天子諸侯絕期者何？」

「庶人為君」章：

　「王者崩，京師之民喪三月何？」、「禮不下庶人，何以為
　民制服何？」

「臣下服有先後」章：

　「王者崩，臣下服之有先後何？」

「論三年喪義」章：

　「三年之喪何二十五月？」、「三年之喪不以閏月數何？」

「衰」章：

　「喪禮必制衰麻何？」、「腰経者，以代紳帶也，所以結之
　何？」、「必再結云何？」

「杖」章：

　「所以杖竹、桐何？」、「父以竹，母以桐何？」、「竹何
　以為陽？」

「倚廬」章：

　「孝子必居倚廬何？」、「不在門外何？」

「喪禮不言」章：

　「喪禮不言者何？」

「變禮」章：

　「喪有病，得飲酒食肉何？」「〈曾子問〉曰：『小功可以
　與祭乎？』」、「子夏問：『三年之喪，既卒哭，金革之事

無避者，禮與？』」

「三不弔」章：

「有不弔三何？」

「私喪公事重輕」章：

「〈曾子問〉曰：『君薨既殯，而臣有父母之喪，則如之何？』」、「曰：『君既啟，而臣有父母之喪，則如之何？』」、「曰：『君未殯，而臣有父母之喪，則如之何？』」、「諸侯有親喪，聞天子崩，奔喪者何？」、「諸侯朝，而有私喪得還何？」

「奔喪」章：

「聞喪，哭而後行何？」、「既除喪，乃歸哭於墓何？」

「論周公以王禮葬」章：

「養從生，葬從死。周公以王禮葬何？」

〈崩薨〉：

「崩薨異稱」章：

「天子稱崩何？」、「崩薨紀於國何？」

「天子至庶人皆言喪」章：

「喪者，何謂也？」、「人死謂之喪何？」、「不直言死，稱喪者何？」、「天子下至庶人，俱言喪何？」

「天子赴告諸侯」章：

「天子崩，赴告諸侯者何？」

「諸侯奔大喪」章：

「王者崩，諸侯悉奔喪何？」、「童子諸侯不朝而奔來喪者何？」

「臣赴於君」章：

　　「臣死，亦赴告於君何？」

「諸侯赴鄰國」章：

　　「諸侯薨，赴告鄰國何？」

「諸侯歸瑞圭」章：

　　「諸侯薨，使臣歸瑞珪於天子者何？」

「天子弔諸侯」章：

　　「天子聞諸侯薨，哭之何？」

「君弔臣」章：

　　「臣子死，君往弔之何？」

「含歛」章：

　　「崩薨三日乃小歛何？」、「人死必沐浴於中霤何？」、
　　「所以有飯唅何？」、「用珠寶物何也？」

「贈襚賻賵」章：

　　「贈襚者，何謂也？」、「賻賵者，何謂也？」

「殯日」章：

　　「天子七日而殯，諸侯五日而殯何？」

「三代殯禮」章：

　　「夏后氏殯於阼階，殷人殯於兩楹之間，周人殯於西階之上
　　何？」

「天子舟車殯」章：

　　「《禮稽命徵》曰：『天子舟車殯何？……』」

「祖載」章：

　　「祖於庭何？」

「棺槨厚薄之制」章：

　「所以有棺槨何？」、「有虞氏瓦棺，今以木何？」

「尸柩」章：

　「尸柩者，何謂也？」

「葬」章：

　「崩薨別號，至墓同，何也？」、「所以入地何？」、「天子七月而葬，諸侯五月而葬何？」

「合葬」章：

　「合葬者何？」

「葬北首」章：

　「葬於城郭外何？」、「所以於北方者何？」

附錄二：
《白虎通》闕文所引之「問題」

〈郊祀〉：

「王者所以祭天何？」、「祭天必以祖配何？」、「五帝三王祭天，一用夏正何？」、「祭天必在郊何？」、「祭日用丁與辛何？」、「祭天歲一何？」、「祭天作樂者何？」

〈宗廟〉：

「王者所以立宗廟何？」、「宗者尊也，廟者貌也，象先祖之尊貌也。所以有室何？」、「祭宗廟所以禘祫何？」、「謂之禘祫何？」、「禘祫及遷廟何？」、「宗廟所以歲四祭何？」、「諸侯以月旦告朔于廟何？」、「祭所以有主者何？」、「所以用木為之者何？」、「所以虞而立主何？」、「祭所以有尸者何？」

〈朝聘〉：

「所以制朝聘之禮何？」、「謂之朝何？」、「朝用何月？」、「朝禮奈何？」、「諸侯來朝，天子親與之合瑞信者何？」、「諸侯相朝聘何？」、「至正月朔日，乃執而朝賀其君，朝賀以正月何？」、「朝禮奈何？」（重複）、「所以不拜何？」

〈貢士〉：

「有貢者復有聘者何？」

〈車旂〉：

「路者，何謂也？」、「車所以立乘者何？」、「車中不內顧何？」、「所以有和鸞者何？」

〈田獵〉：

「王者諸侯所以田獵者何？」、「春謂之田何？」、「夏謂之苗何？」、「秋謂之蒐何？」、「冬謂之狩何？」、「四時之田，總名為田何？」、「王者祭宗廟，親自取禽者何？」、「禽者何？」、「苑囿所以在東方何？」、「鳥所以飛何？」

〈雜錄〉：

「門四出何？」、「所以必有塾何？」、「闕者何？」、「所以設屏何？」

徵引與參考資料

一、古籍文獻資料（依四庫分類為序）

(一)經部

《周易正義》　〔魏〕王弼、韓康伯注・〔唐〕孔穎達等正義　臺北：藝文書印館《十三經注疏本》

《尚書正義》　〔漢〕孔安國傳・〔唐〕孔穎達等正義　臺北：藝文印書館《十三經注疏本》

《毛詩正義》　〔漢〕毛公傳・鄭元箋・〔唐〕孔穎達等正義　臺北：藝文印書館《十三經注疏本》

《周禮注疏》　〔漢〕鄭玄注・〔唐〕賈公彥疏　臺北：藝文印書館《十三經注疏本》

《儀禮注疏》　〔漢〕鄭玄注・〔唐〕賈公彥疏　臺北：藝文印書館《十三經注疏本》

《禮記正義》　〔漢〕鄭玄注・〔唐〕孔穎達等正義　臺北：藝文印書館《十三經注疏本》

《春秋左傳正義》　〔晉〕杜預注・〔唐〕孔穎達等正義　臺北：藝文印書館《十三經注疏本》

《春秋公羊傳注疏》　〔漢〕何休注・〔唐〕徐彥疏　臺北：藝文印書館《十三經注疏本》

《春秋穀梁傳注疏》　〔晉〕范甯注・〔唐〕楊士勛疏　臺北：藝文印書館《十三經注疏本》

《春秋公羊傳何氏解詁》　〔漢〕何休解詁　《四部備要》，中華書局據永懷堂本校刊

《石渠禮論》 〔漢〕戴聖撰·洪頤煊撰集 臺北：藝文印書館《百部叢書集成》，經典集林卷三

《白虎通》 〔漢〕班固等撰 臺北：藝文印書館，1969 年《百部叢書集成》據《抱經堂叢書》本影印

《白虎通疏證》 〔清〕陳立疏證 臺北：廣文書局據光緒元年春淮南書局刊影印，1987 年 5 月

《白虎通疏證》 〔清〕陳立撰·吳則虞點校 北京：中華書局，1994 年 8 月

《白虎通引得》 燕京大學圖書館引得編纂處編 北平：燕京大學圖書館引得編纂處，1931 年

《緯書集成》 上海古籍出版社編 上海：上海古籍出版社，1994 年 6 月版

《六藝論》 〔漢〕鄭玄 臺北：藝文印書館，1969 年《百部叢書集成》影印《經典集林》本

《四部正譌》 〔明〕胡應麟 臺北：臺灣開明書局，1969 年 4 月

《五禮通考》 〔清〕秦蕙田 臺北：新興書局，1970 年 7 月原刻本

《禮記集解》 〔清〕孫希旦 北京：中華書局，1998 年 12 月第 3 次印刷

(二)史部

《史記》 〔漢〕司馬遷 北京：中華書局，1982 年 11 月版

《漢書》 〔漢〕班固 北京：中華書局，1982 年 11 月版

《後漢書》 〔劉宋〕范曄 北京：中華書局，1993 年 3 月第六次印刷

《東觀漢記》 〔漢〕劉珍等撰 大西洋圖書公司印行，中華古籍叢刊（九）

《三輔黃圖》 撰人不詳 臺北：藝文印書館《百部叢書集成》據《平津館叢書》本影印

《晉書》 〔唐〕房玄齡等著 臺北：藝文印書館，據清乾隆武英殿刊本景印

《南齊書》 〔齊〕蕭子顯 北京：中華書局，1972 年

《隋書》 〔唐〕魏徵等著 臺北：鼎文書局，1990 年 7 月六版

《通典》 〔唐〕杜佑撰・王文錦等點校 北京：中華書局，1992 年 6 月

《文獻通考》 〔元〕馬端臨 洪浩培影印，臺北：新興書局發行，1963 年 10 月新一版

《漢官舊儀補遺》 〔漢〕衛宏著 臺北：藝文印書館，1983 年《百部叢書集成》據《平津叢書》本影印

《漢官解詁》 〔漢〕王隆著 臺北：藝文印書館，1983 年《百部叢書集成》據《平津叢書》本影印

《漢官儀》 〔漢〕應劭著 臺北：藝文印書館，1983 年《百部叢書集成》據《平津叢書》本影印

《歷代職官表》 〔清〕永瑢等奉敕修纂 臺北：臺灣商務印書館，1966 年出版

《歷代職官表》 〔清〕黃本驥編著 臺北：宏業書局，1994 年 11 月

《漢官六種》 〔清〕孫星衍等輯 北京：中華書局，1990 年 9 月

(三)子部

《春秋繁露註》 〔清〕凌曙註 臺北：世界書局據《皇清經解續編》影印

《新譯論衡讀本》 〔漢〕王充著・蔡鎮楚注譯・周鳳五校閱 臺北：三民書局，1997 年 10 月

《申鑒》 〔漢〕荀悅 臺北：藝文印書館據四庫善本叢書子部影印

《少室山房筆叢》 〔明〕胡應麟 臺北：世界書局，讀書劄記叢刊，1963 年 4 月初版

《原抄本日知錄》 〔清〕顧炎武著・黃侃、張繼校勘 臺中：臺中市河北同鄉會印行，1958 年 4 月出版

(四)集部

《蔡中郎文集》 〔漢〕蔡邕 臺北：藝文印書館，1969 年《百部叢書集成》影印《十萬卷樓叢書》本

《蔡中郎集》　〔漢〕蔡邕　臺北：中華書局，《四部備要·集部》據《海原閣校刊本》校刊

《文選》　〔梁〕蕭統編·〔唐〕李善注　臺北：華正書局，1987 年 9 月初版

二、近、現代研究論著

(一)論著書籍（依作者姓名筆劃為序）

《兩漢哲學新探》　于首奎　成都：四川人民出版社　1988 年 4 月

《秦漢法制史研究》　〔日〕大庭脩著·林劍鳴譯　上海：上海人民出版社，1991 年 3 月

《中國政治思想史綱要》　王引淑·朗佩娟·陳紅太·楊陽編著　北京：中國政法大學出版社，1993 年 6 月

《緯學探原》　王令樾　臺北：幼獅文化事業，1984 年 4 月

《釋名疏證補》　王先謙　臺北：臺灣商務印書館，1986 年

《中國哲學論集》　王邦雄　臺北：臺灣學生書局，1983 年 8 月初版

《中國學術思想演進史》　王伯祥·周振甫　上海：上海書店《民國叢書》第二編，1990 年版

《中國學術體系》　王治心　上海：卜海書店《民國叢書》第二編，1990 年

《神秘文化》　王步貴　北京：中國社會科學出版社，1993 年 1 月版

《漢魏博士考》　王國維　臺北：臺灣商務印書館，1991 年

《漢魏博士題名考》　王國維　臺北：臺灣商務印書館，1976 年

《西漢經學源流》　王葆玹　臺北：三民書局，1994 年

《今古文經學新論》　王葆玹　北京：中國社會科學出版社，1997 年 11 月

《鄒衍遺說考》　王夢鷗　臺北：臺灣商務印書館，1966 年 1 月臺初版

《青巖叢錄》　王禕　《百部叢書集成》，臺北：藝文印書館印行

《十七史商榷》　〔清〕王鳴盛　臺北：藝文印書館《百部叢書集成》據廣雅書局《史學叢書》本影印

《蛾術編》　〔清〕王鳴盛　臺北：信誼書局印行，1976 年 7 月初版

《中國思想與制度論集》　中國思想研究委員會編輯　臺北：聯經出版社，
　　1976 年 9 月初版

《中國經學史》　（日）本田成之　臺北：廣文書局，1990 年 7 月再版

《經學通論》　〔清〕皮錫瑞　臺北：河洛圖書出版社，1974 年 12 月

《經學歷史》　〔清〕皮錫瑞　臺北：藝文印書館，1987 年 10 月二版

《黃老學說與漢初政治平議》　司修武　臺北：臺灣學生書局，1992 年 6 版

《經學史》　（日）安井小太郎等講述·林慶彰、連清吉譯　臺北：萬卷樓
　　圖書公司，1996 年 10 月初版

《讖緯思想之綜合的研究》　（日）安居香山編　東京：國書刊行會

《緯書之基礎研究》　（日）安居香山·（日）中村璋八　東京：漢魏文化
　　研究社

《中國古代政治思想史》　朱日耀主編　長春：吉林大學出版社，1988 年 4
　　月第 1 版

《先秦學術風貌與秦漢政治》　朱寶昌　武昌：武漢大學出版社，1989 年 1
　　月第 1 版

《中國哲學發展史·秦漢》　任繼愈主編　北京：北京人民出版社，1985 年
　　2 月

《中國哲學的特質》　牟宗三　臺北：臺灣學生書局，1963 年六 6 月初版

《政道與治道》　牟宗三　臺北：臺灣學生書局，1991 年 4 月增訂新版四刷

《三禮研究論集》　李曰剛等著　臺北：黎明文化事業，1981 年 1 月

《中國古代哲學與自然科學》　李申　北京：中國社會科學出版社，1993 年
　　3 月第一版

《中國儒教史》　李申　上海：上海人民出版社，1999 年 12 月

《中國之科學與文明》　李約瑟　臺北：臺灣商務印書館，1973 年初版

《中國經學發展史論》　李威熊　臺北：文史哲出版社，1988 年 2 月初版

《先秦兩漢之陰陽五行學說》　李漢三　臺北：維新書局，1981 年 4 月再版

《先秦學術概論》　呂思勉　上海：上海書店《民國叢書》第四編，1992 年

《中國政治思想史》　呂振羽　上海：上海書店《民國叢書》第四編，1992年

《古代祭禮中之政教觀》　林素英　臺北：文津出版社，1997 年 9 月初版

《喪服制度的文化意義——以《儀禮·喪服》為討論中心》　林素英　臺
　　北：文津出版社，2000 年 10 月初版

《中國學術思想史》　林啟彥　臺北：書林出版公司，1994 年 1 月一版

《秦漢史》　林劍鳴　臺北：五南圖書公司，1992 年版

《中國經學史論文選集》　林慶彰　臺北：文史哲出版社，1992 年 10 月初版

《禮學概論》　周何　臺北：三民書局，1998 年 1 月

《經學史論著選集》　周予同　上海：上海人民出版社，1983 年 11 月

《經今古文學》　周予同　上海：上海書店《民國叢書》第二編，1990 年

《群經概論》　周予同　上海：上海書店《民國叢書》第二編，1990 年

《漢代哲學》　周紹賢　臺北：臺灣中華書局，1983 年 2 月初版

《秦漢政治制度研究》　周道濟　臺北：臺灣商務印書館，1968 年 3 月增訂版

《周官之成書及其反映的文化與時代新考》　金春峰　臺北：東大圖書公
　　司，1993 年 11 月

《漢代思想史》　金春峰　北京：中國社會科學出版社，1997 年 12 月

《古籍叢考》　金德建　臺北：臺灣中華書局，1967 年 4 月

《中國哲學史大綱》　胡適之　上海：上海書店《民國叢書》第一編，1989
　　年版

《群經概論》　范文瀾　北平：樸社，1933 年

《中國文化史》　柳詒徵　北京：中國大百科全書出版社，1988 年

《儒家天人合一思想之研究》　施湘興　臺北：正中書局，1981 年版

《中國人性論史》　姜國柱、朱葵菊　鄭州：河南人民出版社，1997 年 2 月

《兩漢思想史》 祝瑞開 上海：上海古籍出版社，1989 年 4 月第 1 版

《中國思想通史》 侯外廬、趙紀彬、杜國庠、邱漢生 北京：北京人民出版社，1992 年 10 月

《周禮研究》 侯家駒 臺北：聯經出版事業，1987 年 6 月

《中國思想史》 韋政通 臺北：大林出版社，1979 年

《古今偽書考》 姚際恆 北京：中華書局，1985 年

《癸巳類稿》 俞正燮 臺北：世界書局，1960 年 11 月初版

《禮學新探》 高明 臺北：臺灣學生書局，1981 年 9 月

《唐君毅全集》 唐君毅 臺北：臺灣學生書局，1986 年 9 月全集校訂版

《中國哲學原論·原道篇》 唐君毅 臺北：臺灣學生書局，1986 年 10 月全集校訂版

《籀膏述林》 孫詒讓 臺北：廣文書局，1971 年 4 月初版

《清末的公羊思想》 孫春在 臺北：臺灣商務印書館，1985 年 10 月初版

《先秦兩漢陰陽五行說的政治思想》 孫廣德 臺北：臺灣商務印書館，1993 年 6 月初版

《中國政治思想專題研究集》 孫廣德 臺北：桂冠圖書公司，1999 年 6 月初版

《中國經學史》 馬宗霍 臺北：臺灣商務印書館，1968 年臺二版

《白虎通義敎》 莊述祖 《四部精要》上海：上海古籍出版社，1993 年 3 月第一版

《《周官》成立之時代及其思想性格》 徐復觀 臺北：臺灣學生書局，1980 年 5 月

《中國經學史的基礎》 徐復觀 臺北：臺灣學生書局，1982 年 5 月

《兩漢思想史》 徐復觀 臺北：臺灣學生書局，1993 年 9 月初版

《學術與政治之間》 徐復觀 臺北：臺灣學生書局，1985 年 4 月臺再版

《緯候不起于哀平辨》 徐養原 《詁經精舍文集》商務印書館叢書集成簡編

《中國歷代藝文總志·經部》 國立中央圖書館特藏組主編 國立中央圖書館特藏組編印 1984 年

《新學偽經考》 康有為 收錄在蔣貴麟主編：《康南海先生遺著彙刊》（一）臺北：宏業書局，1976 年 9 月

《殷周廟制論稿》 章景明 臺北：學海出版社，1979 年 4 月初版

《兩漢經學史》 章權才 臺北：萬卷樓圖書公司，1995 年 5 月初版

《中國歷史研究法》 梁啟超 臺北：臺灣中華書局，1985 年 4 月

《先秦政治思想史》 梁啟超 《民國叢書》第四編據中華書局1936年版影印

《偽書通考》 張心澂 臺北：明倫出版社，1971 年 2 月

《中國政治制度史》 張金鑑 臺北：三民書局，1998 年 2 月

《中國秦漢思想史》 張國華 北京：人民出版社，1994 年 1 月版

《儒家倫理與秩序情結：中國思想的社會學詮譯》 張德勝 臺北：巨流圖書公司，1989 年九 9 月版

《漢文化論綱》 陳玉龍等著 北京：北京大學出版社，1993 年 6 月版

《先秦禮制研究》 陳戌國 長沙：湖南教育出版社，1991 年 12 月

《秦漢禮制研究》 陳戌國 長沙：湖南教育出版社，1993 年 12 月

《公羊家哲學》 陳柱 臺北：臺灣力行書局，1970 年

《中國法制史概要》 陳顧遠 臺北：三民書局，1977 年 4 月初版

《秦漢政治制度》 陶希聖·沈巨塵著 上海：上海商務印書館，1936 年 12 月初版

《董仲舒與新儒學》 黃朴民 臺北：文津出版社，1992 年 7 月初版

《東漢讖緯學新探》 黃復山 臺北：臺灣學生書局，2000 年 2 月

《經今古文學問題新論》 黃彰健 臺北：中央研究院歷史語言研究所，1992 年 9 月

《春秋三傳比義》　傅隸樸　臺北：臺灣商務印書館，1983 年 5 月初版

《漢代社會性質研究》　楊生民　北京：北京師範學院出版社，1993 年 6 月

《中國學術史講話》　楊東蓴　上海：上海書店《民國叢書》第二編，1990 年

《先秦禮樂文化》　楊華　漢口：湖北教育出版社，1997 年 3 月

《中古史學觀念史》　雷家驥　臺北：臺灣學生書局，1990 年 10 月初版

《緯學源流興廢考》　蔣清翊　日本研文出版據蔣氏雙唐碑館刊本景印

《經學概述》　裴普賢　臺北：開明書局，1969 年 3 月初版

《中國政治思想史》　蕭公權　臺北：中國文化大學出版部，1985 年 7 月版

《古籍辨偽學》　鄭良樹　臺北：臺灣學生書局，1986 年 8 月

《漢晉學術編年》　劉汝霖　上海：上海書店，1991 年版，《民國叢書》選
　　印，據商務印書館 1935 年版影印

《中國選士制度史》　劉虹　長沙：湖南教育出版社，1992 年 9 月第一版

《劉申叔遺書》　劉師培　〈白虎通義源流考〉

《泰山宗教研究》　劉慧　北京：北京文物出版社發行，1994 年 4 月第一版

《中國古代政治思想史》　劉澤華‧葛荃副主編　天津：南開大學出版社，
　　1992 年 6 月第 1 版

《董仲舒政治思想之研究》　賴慶鴻　臺北：文史哲出版社，1981 年 4 月版

《二十二史考異》　〔清〕錢大昕　臺北：樂天出版社，1971 年 10 月

《潛研堂文集》　〔清〕錢大昕　上海：上海古籍出版社，1989 年 11 月

《兩漢經學今古文平議》　錢穆　臺北：聯經出版事業公司《錢賓四先生全
　　集》第八冊，1998 年 5 月

《國學概論》　錢穆　臺北：臺灣商務印書館，1931 年 5 月初版

《中國社會政治史》　薩孟武　臺北：三民書局，1985 年 9 月

《儀禮鄭註句讀校記》　韓碧琴　臺北：國立編譯館，1996 年 2 月初版

《秦漢文化史》　韓養民　臺北：里仁書局，1986 年 10 月版

《儀禮聘禮儀節研究》　謝德瑩　臺北：文史哲出版社，1983 年 7 月初版

《讖緯論略》　鍾肇鵬　臺北：洪葉文化，1994 年 9 月初版

《漢代風俗制度史》　瞿兌之　上海：上海文藝出版社，1991 年 3 月影印本

《禮儀與中國文化》　顧希佳　北京：人民出版社，2001 年 8 月

《古史辨》　顧頡剛　臺北：藍燈文化事業，1993 年 8 月

《漢代學術史略》　顧頡剛　上海：上海書店《民國叢書》第二編，1990 年

《秦漢的方士與儒生》　顧頡剛　臺北：里仁書局，1985 年出版

(二)博·碩士學位論文（依學位論文通過時間為序）

《三禮鄭氏學發凡》　李雲光　師範大學國文研究所博士論文，1964 年

《鄭玄之讖緯學》　呂凱　政治大學中文研究所博士論文，1974 年，臺北：
　　臺灣商務印書館，1982 年 5 月初版

《兩漢儒學研究》　夏長樸　臺灣大學中文研究所碩士論文，1974 年，臺灣
　　大學文史叢刊之四十八，1978 年 2 月初版

《白虎通義引禮考述》　陳玉台　師範大學國文研究所碩士論文，1974 年

《白虎通義研究》　王新華　政治大學中文研究所碩士論文，1975 年

《東漢讖緯與政治》　陳郁芬　臺灣大學中文研究所碩士論文，1977 年

《東漢儒學與東漢風俗》　劉瀚平　政治大學中文研究所碩士論文，1983 年

《先秦齊學考》　林麗娥　政治大學中文研究所博士論文，1988 年

《何休春秋公羊解詁研究》　張廣慶　師範大學國文研究所碩士論文，1990 年

《《白虎通》禮制思想研究》　唐兆君　輔仁大學中文研究所碩士論文，
　　1994 年

《漢代學官制度與儒家典籍的發展》　邱秀春　淡江大學中文研究所碩士論
　　文，1995 年

《禮儀、讖緯與經義——鄭玄經學思想及其解經方法》　車行健　輔仁大學
　　中文研究所博士論文，1996 年

《讖緯思想研究》　殷善培　政治大學中文研究所博士論文，1996 年

《漢代《尚書》讖緯學述》　黃復山　輔仁大學中文研究所博士論文，1996年

⊜期刊・會議論文（依出版時間為序）

〈白虎通義考〉　孫詒讓　《國粹學報》第五年第二冊第五十五期（1909
年）臺北：文海出版社，1970 年 2 月

〈戰國秦漢間方士考論〉　陳槃　《史語所集刊》第十七本

〈古籍神秘性編撰型式補證〉　楊希枚　《國立編譯館館刊》第一卷第三
期，1972 年 6 月

〈讖緯思想下的東漢政治和經學〉　金發根　《沈剛伯先生八秩榮慶論文
集》，臺北：聯經出版社，1976 年 12 月

〈白虎通與讖緯〉　林麗雪　《孔孟月刊》第二十二卷第三期，1983 年 11 月

〈白虎通「三綱」說儒法之辨〉　林麗雪　《書目季刊》第十七卷第三期，
1983 年 12 月

〈有關白虎通的著錄及校勘諸問題〉　林麗雪　《孔孟月刊》第二十五卷第
四期，1986 年 12 月

〈讖對秦漢政治的影響〉　賀凌虛　《社會科學論叢》第三十七輯，1989 年
3 月

〈讖緯思想與訓詁符號──以白虎通為例〉　羅肇錦　《臺北師院學報》第
三期，1990 年 6 月

〈漢代宇宙論之興起與發展及其在哲學上的意義〉　鄔昆如　《漢代文學與
思想學術研討會論文集》，臺北：文史哲出版社，1991 年 10 月初版

〈《白虎通德論》之思想體系及其倫理價值觀〉　張永儁　《漢代文學與思
想學術研討會論文集》

〈論兩漢經學的流變〉　章權才　《中國經學史論文選集》，林慶彰編。臺
北：文史哲出版社，1992 年 10 月初版

〈兩漢章句之學重探〉　林慶彰　《中國經學史論文選集》，林慶彰編。臺
北：文史哲出版社，1992 年 10 月初版

〈論漢代讖緯神學〉　黃開國　《中國經學史論文選集》，林慶彰編。臺
　　北：文史哲出版社，1992 年 10 月初版

〈《白虎通義》的思想體系〉　楊向奎　《中國經學史論文選集》，林慶彰
　　編。臺北：文史哲出版社，1992 年 10 月初版

〈《白虎通》與《伊川易傳》天人觀的比較〉　鍾彩鈞　《中國文哲研究集
　　刊》第三期，1993 年 3 月

〈淺論漢初公羊學災異說〉　王初慶　《兩漢文學學術研討會論文集》，
　　1995 年 5 月

〈「讖」「緯」異名同實考辨〉　黃復山　《兩漢文學學術研討會論文集》

〈帝國意識形態的重建──扮演「國憲」基礎的《白虎通》思想〉　林聰舜
　　國科會八十五年度哲學學門專題計劃研究成果發表會，1996 年 11 月

〈論漢代學術會議與漢代學術發展的關係──以石渠閣會議的召開為例〉
　　夏長樸　臺北：政治大學中文系《第三屆漢代文學與思想學術研討會
　　論文集》2000 年 12 月

〈是「經學」、「法典」還是「禮典」？──關于《白虎通義》性質的辨
　　析〉　王四達　《孔子研究》第六期 2001 年

後　記

　　基本上，這本書是脫胎於我在中央大學完成的博士學位論文，除了修飾敘述文句之外，這本書還刪除了論文中部分章節，希望論述宗旨能更清晰、準確；同時也增加了去年國科會研究計畫案的部分成果，藉以提高本書論述證據的有效性。

　　這本書是我近十多年來研究《白虎通》階段性的成果報告，因此，本書得以完成，要歸功於王邦雄教授與高柏園教授。二位教授，不僅是我博、碩士論文的指導教授，同時也在我的人生道路上，不斷給予勉勵與提攜，這份恩情，不敢或忘。本書得以順利出版，要感謝淡江大學語獻所所長陳仕華教授的鼎力相助；同時也要感謝馬銘浩教授題字書名，讓本書平添了收藏的價值。

　　對我而言，出書總是一件可喜之事。此時此刻，我希望我的家人，尤其是年老的母親、為家默默付出青春的小妹寶玉，及年幼懂事的小女靜彤，與我分享這份得來不易的喜悅。如果這本書的出版對於中國學術有絲毫的貢獻，我希望將此小小的成果，告慰我已故的父親。

周德良　記於淡江大學中文系

2007 年 10 月 29 日

國家圖書館出版品預行編目資料

白虎通暨漢禮研究

周德良著. － 初版. － 臺北市：臺灣學生，
2007.12
面；公分
參考書目：面

ISBN 978-957-15-1384-3(精裝)
ISBN 978-957-15-1383-6(平裝)

1. 經學 2. 研究與考訂

071.2   96022224

白虎通暨漢禮研究 (全一冊)

著　作　者：周　　　德　　　良
出　版　者：臺 灣 學 生 書 局 有 限 公 司
發　行　人：盧　　　保　　　宏
發　行　所：臺 灣 學 生 書 局 有 限 公 司
　　　　　　臺 北 市 和 平 東 路 一 段 一 九 八 號
　　　　　　郵 政 劃 撥 帳 號 ： 00024668
　　　　　　電　話 ： (0 2) 2 3 6 3 4 1 5 6
　　　　　　傳　眞 ： (0 2) 2 3 6 3 6 3 3 4
　　　　　　E-mail：student.book@msa.hinet.net
　　　　　　http：//www.studentbooks.com.tw

本書局登
記證字號：行政院新聞局局版北市業字第玖捌壹號

印　刷　所：長 欣 印 刷 企 業 社
　　　　　　中 和 市 永 和 路 三 六 三 巷 四 二 號
　　　　　　電　話 ： (0 2) 2 2 2 6 8 8 5 3

定價：精裝新臺幣六二○元
　　　平裝新臺幣五二○元

西 元 二 ○ ○ 七 年 十 二 月 初 版

07120
ISBN 978-957-15-1384-3(精裝)
ISBN 978-957-15-1383-6(平裝)

臺灣 學生書局 出版

經學研究叢刊